内蒙古自治区职业教育在线精品课程配套教材

工程制图

第 2 版

主　编　李　茗　张宠元
副主编　王　臣　王　丽
参　编　李　晗　王春暖
主　审　王雅先

机械工业出版社

本书是为了适应当前高等职业教育教学改革要求，以培养学生的综合职业能力和职业素养为目标进行内容设计而编写的。

本书共分九章，主要内容包括：制图基本知识，投影基础，基本立体视图，组合体，轴测图，机件的表达方法，标准件与常用件，零件图，装配图。

本书可作为高等职业院校机电类专业及相关专业的工程制图教材，也可供其他工科院校、电视大学、职工大学和函授大学相关专业使用，还可作为工程技术人员的参考用书。本书配套有《工程制图习题集 第 2 版》，可供选用。

为方便教学，本书配备电子课件。凡选用本书作为授课教材的教师均可登录机械工业出版社教育服务网（www.cmpedu.com）免费下载，如有问题请致电 010-88379375 联系相关人员。

图书在版编目（CIP）数据

工程制图／李茗，张宠元主编． -- 2 版． -- 北京：机械工业出版社，2024.12． --（内蒙古自治区职业教育在线精品课程配套教材）． -- ISBN 978-7-111-76664-3

Ⅰ．TB23

中国国家版本馆 CIP 数据核字第 20241BG175 号

机械工业出版社（北京市百万庄大街 22 号　邮政编码 100037）
策划编辑：高亚云　　　　　责任编辑：高亚云
责任校对：牟丽英　梁　静　封面设计：王　旭
责任印制：李　昂
河北泓景印刷有限公司印刷
2025 年 1 月第 2 版第 1 次印刷
184mm×260mm · 14.25 印张 · 353 千字
标准书号：ISBN 978-7-111-76664-3
定价：44.50 元

电话服务　　　　　　　　　网络服务
客服电话：010-88361066　　机　工　官　网：www.cmpbook.com
　　　　　010-88379833　　机　工　官　博：weibo.com/cmp1952
　　　　　010-68326294　　金　书　网：www.golden-book.com
封底无防伪标均为盗版　　　机工教育服务网：www.cmpedu.com

前　言

对于职业教育来说，数字化势在必行，未来一切教与学都将离不开互联网。这也对现有的职业教育教学模式提出了新的挑战。

工程制图课程是一门实践性和应用性较强的专业基础课，课程的任务是培养学生具备一定的空间想象能力和基本的绘图技能。为了适应新形势下职业教育的发展要求，推进教育教学改革，加大教育数字化推广力度，满足机电类专业及相关专业的教学需求，编者结合《机械制图》国家标准和"工程制图"课程标准，以信息化手段为支撑，编写了本书。书中植入了动画、视频等教学资源，在体现职业教育特色的基础上，将纸质教材与移动终端有机结合，突破了教与学的时空限制，可激发学生的学习兴趣，实现教学资源信息化，最终实现"互联网+教育"的深度融合。

《工程制图》于2018年1月出版，得到了高职同行的认可与厚爱。此次修订，邀请了企业人员参与编写，提供企业岗位需求及所需要的零部件案例，针对企业用工需求对教材进行指导，充分体现了校企合作和工学结合的职业教育理念；与时俱进，全面贯彻现行技术标准，跟进新技术、新工艺、新规范；同时教材注重育人元素的挖掘，始终围绕"责任意识、担当意识"的主线，培养学生诚实守信、踏实认真、精益求精的工匠精神。

参加本次修订工作的有：包头职业技术学院李茗（第八章、第九章、附录），包头职业技术学院张宠元（第七章），包头职业技术学院王臣（第四章、第六章），包头职业技术学院王丽（第二章、第三章），陕西重型汽车有限公司李晗（第五章），包头职业技术学院王春暖（第一章）。全书由包头职业技术学院王雅先审阅。

在本书的编写过程中，得到了包头职业技术学院同事的大力支持和帮助，在此表示衷心的感谢。

由于编者水平有限，书中难免存在不足之处，恳请读者批评指正。

编　者

二维码索引

名称	图形	页码	名称	图形	页码
六边形的画法		13	内、外切（1）		16
五边形的画法		13	内、外切（2）		16
圆弧与直线相切作图原理		15	圆弧连接圆与直线（1）		16
外切作图原理		15	圆弧连接圆与直线（2）		16
内切作图原理		15	同心圆画法画椭圆		17
圆弧连接两直线（1）		15	四圆心近似画法画椭圆		17
圆弧连接两直线（2）		15	手柄平面图的画法		18
外切		16	三投影面体系的建立		23
内切		16	三视图的位置关系		24

二维码索引

(续)

名称	图形	页码	名称	图形	页码
三视图的"三等"关系		24	四棱锥截交线		37
三视图的方位关系		24	圆柱切口		40
三视图的画法(1)		27	圆筒切口		40
三视图的画法(2)		27	圆球截交线(1)		42
六棱柱画法		29	圆球截交线(2)		42
棱柱表面点的投影		29	相贯线的一般画法		44
三棱锥画法		30	相贯线(穿孔)画法		46
棱锥表面点的投影		30	相切		52
圆柱的三视图		32	相交		52
圆柱表面点的投影		32	组合体三视图的画法		53
圆锥的三视图		33	切割型组合体三视图的画法		55
圆锥表面点的投影		33	组合体尺寸基准的选择		56

V

（续）

名称	图形	页码	名称	图形	页码
定位尺寸的标注		56	斜二测画法		75
定形尺寸的标注		56	基本视图的配置		78
组合体尺寸标注		58	斜视图		80
轴测投影术语		67	全剖视图（1）		84
三棱锥的正等测画法		70	全剖视图（2）		84
六棱台的正等测画法		70	半剖视图（1）		84
叠加法正等测画法		71	半剖视图（2）		84
切割法正等测画法		71	局部剖视图		86
圆的正等测画法		73	断面图		90
圆柱的正等测画法		74	移出断面图		90
圆台的正等测画法		74	局部放大图		92
圆角的正等测画法		74	螺纹连接		101

（续）

名称	图形	页码	名称	图形	页码
螺栓连接		107	基轴制配合		144
双头螺柱连接		108	接触表面和不接触表面		165
螺钉连接		109	假想画法		166
键连接		110	简化画法		168
半圆键连接		111	装配图的尺寸标注		169
单个齿轮的画法		115	零件序号编写		170
齿轮啮合的画法		116	填料密封		176
啮合区的画法		116	齿轮泵装配（1）		177
尺寸基准		129	齿轮泵装配（2）		177
重要尺寸标注		129	齿轮泵工作原理（1）		178
配合		143	齿轮泵工作原理（2）		178
基孔制配合		144	齿轮泵工作原理（3）		178

目　录

前言
二维码索引
绪论 …………………………………………… 1

第一章　制图基本知识 ………………………… 3
　第一节　绘图工具及作图方法 ………………… 3
　第二节　制图的基本规定 ……………………… 5
　第三节　几何作图 …………………………… 13
　第四节　平面图形的画法 …………………… 17
　第五节　草图的画法 ………………………… 19

第二章　投影基础 ……………………………… 21
　第一节　投影法的基本知识 ………………… 21
　第二节　物体的三视图 ……………………… 22
　第三节　三视图作图方法及步骤 …………… 25

第三章　基本立体视图 ………………………… 28
　第一节　基本立体的三视图 ………………… 28
　第二节　截交线 ……………………………… 36
　第三节　相贯线 ……………………………… 42
　第四节　立体的尺寸标注 …………………… 47

第四章　组合体 ………………………………… 50
　第一节　组合体的组合形式 ………………… 50
　第二节　组合体三视图的画法 ……………… 52
　第三节　组合体的尺寸标注 ………………… 56
　第四节　识读组合体三视图 ………………… 59

第五章　轴测图 ………………………………… 67
　第一节　轴测图的基本知识 ………………… 67
　第二节　正等轴测图的画法 ………………… 69
　第三节　斜二等轴测图的画法 ……………… 75

第六章　机件的表达方法 ……………………… 77
　第一节　视图 ………………………………… 77
　第二节　剖视图 ……………………………… 82
　第三节　断面图 ……………………………… 89
　第四节　其他表达方法 ……………………… 92
　第五节　表达方法综合应用举例 …………… 95

第七章　标准件与常用件 ……………………… 98
　第一节　螺纹与螺纹连接件 ………………… 98
　第二节　键连接、花键和销连接 …………… 110
　第三节　齿轮 ………………………………… 114
　第四节　滚动轴承 …………………………… 119
　第五节　弹簧 ………………………………… 122

第八章　零件图 ………………………………… 125
　第一节　概述 ………………………………… 125
　第二节　零件图的视图选择原则 …………… 126
　第三节　零件图的尺寸标注 ………………… 128
　第四节　零件上常见的工艺结构 …………… 132
　第五节　零件图的技术要求——表面结构的
　　　　　 表示法 ……………………………… 135
　第六节　零件图的技术要求——极限与
　　　　　 配合 ………………………………… 140
　第七节　零件图的技术要求——几何
　　　　　 公差 ………………………………… 145
　第八节　看零件图 …………………………… 151
　第九节　零件测绘 …………………………… 157

第九章　装配图 ………………………………… 163
　第一节　装配图的作用和内容 ……………… 163
　第二节　装配图的表达方法 ………………… 165
　第三节　装配图的尺寸标注与技术要求 …… 169
　第四节　装配图上的零部件序号和
　　　　　 明细栏 ……………………………… 170
　第五节　常见的装配工艺结构 ……………… 171
　第六节　装配体的测绘和装配图的画法 …… 176
　第七节　读装配图 …………………………… 189
　第八节　由装配图拆画零件图 ……………… 190

附录 …………………………………………… 193
　附录A　螺纹 ………………………………… 193
　附录B　常用标准件 ………………………… 196
　附录C　极限与配合 ………………………… 209
　附录D　机构运动示意图中的符号 ………… 216
　附录E　常用材料及热处理方法 …………… 217

参考文献 ……………………………………… 220

绪　　论

一、图样及其在生产中的用途

工程技术上根据投影方法并遵照国家标准的规定绘制成的用于工程施工或产品制造等用途的图叫作工程图样，简称图样。图样是现代工业生产中重要的技术文件。诸如机械、冶金、采矿、土建、电子、水利、航空、造船、化工、轻工等行业中，进行设计、施工、制造、工艺装配、检验、安装、调试及维修等，都要绘制或使用图样。不同行业对图样有不同的要求，如机械图样、建筑图样、水利工程图样等，统称为工程图样或图样。工程图样如同语言、文字、数学公式一样，是人们借以表达和交流技术思想的工具之一，素有"工程语言"之称。

二、工程制图课程的任务、内容及学习方法

工程制图是一门培养工程技术人才的重要技术基础课程。在高等职业院校中，工程制图课程的主要任务是培养学生具有一定的绘制和识读机械图样的能力、空间想象的能力以及绘图的实际技能。并通过后续课程的学习，能在工作岗位上从事相关的设计、制图工作。

1. 工程制图课程的主要任务

1）学习正投影法的基本原理及其应用。
2）培养绘制和识读中等复杂程度机械图样的能力。
3）对所绘图样，要求做到：投影正确，视图选择和配置恰当，尺寸完整、清晰，字体工整，线型标准，符合国家标准的有关规定，能够按给定的要求标注表面结构、公差与配合等。
4）培养对三维形状与相关位置的空间逻辑和形象思维能力。
5）培养自学能力、分析问题和解决问题的能力，深刻理解并自觉实践职业精神和职业规范，增强职业责任感，养成认真负责的工作态度和一丝不苟的工作作风。

2. 工程制图课程的主要内容

（1）投影基础　主要学习用正投影法绘制各种形体的三视图，以及利用轴测图读懂形体的三视图。
（2）表达方法　主要学习中等复杂程度形体的不同绘制方法。
（3）零件图　主要学习标准件和一般零件的绘制和识读方法。
（4）装配图　主要学习中等复杂程度的装配图的绘制和识读方法。

3. 工程制图课程的学习方法

工程制图是一门既有理论又重实践的课程，在学习过程中要坚持理论联系实际。要认真

学习投影理论，掌握正投影的基本作图方法及应用，在理解基本概念的基础上，由浅入深地通过一系列的绘图和读图实践，不断地由物画图、由图想物，分析和想象空间形体与图形之间的对应关系，逐步提高空间想象能力。做习题作业时，应按照正确的方法和步骤作图，遵守技术制图、机械制图相关标准的有关规定，并学会查阅和使用有关手册及国家标准，通过练习培养绘图和识图能力。

第一章　制图基本知识

图样是工程制造、检验和维修所依据的重要文件，是进行技术交流的语言。

本章主要介绍绘图工具的使用方法及国家标准规定的图幅、比例、字体、图线和尺寸标注等内容，强化遵循国家标准和行业标准意识。

第一节　绘图工具及作图方法

正确使用绘图工具，既能保证绘图质量、提高绘图速度，又能延长绘图工具的使用寿命。

一、常用绘图工具及其使用方法

一般用三种方法绘制图样。

（1）计算机绘图　应用计算机软件绘制图样。

（2）徒手绘图　目测估计图形与实物比例，按一定画法要求徒手（或部分使用绘图仪器）绘制图样的草图。

（3）仪器绘图　使用绘图仪器和工具绘制图样。

1. 图板

图板是供铺放和固定图纸用的木板。它由板面和四周的边框组成，板面应平整光滑，左右两导边必须平直。图纸可用胶带纸固定在图板上，如图 1-1a 所示。常用的图板规格有 0 号（900mm×1200mm）、1 号（600mm×900mm）和 2 号（450mm×600mm），可以根据图纸幅面的大小选择图板。

2. 丁字尺和三角板

丁字尺由尺头和尺身组成，尺头和尺身的结合处必须牢固，尺头的内侧面必须平直。丁字尺主要用来画水平线。使用时左手把住尺头，靠紧图板左侧导边（不能用其余三边），上下移动丁字尺，自左向右画不同位置的水平线。三角板由 45° 和 30°（60°）两块组成为一副。

丁字尺和三角板配合使用，可以画水平线、垂直线和特殊角度线，如图 1-1 所示。

3. 圆规与分规

圆规是画圆或圆弧的工具，如图 1-2a 所示。为了扩大圆规的功能，圆规一般配有铅笔

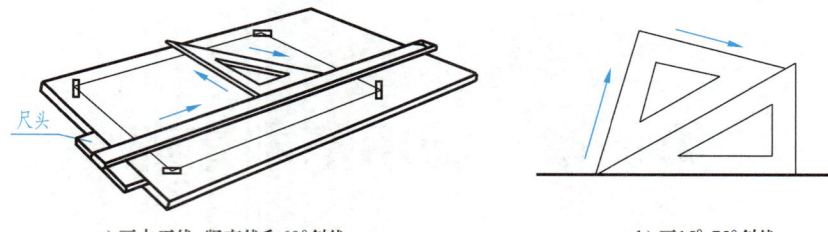

a) 画水平线、竖直线和60°斜线　　b) 画15°、75°斜线

图1-1　图板、丁字尺和三角板的用法

插腿（画铅笔线圆用）、鸭嘴插腿（画墨线圆用）、钢针插腿（代替分规用）三种插腿和一支延长杆（画大圆用）。画圆或圆弧时，应使用有肩台的一端，并把它插入图板中。使用圆规时需注意，圆规的两条腿应该垂直于纸面，如图1-2b所示。

分规是等分线段、移置线段及从尺上量取尺寸的工具，如图1-3所示。使用分规时需注意，分规的两针尖并拢时应对齐。

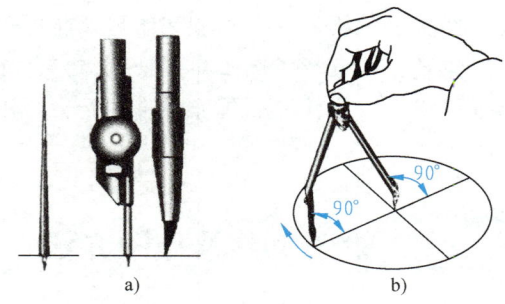

图1-2　圆规及其用法

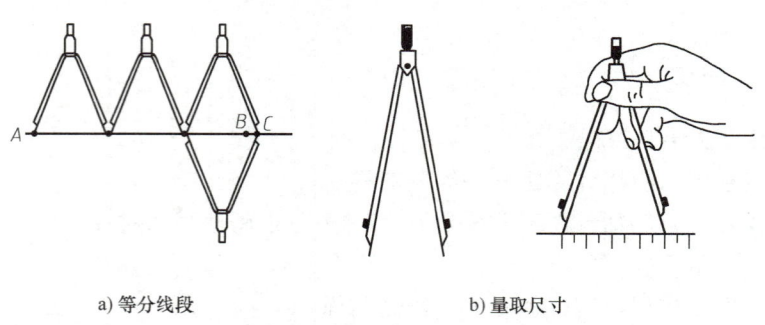

a) 等分线段　　b) 量取尺寸

图1-3　分规的用法

4. 绘图铅笔

绘制工程图样应使用绘图铅笔。绘图铅笔根据铅芯的软硬不同有2B、B、HB、H、2H等多种标号。B前面的数字越大，表示铅芯越软。H前面的数字越大，表示铅芯越硬。HB表示铅芯软硬适中。绘图时选用绘图铅笔的原则如下：

1) 画粗实线时选用B或2B铅笔；画粗实线圆时选用2B铅笔。

2) 写字、画箭头、细实线和各类细点画线时选用HB或H铅笔。

3) 画底稿线时用H或2H铅笔。

铅笔的铅芯可磨削成圆锥形或铲形两种形状，如图1-4所示。圆锥形铅芯用来写字和画底稿线；铲形铅芯用来加粗和描深。

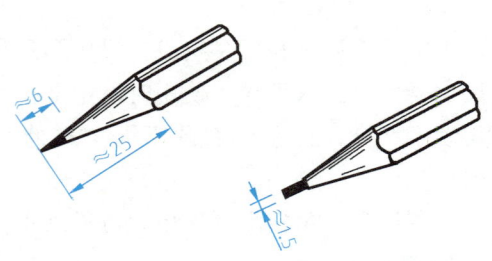

图1-4　铅芯的长度与形状

5. 绘图纸

绘图纸的质地应坚实，用橡皮擦拭时不易起毛。绘图时必须用图纸的正面，识别正面的方法是用橡皮擦拭一下，不易起毛的一面为正面。

二、其他绘图工具

除了上述工具外，还有曲线板、比例尺、铅笔刀、橡皮、胶带纸、量角器以及擦图片等工具。

第二节　制图的基本规定

图样是现代工业生产中重要的技术文件，是人们表达和交流技术思想的工具之一，是工程技术人员交流的"工程语言"。

因此，国家标准对图样的画法、格式和尺寸标注等做出了统一规定，具体参照 GB/T 14689—2008、GB/T 14691—1993 等标准规定。其中"GB/T"为推荐性国家标准代号，简称国标；"14689""14691"为标准顺序号；"2008""1993"表示该标准发布的年份。

一、图纸幅面与格式

1. 图纸幅面

绘制图样时，应优先采用表 1-1 中规定的图纸幅面。必要时，也允许采用加长幅面，其尺寸是由基本幅面的短边成整数倍增加后得出的。

表 1-1　图纸幅面　　　　　　　　　　　　　　　　　　　（单位：mm）

幅面代号	A0	A1	A2	A3	A4
B×L	841×1189	594×841	420×594	297×420	210×297
a	25				
c	10			5	
e	20		10		

2. 图框格式

图框格式分为不留装订边（见图 1-5）和留装订边（见图 1-6）两种。但同一产品图样只能采用一种格式。无论哪种格式的图纸，其图框线均应采用粗实线绘制。装订时可采用 A4 幅面竖装或 A3、A2 幅面横装。

3. 标题栏

1）每张图样上必须画出标题栏，标题栏的位置位于图纸的右下角，如图 1-5、图 1-6 所示。

2）标题栏的长边置于水平方向并与图纸的长边平行时，则构成 X 型图纸，如图 1-5a 和图 1-6a 所示。当标题栏的长边与图纸长边方向垂直时，则构成 Y 型图纸，如图 1-5b 和图 1-6b 所示。

3）标题栏中的文字方向与看图方向一致。

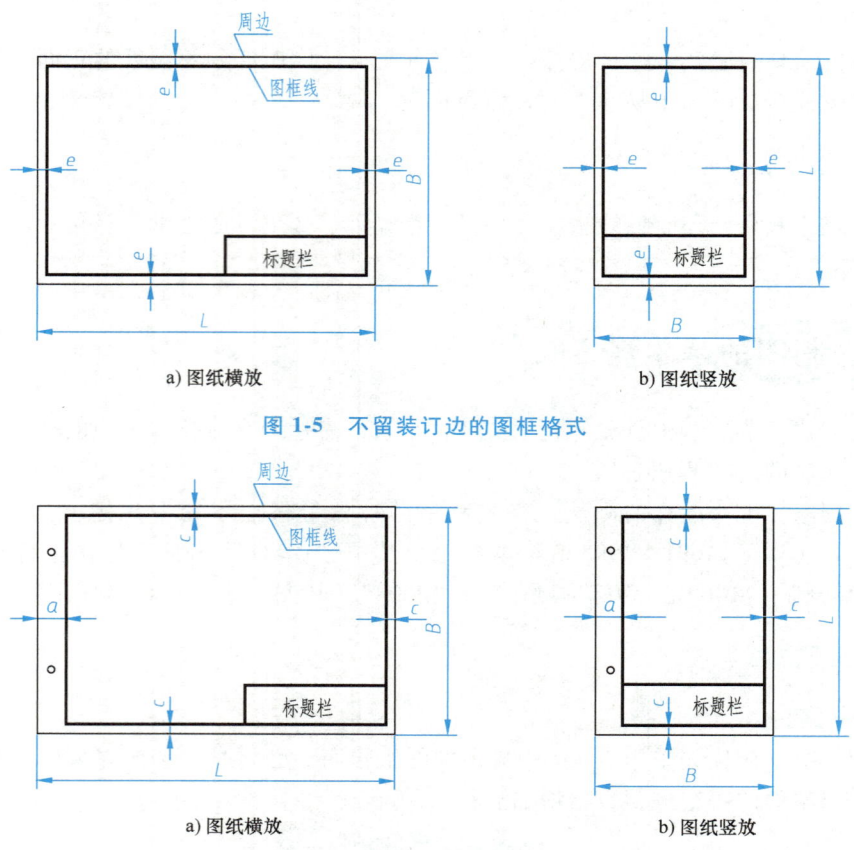

a) 图纸横放　　　　　　　　　　b) 图纸竖放

图 1-5　不留装订边的图框格式

a) 图纸横放　　　　　　　　　　b) 图纸竖放

图 1-6　留装订边的图框格式

4）标题栏的内容、格式及尺寸如图 1-7 及图 1-8 所示，制图作业的标题栏建议采用图 1-8 所示的格式。

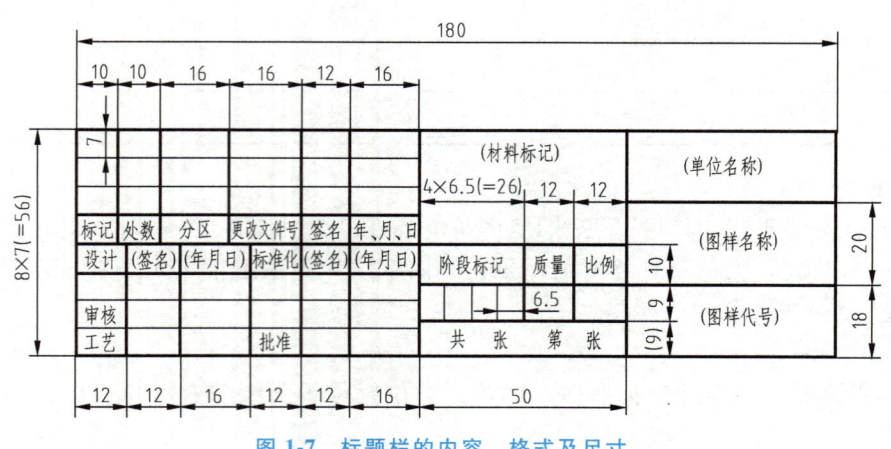

图 1-7　标题栏的内容、格式及尺寸

二、比例

图样中线性尺寸与其实物相应要素的线性尺寸之比称为比例。

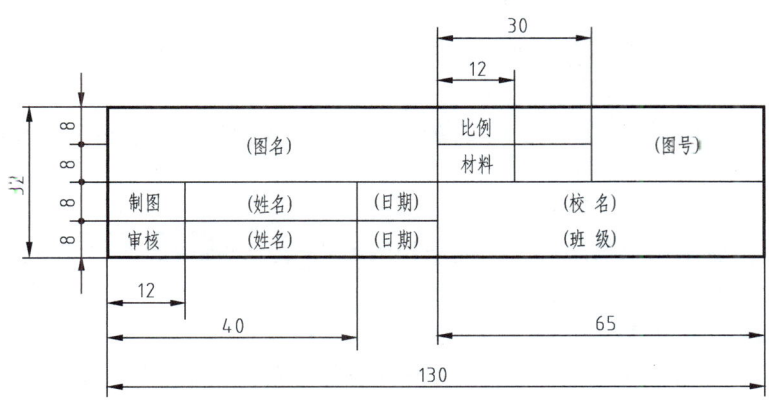

图 1-8　制图作业中的标题栏

比例有三种类型：原值比例、放大比例、缩小比例。
1）原值比例：比值为 1 的比例，即 1∶1。
2）放大比例：比值大于 1 的比例，如 2∶1 等。
3）缩小比例：比值小于 1 的比例，如 1∶2 等。

但是，不管用哪种比例绘制图形，图中的尺寸均应按照实物的实际大小进行标注。图 1-9 所示为用不同比例绘图的效果。

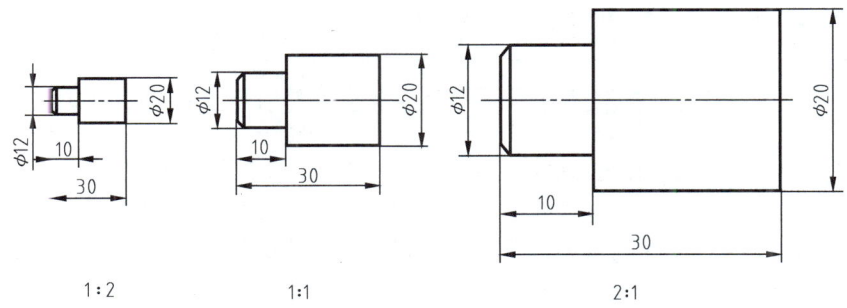

图 1-9　不同比例绘制的图形

国家标准规定了各种比例系列。表 1-2 是常用部分比例系列，绘制图样时，一般可从中选用，并在标题栏中比例项内填写。当某个视图需要采用不同比例时，必须另行标注。

表 1-2　常用部分比例系列

种　类	比　例
原值比例	1∶1
放大比例	2∶1　2.5∶1　4∶1　5∶1　10∶1
缩小比例	1∶1.5　1∶2　1∶2.5　1∶3　1∶4　1∶5

三、字体

图样中除了用图形表达零件的结构形状外，还需要用文字、数字说明零件的名称、大小、材料和技术要求等。

1. 基本要求

书写的汉字、数字、字母的基本要求为：字体工整、笔画清楚、间隔均匀、排列整齐。

2. 字体大小

字体大小分为 20、14、10、7、5、3.5、2.5、1.8 八种号数。字体的号数即字体的高度（单位：mm）。

3. 汉字

图样上的汉字应采用长仿宋体，并应采用国家正式公布推行的简化字。汉字的高度不应低于 3.5 号，字宽等于字高的 $1/\sqrt{2}$。

4. 阿拉伯数字、罗马数字、拉丁字母和希腊字母

数字和字母有正体和斜体之分，一般情况下用斜体。斜体字字头向右倾斜，与水平基准线成 75°。字母和数字按笔画宽度情况分为 A 型和 B 型两类，A 型字体的笔画宽度（d）为字高（h）的 1/14，B 型字体的笔画宽度为字高的 1/10，即 B 型字体比 A 型字体的笔画要粗一点。

5. 字体示例

汉字、字母和数字的示例见表 1-3。

表 1-3 汉字、字母和数字的示例

字体		示 例
长仿宋体汉字	10号	字体工整 笔画清楚 间隔均匀 排列整齐
	7号	横平竖直 注意起落 结构匀称 填满方格
	5号	技术制图石油化工机械电子汽车航空船舶土木建筑矿山井坑港口纺织焊接设备工艺
	3.5号	3.5号螺纹齿轮端子接线飞行指导驾驶舱位挖填施工引水通风闸阀坝棉麻化纤
拉丁字母	大写斜体	*ABCDEFGHIJKLMNOPQRSTUVWXYZ*
	小写斜体	*abcdefghijklmnopqrstuvwxyz*
阿拉伯数字	斜体	*0 1 2 3 4 5 6 7 8 9*
	正体	0 1 2 3 4 5 6 7 8 9
罗马数字	斜体	*I II III IV V VI VII VIII IX X*
	正体	I II III IV V VI VII VIII IX X

四、图线

1. 线型及图线尺寸

图样是由多种图线组成的，技术制图相关标准中规定了基本线型。所有线型的图线宽度 d 应按图样的类型和尺寸大小在下列公比为 $1:\sqrt{2}$ 的系数中选择：0.13mm，0.18mm，

0.25mm、0.35mm、0.5mm、0.7mm、1mm、1.4mm、2mm。

2. 图线的应用

技术制图有关标准规定了工程图样中各种图线的名称、类型及画法，如图 1-10 所示。常用图线的名称、线型、线宽以及在图样上的应用举例见表 1-4。

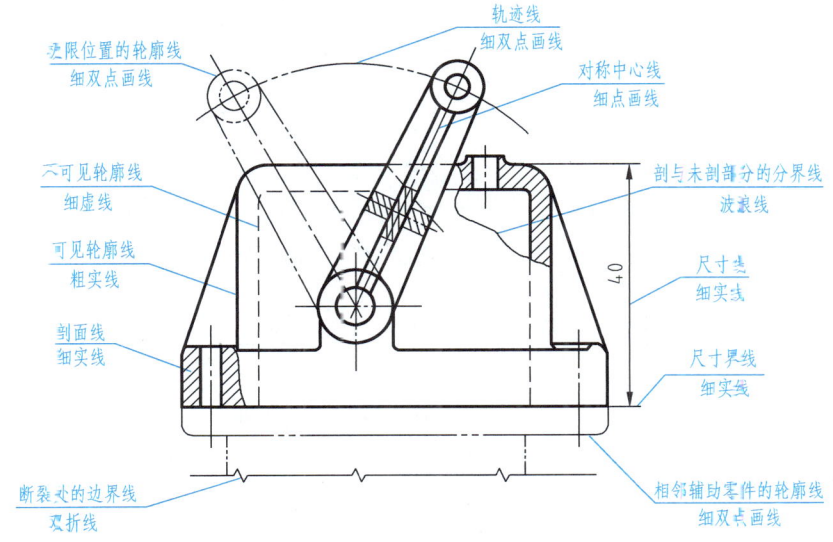

图 1-10　图线应用

表 1-4　机械制图常用图线举例

名称	线　　型	线宽	一　般　应　用
粗实线		d	可见棱边线、可见轮廓线、相贯线、螺纹牙顶线、螺纹长度终止线、齿顶圆(线)、表格图和流程图中的主要表示线、系统结构线(金属结构工程)、模样分型线、剖切符号用线
细实线		$d/2$	过渡线、尺寸线、尺寸界线、指引线和基准线、剖面线、重合断面的轮廓线、短中心线、螺纹牙底线、尺寸线的起止线、表示平面的对角线、零件成形前的弯折线、范围线及分界线、重复要素表示线、锥形结构的基面位置线、叠片结构位置线、辅助线、不连续同一表面连线、成规律分布的相同要素连线、投射线、网格线
细虚线		$d/2$	不可见棱边线、不可见轮廓线
细点画线		$d/2$	轴线、对称中心线、分度圆(线)、孔系分布的中心线、剖切线
波浪线		$d/2$	
双折线		$d/2$	断裂处边界线、视图与剖视图的分界线
粗虚线		d	允许表面处理的表示线

9

(续)

名称	线型	线宽	一般应用
粗点画线		d	限定范围表示线
细双点画线	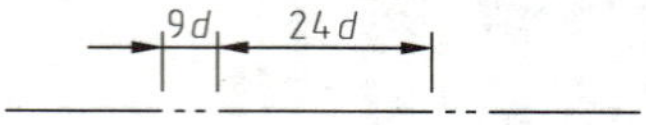 ←9d→←24d→	d/2	相邻辅助零件的轮廓线、可动零件的极限位置的轮廓线、重心线、成形前轮廓线、剖切面前的结构轮廓线、轨迹线、毛坯图中制成品的轮廓线、特定区域线、延伸公差带表示线、工艺用结构的轮廓线、中断线

五、尺寸标注

物体的形状可用图形来表达，但其大小必须依据图样上标注的尺寸来确定，因此尺寸标注是绘制工程图样的一项重要内容。本节主要介绍国家标准 GB/T 4458.4—2003《机械制图 尺寸注法》和 GB/T 16675.2—2012《技术制图 简化表示法 第2部分：尺寸注法》中的规定画法。

画图时必须遵守这些规定，否则会引起混乱，并给生产带来损失。

1. 标注尺寸的基本规则

1）机件的真实大小应以图样上所注尺寸数值为依据，与图形的大小及绘图的准确度无关。

2）图样中的尺寸，以毫米（mm）为单位时，不需在尺寸数字后面标注计量单位的代号或名称，如采用其他单位，则必须注明相应计量单位的代号或名称。

3）图样中所注的尺寸为该图样所示机件的最后完工尺寸，否则应另加说明。

4）机件的每一尺寸一般只标注一次，并应标注在反映该结构最清晰的图形上。

5）标注尺寸时，应尽可能使用符号和缩写词。常用符号和缩写词见表1-5。

表1-5 常用符号和缩写词

名称	符号和缩写词	名称	符号和缩写词
直径	ϕ	45°倒角	C
半径	R	深度	↧
球直径	$S\phi$	沉孔或锪平	⌴
球半径	SR	埋头孔	⌵
厚度	t	均布	EQS
正方形边长	□		

2. 尺寸的组成

一个完整的尺寸应由尺寸界线、尺寸线和尺寸数字三个要素组成，如图1-11所示。

1）尺寸界线应自图形的轮廓线、轴线、对称中心线引出，尺寸界线用细实线绘制。一般情况下，尺寸界线垂直于被标注线段，轮廓线、对称中心线也可用作尺寸界线。

2）尺寸线用于表明所注尺寸的度量方向，尺寸线用细实线绘制。一般情况下，尺寸线平行于被标注线段。尺寸线不能用其他图线代替，也不得与其他图线重合或画在其他图线的延长线上。

尺寸线终端有三种形式：箭头、斜线和圆点，在同一张图中箭头和斜线只能采用一种，机械制图多采用箭头。同一张图上箭头（或斜线）大小要一致。箭头尖端应与尺寸界线接触，其画法如图1-12所示。当采用箭头时，在地方不够的情况下，允许用圆点或斜线代替箭头。斜线用细实线绘制。

3）尺寸数字用于表明零件实际尺寸的大小，与图形的大小无关。尺寸数字采用阿拉伯数字书写，且同一张图样上的字高要一致。尺寸数字在图样中遇到图线时，须将图线断开。如图线断开影响图形表达时，须调整尺寸标注的位置。

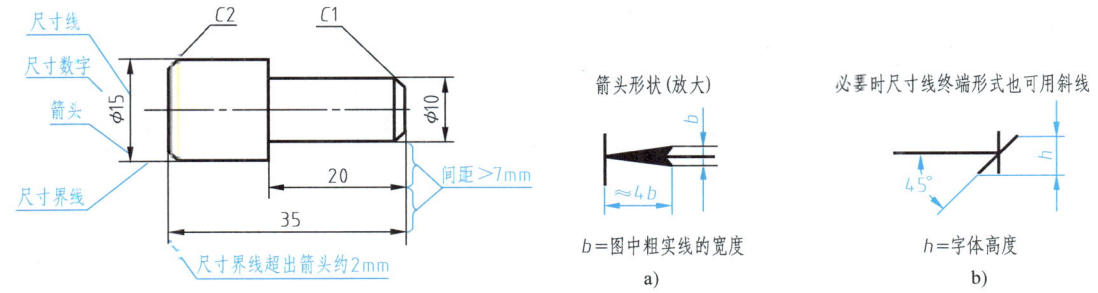

图 1-11　尺寸的标注示例　　　　　　　　图 1-12　尺寸线终端形式

要求：

① 线性尺寸数字的位置，应注写在尺寸线的中间部位的上方（水平和倾斜方向尺寸）、左方（竖直方向尺寸）或中断处。

② 线性尺寸数字方向：尺寸线是水平方向时字头朝上，尺寸线是竖直方向时字头朝左，其他倾斜方向字头要有朝上的趋势。

③ 角度的尺寸数字一律写成水平方向，一般注写在尺寸线的中断处，必要时也可以用指引线引出注写。

3. 常见尺寸标注方法

表 1-6 是常见尺寸标注方法。

表 1-6　常见尺寸标注方法

项目	说　明	图　例
尺寸数字	1. 线性尺寸的数字一般注在尺寸线的上方，也允许填写在尺寸线的中断处	数字注在尺寸线上方　　数字注在尺寸线中断处
	2. 线性尺寸的数字应按右栏中图 a 所示的方向填写，并尽量避免在图示 30°范围内标注尺寸。竖直方向尺寸数字也可按右栏中图 b 形式标注	a)　　b)
	3. 数字不可被任何图线通过。当不可避免时，图线必须断开	中心线断开　剖面线断开　轮廓线断开

(续)

项目	说 明	图 例
尺寸线	1. 尺寸线必须用细实线单独画出。轮廓线、中心线或它们的延长线均不可作尺寸线使用 2. 标注线性尺寸时,尺寸线必须与所标注的线段平行	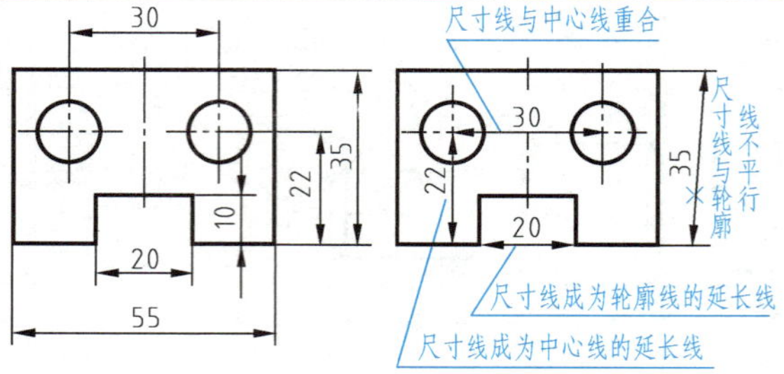 正确　　　　　错误（尺寸线与中心线重合；尺寸线与轮廓线不平行；尺寸线成为轮廓线的延长线；尺寸线成为中心线的延长线）
尺寸界线	1. 尺寸界线用细实线绘制,也可以利用轮廓线（图a）或中心线（图b）作尺寸界线 2. 尺寸界线应与尺寸线垂直。当尺寸界线过于贴近轮廓线时,允许倾斜画出（图c） 3. 在光滑过渡处标注尺寸时,必须用细实线将轮廓线延长,从它们的交点引出尺寸界线（图d）	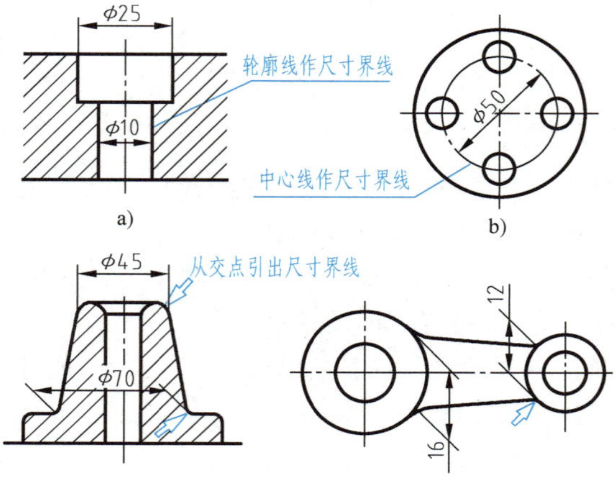 a) 轮廓线作尺寸界线　b) 中心线作尺寸界线　c) 从交点引出尺寸界线　d)
直径与半径	标注直径尺寸时,应在尺寸数字前加注直径符号"φ",标注半径尺寸时,加注半径符号"R",尺寸线应通过圆心	
	标注小直径或小半径尺寸时,箭头和数字都可以布置在外面	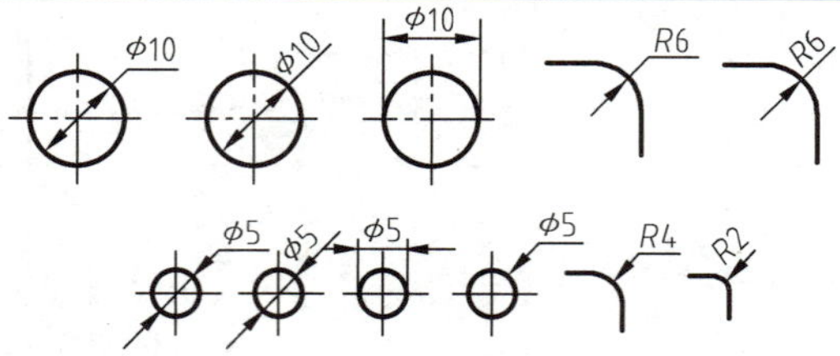
小尺寸的注法	1. 标注一连串的小尺寸时,可用小圆点或斜线代替箭头,但最外两端箭头仍应画出 2. 小尺寸可按右图标注	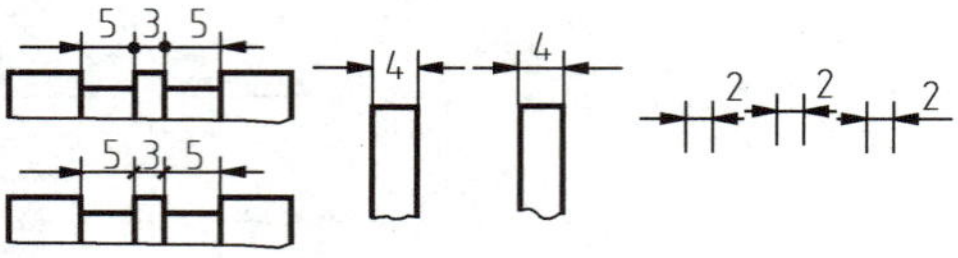
角度	1. 角度的数字一律水平填写 2. 角度的数字应写在尺寸线的中断处,必要时允许写在外面或引出标注 3. 角度的尺寸线必须沿径向引出	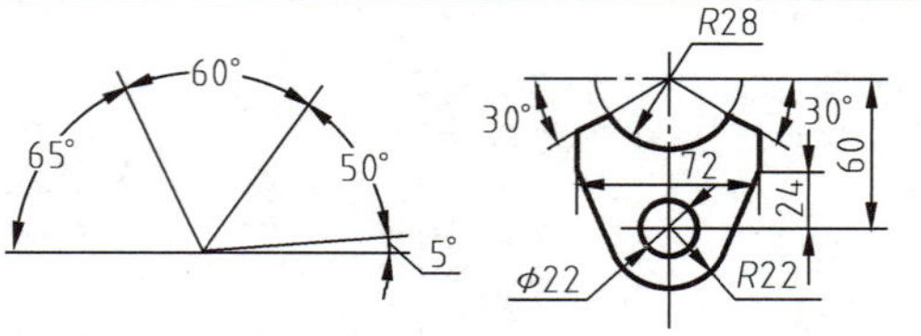

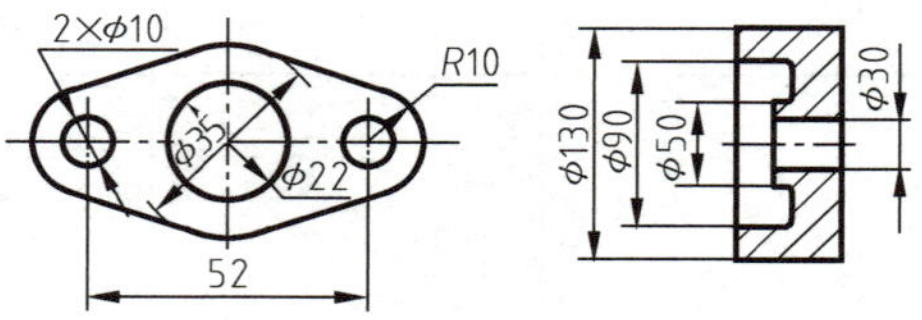

第三节　几何作图

虽然机件的轮廓形状是多种多样的,但它们的图样基本上都是由直线、圆弧和其他一些曲线所组成的几何图形。因此,为了能正确画出图样,必须掌握各种几何图形的作图方法。

一、等分圆周

用绘图工具作圆的内接正六边形的方法有两种,如图1-13所示。

第一种方法:以点A、D为圆心,以已知圆的半径为半径画圆弧,交圆于点B、C、E、F,即得圆周六等分点,依次连接A、B、C、D、E、F即得圆内接正六边形,如图1-13a所示。

第二种方法:用三角板和丁字尺作图,如图1-13b所示。

用圆规画正三角形、正十二边形的方法如图1-14所示。五边形的画法读者可通过扫描二维码自行学习。

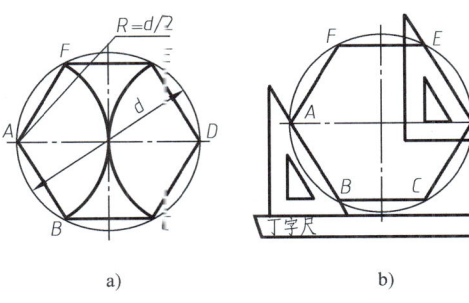

六边形的画法

五边形的画法

图1-13　正六边形画法

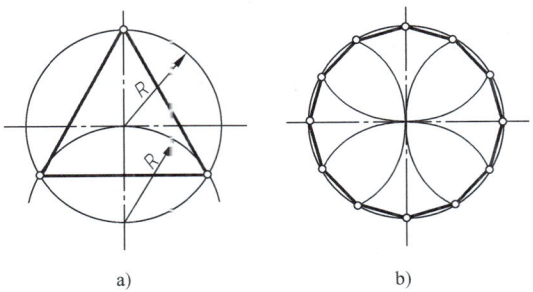

图1-14　正三角形、正十二边形画法

二、斜度和锥度

1. 斜度 S

斜度是一直线对另一直线或一平面对另一平面的倾斜程度。其大小以它们之间夹角的正切值表示,如图1-15a所示,并把比值化为$1:n$的形式。即:

$$S = \tan\alpha = H:L = 1:(L/H) = 1:n$$

斜度符号如图 1-15b 所示，符号方向应与斜度方向一致。图 1-15c 为斜度的画法，图 1-15d 为斜度在图形上的标注。

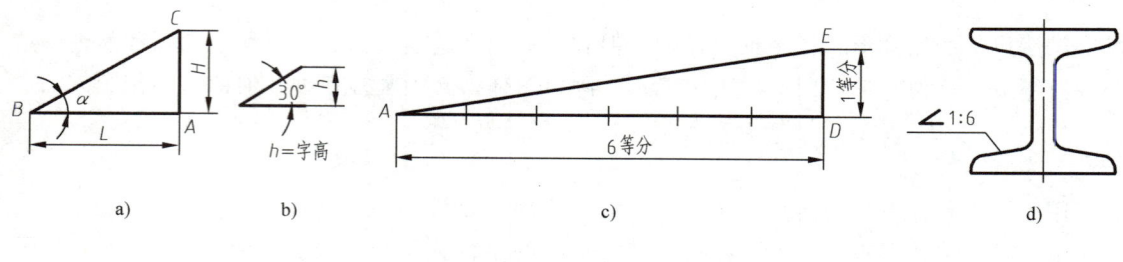

图 1-15 斜度

2. 锥度 C

锥度是指正圆锥的底圆直径与圆锥高度之比，即 $D:L$。而圆台锥度就是两个底圆直径之差与圆台高度之比，如图 1-16a 所示。即

$$锥度\ C=(D-d)/l=2\tan(\alpha/2)=1:n$$

锥度符号如图 1-16b 所示，符号方向应与锥度方向一致。图 1-16c 为锥度的画法，图 1-16d 为锥度在图形上的标注，锥度标注在与指引线相连的基准线上。

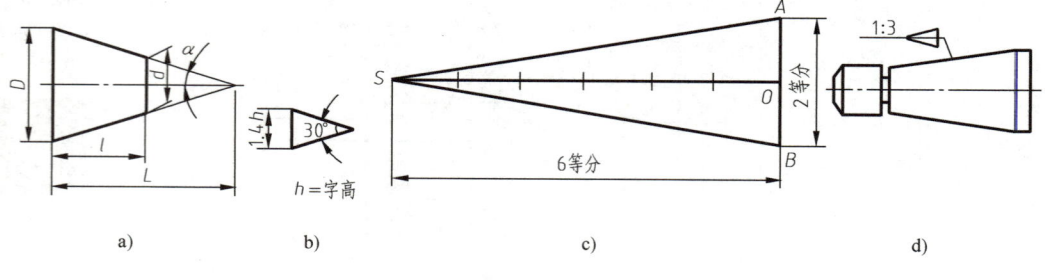

图 1-16 锥度

三、圆弧连接

在绘制机械图样时，经常需要用一个已知半径的圆弧来光滑连接（即相切）两个已知线段（直线段或曲线段），称为圆弧连接。此圆弧称为连接圆弧，两个切点称为连接点。为了保证光滑连接，必须正确作出连接圆弧的圆心和两个连接点，且保证两个被连接的线段都要正确地画到连接点为止，如图 1-17 所示。

画连接圆弧时，需要用到平面几何中以下两条原理：

1）与已知直线相切且半径为 R 的圆弧，其圆心轨迹为与已知直线平行且距离为 R 的两直线，连接点为圆心向已知直线所作垂线的垂足，如图 1-18a 所示。

2）与已知圆弧相切的圆弧，其圆心轨迹为已知圆弧的同心圆，圆心轨迹半径为：外切时（见图 1-18b）为连接圆弧与已知圆弧的半径之和；内切时（见图 1-18c）为连接圆弧与已知圆弧的半径之差。连接点为：外切时，连心线与已知圆弧的交点；内切时，连心线的延长线与已知圆弧的交点。

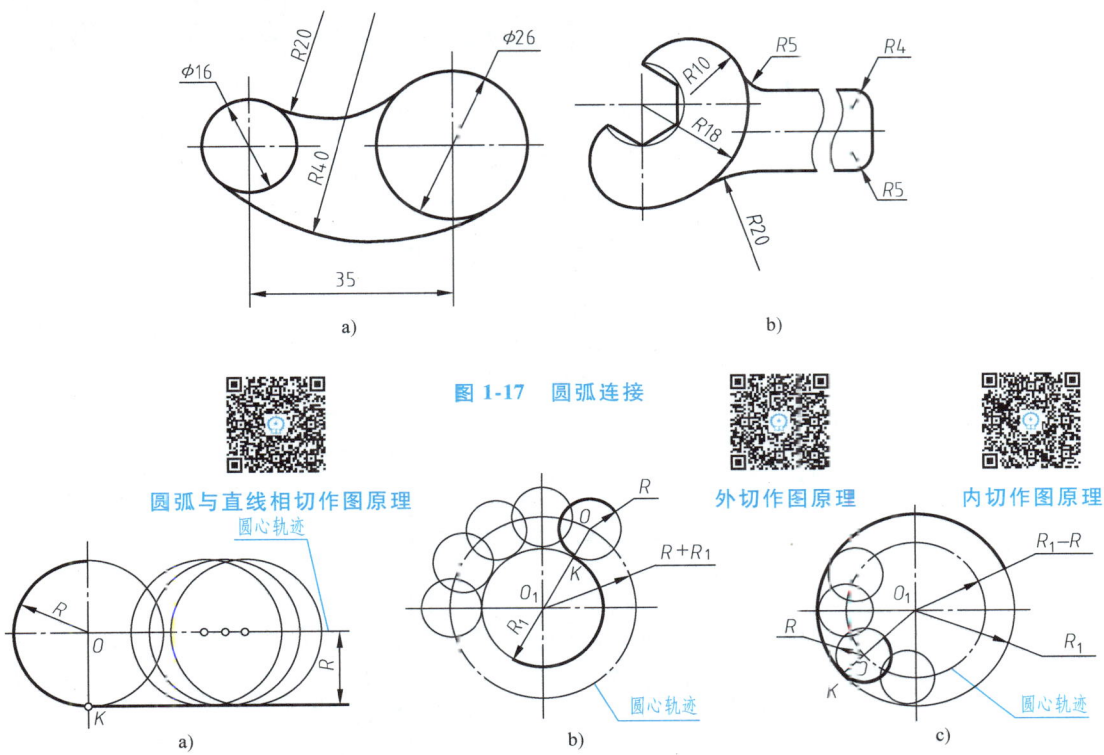

图 1-17 圆弧连接

图 1-18 求连接圆弧的圆心和切点的基本作图原理

【例 1-1】 用半径为 R 的圆弧连接两直线 AB 和 BC，如图 1-19 所示。

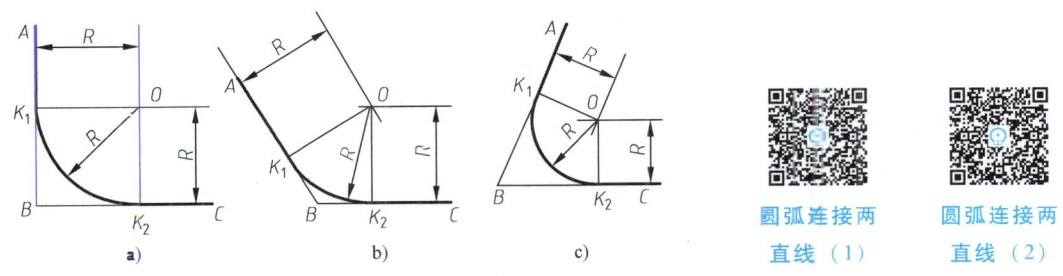

图 1-19 用圆弧连接两直线

作图步骤：

1）求圆心：分别作与已知直线 AB、BC 相距为 R 的平行线，其交点 O 即为连接圆弧（半径为 R）的圆心。

2）求切点：自点 O 分别向直线 AB 及 BC 作垂线，得到的垂足 K_1 和 K_2 即为切点。

3）画连接弧：以 O 为圆心，R 为半径，自点 K_1 至 K_2 画圆弧，即完成作图。

【例 1-2】 用半径为 R 的圆弧连接两已知圆弧（半径分别为 R_1、R_2，圆心分别为 O_1、O_2），如图 1-20 所示。

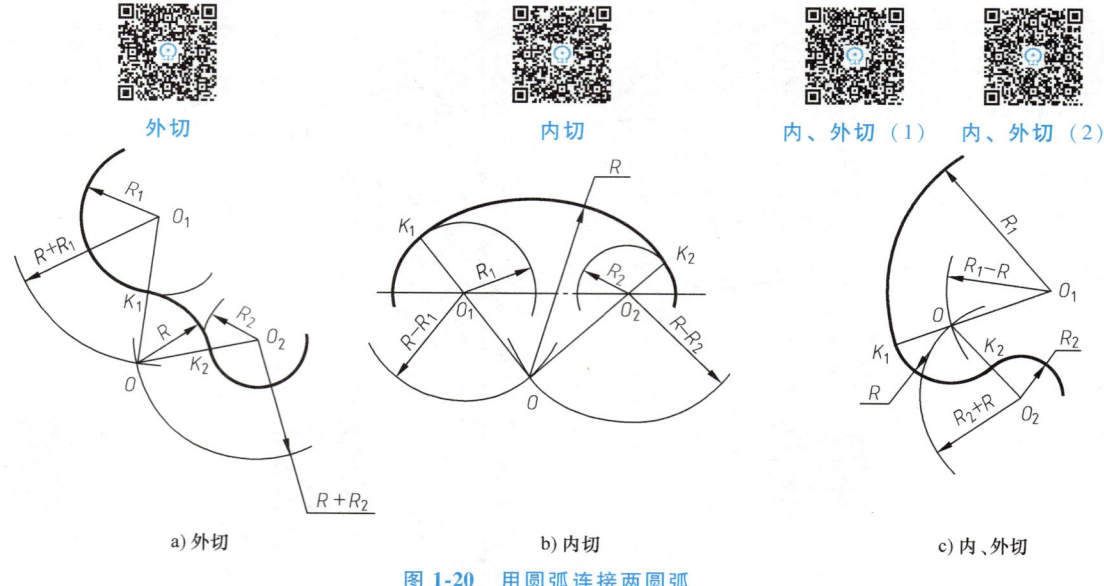

图 1-20 用圆弧连接两圆弧

作图步骤：

1）求圆心：分别以 O_1、O_2 为圆心，$R+R_1$ 和 $R+R_2$（外切，见图 1-20a）或 $R-R_1$ 和 $R-R_2$（内切，见图 1-20b）或 R_1-R 和 R_2+R（内、外切，见图 1-20c）为半径画弧，得交点 O，即为连接圆弧（半径为 R）的圆心。

圆弧连接圆与直线（1）　圆弧连接圆与直线（2）

2）求切点：作两圆心连线 O_1O、O_2O 或其延长线、反向延长线，与两已知圆弧（半径为 R_1、R_2）相交于点 K_1、K_2，则 K_1、K_2 即为切点。

3）画连接弧：以 O 为圆心，R 为半径，自点 K_1 至 K_2 画圆弧，即完成作图。

圆弧连接圆与直线读者可通过扫描二维码自行学习。

四、椭圆的画法

椭圆有同心圆画法和四圆心近似画法两种画法。

1. 同心圆画法

已知椭圆长轴 AB 和短轴 CD，如图 1-21a 所示。

作图步骤如下：

1）以 AB 和 CD 为直径画同心圆。

2）过圆心作若干条径向直线与两圆相交。

3）过大圆上的交点作短轴的平行线，过小圆上的交点作长轴的平行线，两者的交点即为椭圆曲线上的点。

4）以同样的方法作若干点，然后光滑连接各交点即可。

2. 四圆心近似画法

已知椭圆的中心 O、长轴 AB 和短轴 CD，如图 1-21b 所示。

作图步骤如下：

1）连接 AC，以 O 为圆心，OA 为半径画弧与 CD 反向延长线交于点 E，以 C 为圆心，CE 为半径画弧与 AC 交于点 E_1。

2）作 AE_1 的垂直平分线与长短轴分别交于点 O_1、O_2，再作其对称点 O_3、O_4。

3）作连心线 O_2O_1、O_2O_3、O_4O_1、O_4O_3 并适当延长。

4）以 O_2、O_4 为圆心，O_2C、O_4D 为半径，画大圆弧 KCN 和 K_1DN_1；以 O_1、O_3 为圆心，O_1A、O_3B 为半径，画小圆弧 KAK_1 和 NBN_1，即完成近似椭圆的作图。

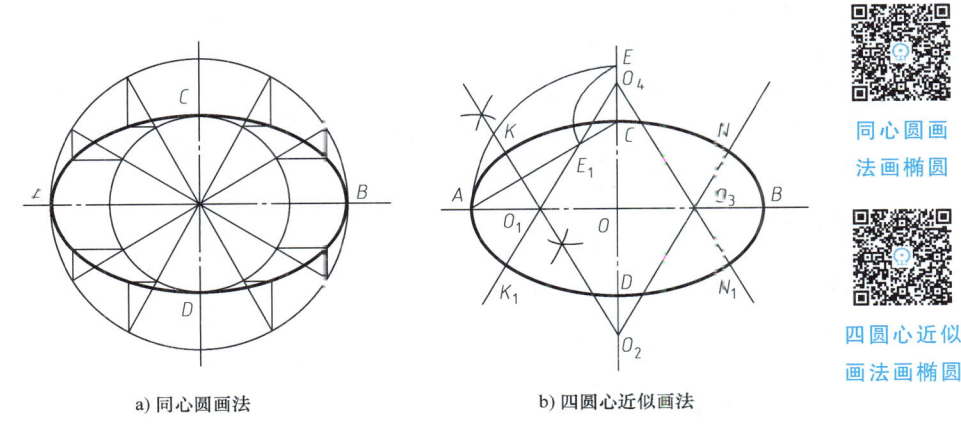

a）同心圆画法　　b）四圆心近似画法

图 1-21　椭圆的画法

第四节　平面图形的画法

平面图形由许多线段连接而成，这些线段之间的相对位置和连接关系靠给定的尺寸确定。画图时，只有通过分析尺寸和线段间的关系，才能明确画该平面图形应从何处着手，以及按什么顺序作图。

一、尺寸分析

根据在平面图形中所起的作用，尺寸可分为定形尺寸与定位尺寸两大类。

1. 定形尺寸

用于确定线段的长度、圆弧的半径（圆的直径）和角度等大小的尺寸称为定形尺寸，如图 1-22 中的 $\phi5$、$\phi20$、$R12$、$R50$ 等。

2. 定位尺寸

用于确定线段在平面图形中所处位置的尺寸称为定位尺寸，如图 1-22 中的 8、35 等。定位尺寸应从基准出发标注，平面图形中常用的尺寸基准多为图形的对称线、较大圆的中心线或图形的轮廓边线等，如图 1-22 中的 B 面和 A 轴线。

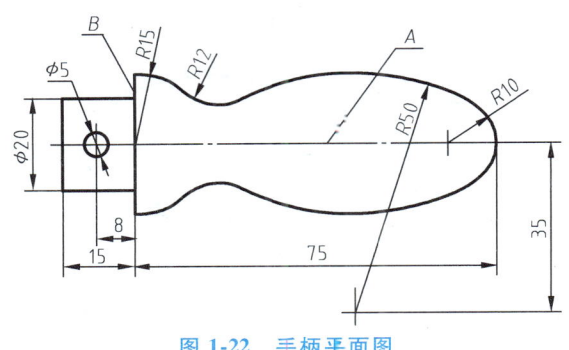

图 1-22　手柄平面图

定形尺寸与定位尺寸这两类尺寸在绘制平面图形时经常出现。

二、线段分析

平面图形中的线段经常由直线和圆弧组成，根据定位尺寸完整与否，可分为三类。

1）已知线段：定形尺寸和定位尺寸都齐全的线段，如图 1-22 中的 $R15$、$R10$、$\phi5$。

2）中间线段：只有定形尺寸和一个方向的定位尺寸，而缺少另一个方向的定位尺寸的线段，如图 1-22 中的 $R50$。

3）连接线段：已知定形尺寸而无定位尺寸的线段，如图 1-22 中的 $R12$。作图时由于缺少定位尺寸会影响作图，因此平面图形的线段中如缺少一个定位尺寸，必须同时补充一个连接条件；如缺少两个定位尺寸，则应同时补充两个连接条件，这样才能作图。

画图时应先画已知线段，再画中间线段，最后画连接线段。

三、平面图形的画图步骤

1. 准备工作

1）分析图形的尺寸及其线段。
2）确定比例，选择图幅，固定图纸。
3）拟定具体的作图顺序。

2. 绘制底稿

（1）画底稿的步骤　如图 1-23 所示。

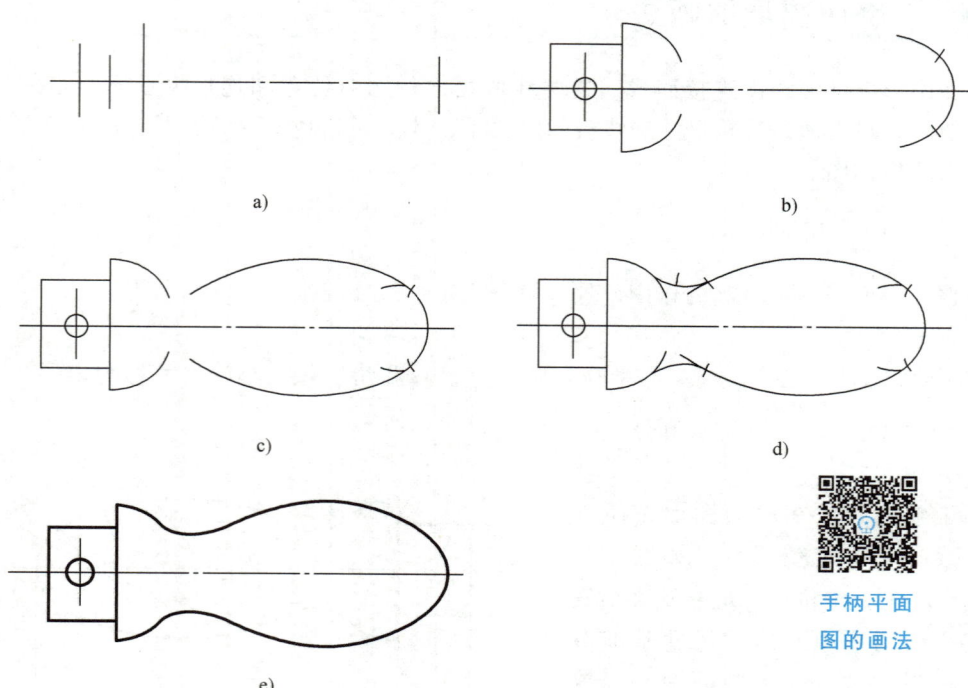

手柄平面图的画法

图 1-23　手柄的作图步骤

1）画出基准线，并根据各个封闭图形的定位尺寸画出定位线，如图 1-23a 所示。

2）画出已知线段，如图 1-23b 所示。

3）画出中间线段，如图 1-23c 所示。

4）画出连接线段，如图 1-23d 所示。

（2）画底稿的注意事项

1）画底稿用 H 或 2H 铅笔，笔芯应经常修磨以保持尖锐。

2）底稿上，要分清线型，但线型均暂时不分粗细，并要画得很轻很细，便于修改。

3）画错的地方，在不影响画图的情况下，可先做记号，待底稿完成后一起擦掉。

（3）检查、描深 在铅笔描深以前，必须检查底稿，把画错的线条及作图辅助线用橡皮轻轻擦净。加深后的图纸应整洁，线型层次清晰，线条光滑、均匀并浓淡一致。

加深步骤：应先曲后直、先细后粗；先用丁字尺画水平线，后用三角板画竖、斜的直线，如图 1-23e 所示。

四、平面图形的尺寸注法

平面图形中标注的尺寸，必须能唯一地确定图形的形状和大小，不遗漏、不多余地标注出确定各线段的相对位置及其大小的尺寸。下面以图 1-24 所示图形为例说明标注尺寸的方法和步骤。

1）分析图形，确定图形中各线段的性质，并选择水平和垂直方向的基准。

确定图形由外线框、内线框和两个小圆构成。整个图形左右是对称的，所以选择对称中心线为水平方向基准。垂直方向基准选两个小圆的中心连线。

2）按已知线段、中间线段、连接线段的次序逐个标注尺寸。

一般先标注定位尺寸，再标注定形尺寸。

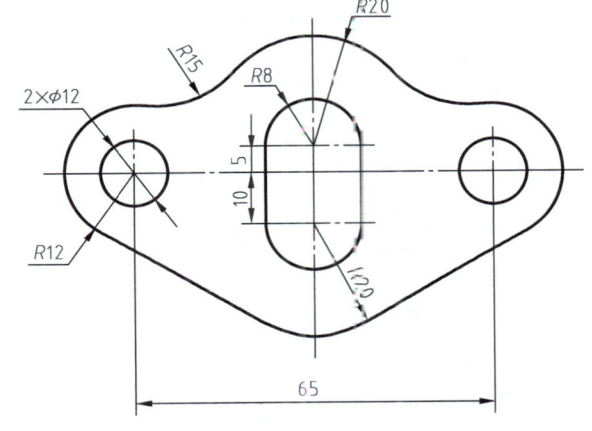

图 1-24 平面图形的尺寸标注

① 标注定位尺寸。左右两个圆心的定位尺寸 65，上下两个半圆的圆心定位尺寸 5 和 10。

② 标注定形尺寸。外线框需注出 R12、两个 R20 以及 R15；内线框需注出 R8，两个小圆要注出 2×φ12。

第五节 草图的画法

草图是以目测来估计物体的大小，不借助绘图工具，徒手绘制的图样。草图经常用于设计、仿制、维修车辆设备等场合，用不同的方式记录产品的图样或表达设计思想。

一、画草图的要求

绘制草图时应做到图形清晰、线型分明、比例匀称，并应尽可能使图线光滑、整齐，绘图速度要快,标注尺寸要准确、齐全,字体工整。

初学者徒手画图,最好在坐标纸上进行,以便控制图线的平直和图形大小。经过一定的训练后,最后达到在白纸上画出匀称、工整的草图的目的。

二、画草图的方法

1. 画直线

执笔要稳,眼睛看着图线的终点,均匀用力,匀速运笔。画水平线时,为了便于运笔,可将图纸微微左倾,自左向右画线;画竖直线时,应自上而下运笔画线;画 30°、45°、60°等常见角度斜线时,可根据两直角边的比例关系,先定出两端点,然后连接两端点即为所画角度线,如图 1-25 所示。

2. 画圆

画圆时,先确定圆心位置,并通过圆心画出两条中心线;画小圆时,可在中心线上按半径目测出四点,然后徒手连点;当圆直径较大时,可以通过圆心多画几条不同方向的直线,按半径目测出一些直径端点,再徒手连点画圆,如图 1-26 所示。徒手画图,最重要的是要保持物体各部分的比例关系,确定出长、宽、高的相对比例。画图过程中随时注意将测定线段与参照线段进行比较、修改,避免图形与实物失真太大。对于小的零件,可利用手中的笔估量各部分的大小;对于大的零件,则应取一参照尺寸,目测零件各部分与参照尺寸的倍数关系。

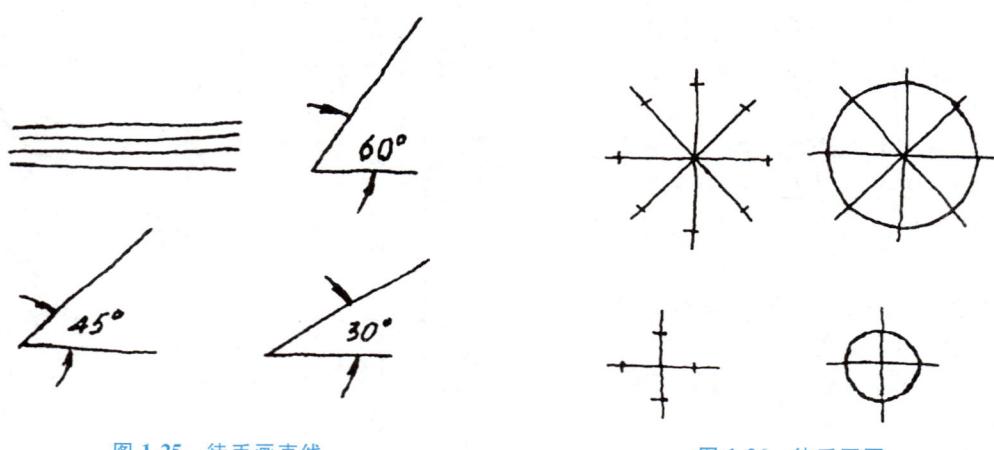

图 1-25　徒手画直线　　　　　图 1-26　徒手画圆

3. 画平面图形

徒手绘制平面图形时,也和使用尺规作图时一样,要进行图形的尺寸分析和线段分析,先画已知线段,再画中间线段,最后画连接线段。图 1-27 所示为徒手绘制平面图形的示例。

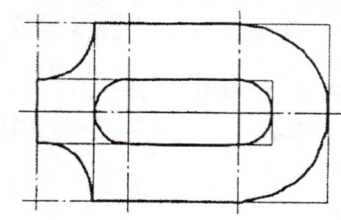

图 1-27　徒手绘制平面图形

第二章　投　影　基　础

本章介绍投影原理、三视图的形成及绘制方法。本章内容是绘图和看图的基础，跟高楼大厦的地基一样重要，打好基础才能学好后面章节的内容。学习本章节时一定要踏实认真、一丝不苟、勤奋刻苦、乐学善思。初步建立从三维到二维的转换。

第一节　投影法的基本知识

一、投影法的概念

生活中，物体在光线照射下，就会在地面或墙壁上产生影子。影子在某些方面反映出物体的形状特征，这就是常见的投影现象。人们根据生产活动的需要，对投影现象进行总结，逐步形成了投影法。所谓投影法，就是一组投射线通过物体向某一平面上投射得到图形的方法。我们把得到投影的平面称为投影面，图形称为物体在投影面上的投影。

二、投影法的分类

工程上常见的投影法有中心投影法和平行投影法。

1. 中心投影法

投射线汇交于一点的投影法称为中心投影法，如图 2-1 所示。中心投影法所得投影具有很强的立体感和真实感，但是不能反映物体的真实形状和大小，由于作图复杂，度量性差，因此在机械图样中很少使用，经常用于建筑工程的外形设计。

2. 平行投影法

若将图 2-1 的投射中心 S 移至无穷远处，则投射线互相平行，这种投射线互相平行的投影法称为平行投影法。根据投射线与投影面的关系不同，平行投影法分为以下两类。

（1）斜投影法——投射线与投影面斜交　根据斜投影法所得到的图形，称为斜投影或斜投影图（见图 2-2）。

（2）正投影法——投射线与投影面垂直　根据正投影法所得到的图形，称为正投影或正投影图（见图 2-3）。

由于正投影法的投射线相互平行且垂直于投影面，正投影在投影图上容易如实表达空间物体的形状和大小，作图比较方便，因此绘制机械图样主要采用正投影法，并将正投影简称为投影。

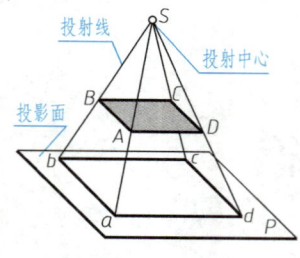
图 2-1　中心投影法

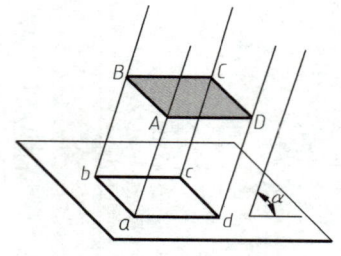
图 2-2　斜投影法

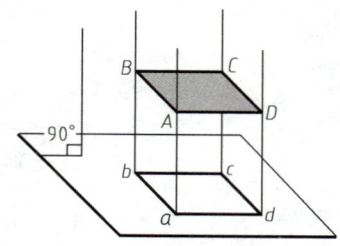
图 2-3　正投影法

三、正投影的基本特征

（1）真实性　当直线或平面与投影面平行时，直线的投影为反映空间直线实长的直线段，平面投影为反映空间平面实形的图形，正投影的这种特性称为真实性，如图 2-4a 所示。

（2）积聚性　当直线或平面与投影面垂直时，直线的投影积聚成一点，平面的投影积聚成一条直线，正投影的这种特性称为积聚性，如图 2-4b 所示。

（3）类似性　当直线或平面与投影面倾斜时，直线的投影为小于空间直线实长的直线段，平面的投影为小于空间实形的类似形，正投影的这种特性称为类似性，如图 2-4c 所示。

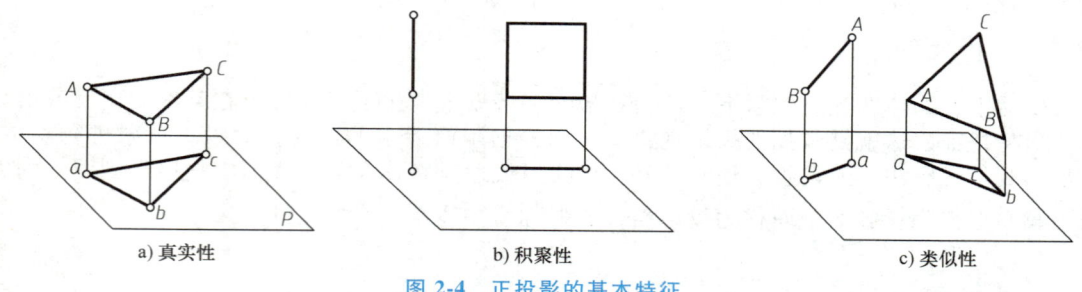

a) 真实性　　　　　　　　b) 积聚性　　　　　　　　c) 类似性

图 2-4　正投影的基本特征

第二节　物体的三视图

一般情况下，一个投影不能确定物体的形状，如图 2-5 所示，两个形状不同的物体，在投影面上的投影都相同。因此，要反映物体的完整形状，必须增加投影，工程上常用的是三视图。

一、三视图的形成

1. 三投影面体系的建立

在图 2-6 中，三投影面体系由三个相互垂直的投影面组成。
三个投影面分别为：
1）正立投影面，简称正面，用 V 表示。
2）水平投影面，简称水平面，用 H 表示。
3）侧立投影面，简称侧面，用 W 表示。
每两个投影面的相互交线称为投影轴，分别是：
1）OX 轴，V 面和 H 面的交线，代表长度方向。

2）OY 轴，H 面和 W 面的交线，代表宽度方向。
3）OZ 轴，V 面和 W 面的交线，代表高度方向。

OX 轴、OY 轴、OZ 轴分别简称为 X 轴、Y 轴、Z 轴。三条投影轴垂直相交的交点 O 称为原点。

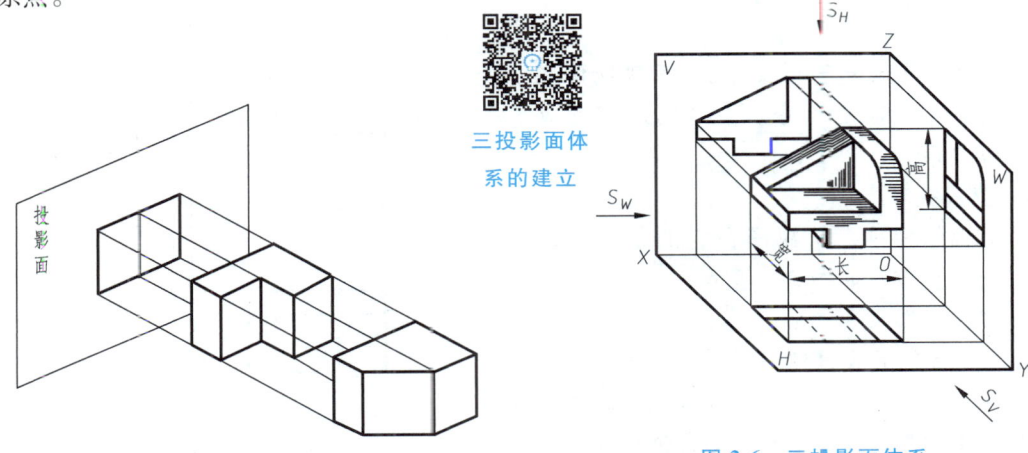

图 2-5　一个投影不能确定物体的形状

图 2-6　三投影面体系

2. 三视图的形成

将物体放置在三投影面体系中，按正投影法向各投影面投射，分别得到物体的正面投影、水平投影和侧面投影，如图 2-6 所示。

规定用正投影法得到的三个投影图称为物体的三视图。即：

1）主视图：物体由前向后在正立投影面上得到的投影。
2）俯视图：物体由上向下在水平投影面上得到的投影。
3）左视图：物体由左向右在侧立投影面上得到的投影。

3. 三投影面体系的展开

为了画图方便，需将相互垂直的三个投影面展平在同一个平面上。展开的方法：正立投影面不动，将水平投影面绕 OX 轴向下旋转 90°，将侧立投影面绕 OZ 轴向右旋转 90°，如图 2-7a 所示，分别重合到正立投影面上，如图 2-7b 所示。应注意当水平投影面和侧立投影

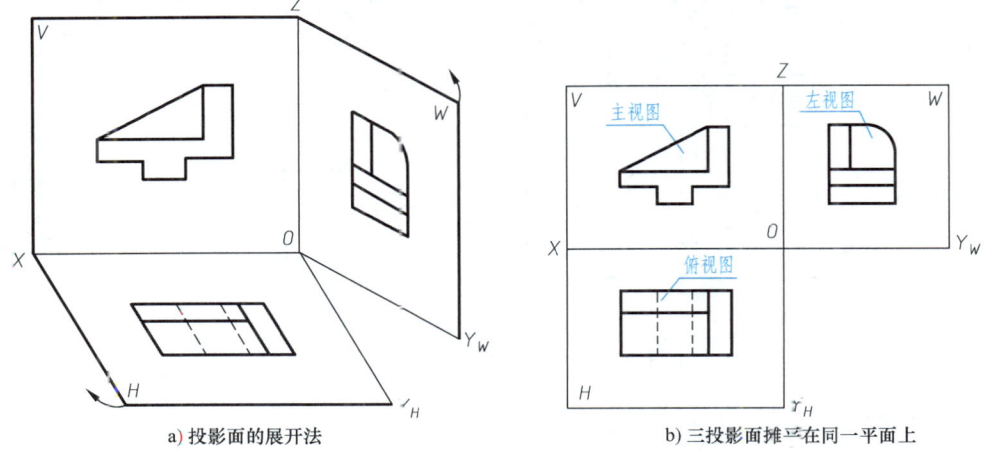

a) 投影面的展开法　　　　　　　　b) 三投影面摊平在同一平面上

图 2-7　三投影面的展开

面旋转时，OY 轴分为两处，分别用 OY_H（在 H 面上）和 OY_W（在 W 面上）表示。

实际绘图时，不必画出投影面的范围，因为它的大小与视图无关。这样三视图则更加清晰，如图 2-8 所示。

二、三视图间的对应关系

由图 2-7 可知，三个视图分别反映物体在三个不同方向上的形状和大小。三视图之间形成了一定的对应关系。

1. 位置关系

以主视图为准，俯视图在它的正下方，左视图在它的正右方，如图 2-8 所示。

2. "三等"关系

从三视图的形成过程可以看出：主视图反映物体的长度（X）和高度（Z）；俯视图反映物体的长度（X）和宽度（Y）；左视图反映物体的高度（Z）和宽度（Y）。

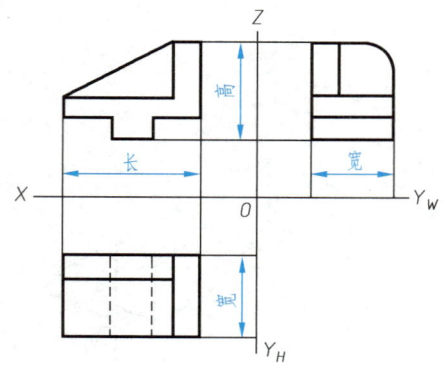

图 2-8 物体的三视图

由此可归纳出三视图间的"三等"关系（图 2-8）：

1）主、俯视图长对正。
2）主、左视图高平齐。
3）俯、左视图宽相等。

三视图的位置关系　三视图的"三等"关系

3. 方位关系

物体在三投影面体系内的位置确定后，它的六个方位关系在三视图上就可以明确反映出来，如图 2-9、图 2-10 所示。即：

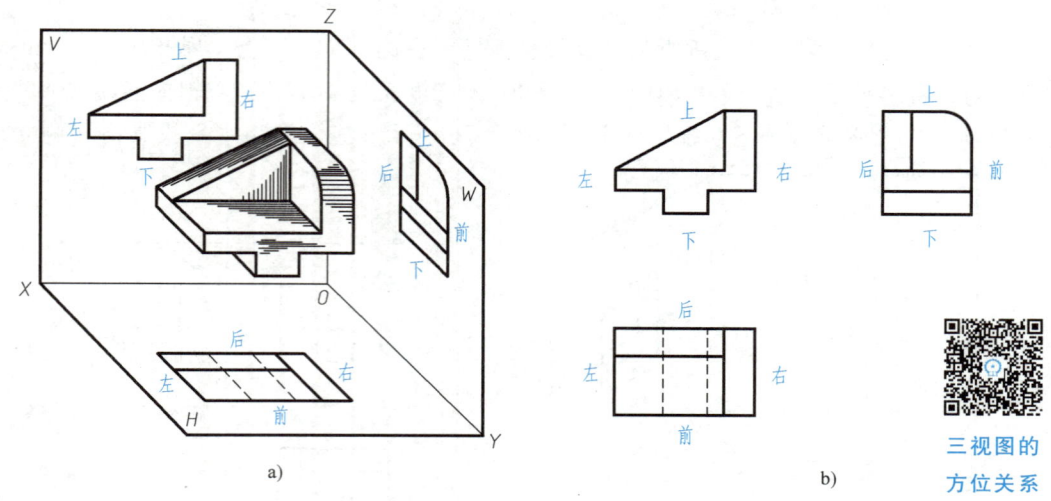

图 2-9 三视图中的物体的方位关系

三视图的方位关系

1）主视图反映物体的上下、左右。
2）俯视图反映物体的前后、左右。

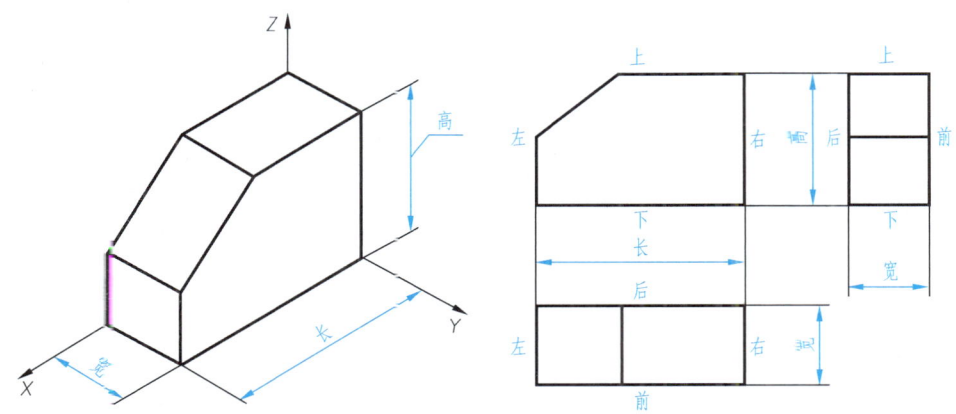

图 2-10 三视图的对应关系

3) 左视图反映物体的上下、前后。

主视图放正后,俯视图和左视图中,物体的后面靠近主视图,前面远离主视图。一般将三视图中任意两视图组合起来看,才能完全看清物体的上、下、左、右、前、后六个方位的相对位置。

第三节　三视图作图方法及步骤

根据实物画三视图时,首先应分析其结构和形状,放正物体,使其主要面与投影面平行,确定主视图的投影方向。主视图应尽量反映物体的主要特征。

作图时,应先画出三视图的定位基准线,然后根据"长对正、高平齐、宽相等"的投影规律,将物体的各组成部分依次画出。作图方法和步骤如下:

1) 选择主视图:应把物体位置放正,使其尽量多的表面平行或垂直于投影面;并选择主视图的投射方向,使其能较多地反映物体各部分的形状和相对位置。同时尽可能考虑其余两视图简明好画,虚线少。

2) 画基准线:开始作图前,应先定出各视图长、宽、高三个方向上的作图基准,并分别画出。通常用的基准有对称面、中心线、底面或某些重要端面。各视图之间的距离应适当。

3) 一般先画主视图,比例可根据实际尺寸决定。

4) 过主视图引垂线作俯视图,确保主视图和俯视图"长对正"。

5) 过主视图引水平线作左视图,确保主视图和左视图"高平齐";借助分规或画 45°斜线确保俯视图和左视图"宽相等",如图 2-11 所示。

6) 检查三视图各部分的投影关系是否正确,是否多线、漏线,确认无误后,描深图线,完成三视图。

【例 2-1】 根据图 2-12a 所示模型画出三视图。

1) 选择主视图。使模型上尽量多的面与投影面平行或垂直并以模型结构特征明显的方向为主视方向,如图 2-12a 所示。

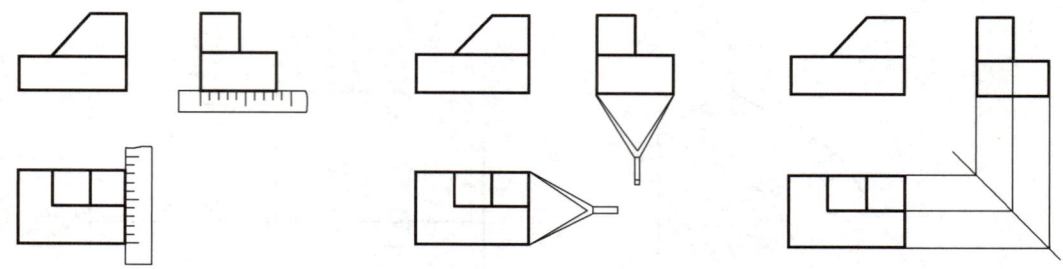

图 2-11 保持宽度相等的三种方法

2)画基准线。开始作图前,应先定出各视图长、宽、高三个方向上的作图基准,在模型的三视图中,长度方向的作图基准为模型的对称中心面,宽度方向的作图基准为模型的后面,高度方向的作图基准为模型的下底面,如图 2-12b 所示。

3)打底稿。从模型上量取尺寸,三个视图同时画出,如图 2-12c 所示。

4)检查,描深。检查三视图各部分的投影关系是否正确,是否多线、漏线,确认无误后,描深图线,完成三视图,如图 2-12d 所示。

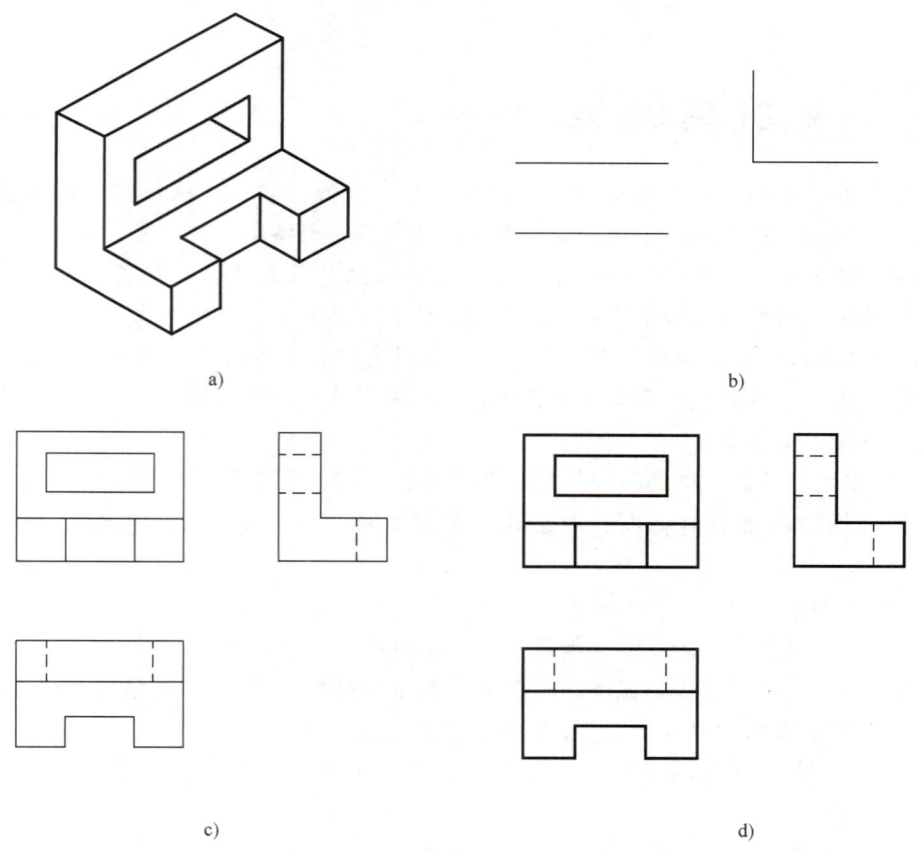

图 2-12 模型的三视图

【例 2-2】 根据图 2-13a 所示立体图画出其三视图。

如图 2-13b~d 所示，作图步骤省略。

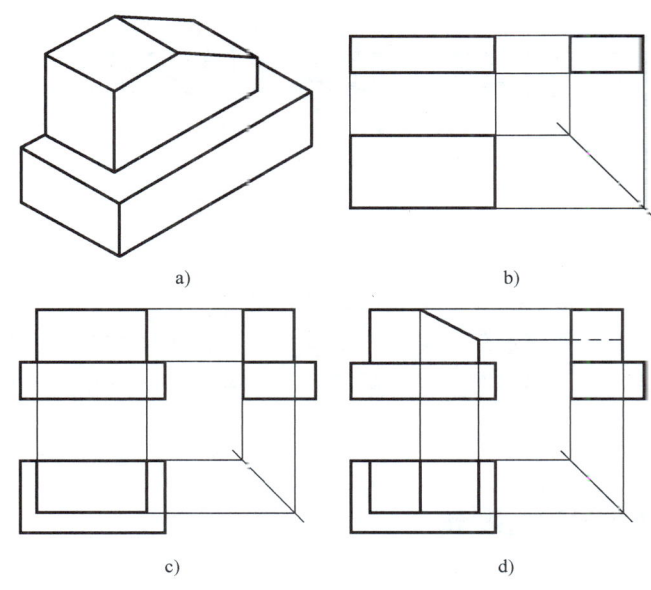

图 2-13 三视图的画图步骤

【例 2-3】 根据图 2-14a、b 所示实物模型作出三视图。
如图 2-14c、d 所示，作图步骤省略。

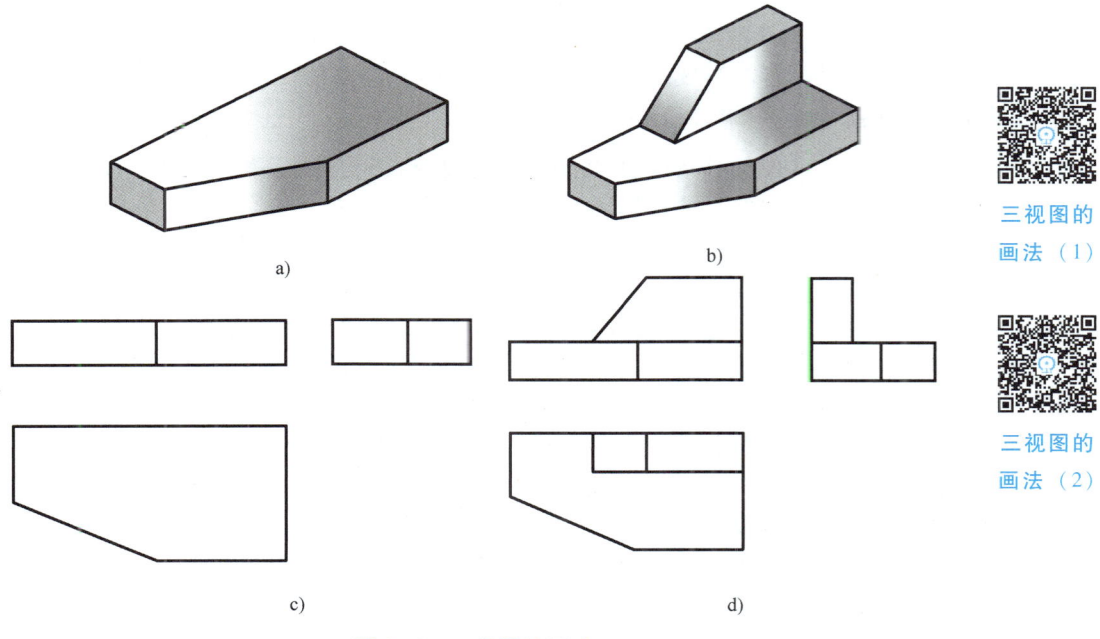

图 2-14 三视图的画法

三视图的画法（1）

三视图的画法（2）

第三章　基本立体视图

> 机器零件种类繁多，结构形状各异，不论其结构形状多么复杂，一般都可以看作是由一些棱柱、棱锥、圆柱、圆锥及圆球等基本立体按照不同方式组合而成的。本章主要学习基本立体视图，为组合体、零件图的学习奠定基础，学习中注意绘图的严谨性。

第一节　基本立体的三视图

基本立体根据其表面的几何性质可分为平面立体和曲面立体两类。

一、平面立体的三视图

表面都是由平面围成的立体，称为平面立体，如棱柱、棱锥等。

1. 棱柱

（1）棱柱的三视图　棱柱的表面由多个棱面和上、下两个底面组成，两相邻棱面的交线称为棱线，各棱线相互平行。当棱线与底面垂直时，称为直棱柱；倾斜时，称为斜棱柱；当直棱柱的上、下底面为正多边形时，称为正棱柱。

为便于画图和看图，常使棱柱的主要表面处于与投影面平行或垂直的位置。如图 3-1a 所示，其前、后棱面在主视图上反映实形，上、下底面平行于 H 面，在俯视图上反映实形，6 个棱面在俯视图上积聚成直线并与六边形的边重合，六棱柱的 6 条棱线的水平投影积聚在六边形的 6 个顶点上。

画棱柱的三视图时，一般先画反映实形的底面的投影，然后再画棱面的投影，并判断可见性。画正六棱柱三视图的步骤如下：

1）画各视图的基准线。
2）画出反映上、下两个底面实形（正六边形）的水平投影。
3）根据棱柱的高度按三视图的投影关系画出其余两视图。
4）检查描深，如图 3-1b 所示。

（2）棱柱表面上的点　平面立体表面上取点，首先要根据点的投影位置和可见性确定点在哪个面上，对于特殊位置平面上点的投影，可以利用平面的积聚性求出；对于一般位置平面上点的投影，则利用辅助线求出。

【例 3-1】　如图 3-1b 所示，已知正六棱柱表面上点 M 的正面投影 m'，求其另两个投影并判断可见性。

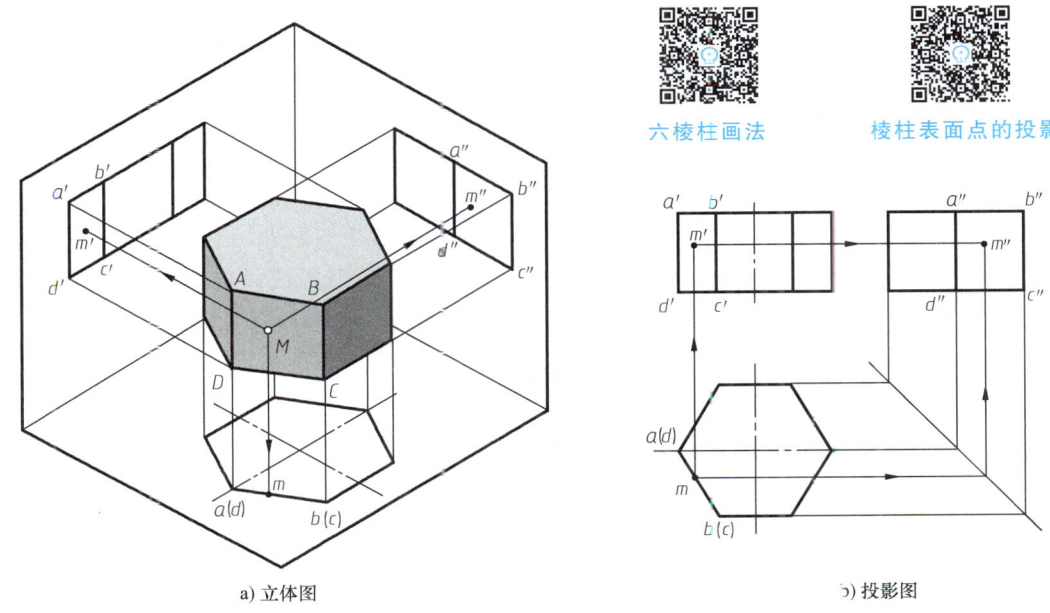

a) 立体图　　　　　　　　　　　　b) 投影图

图 3-1　正六棱柱的三视图与表面上的点

分析：由图 3-1 可知，由于 m' 可见，点 M 在左前棱面上，该棱面水平投影有积聚性，因此点 M 的水平投影 m 可利用"长对正"直接求出；由 m 和 m'，利用"高平齐""宽相等"即可求出 m''。

棱柱所处位置不同，其三视图也不同，在识图的过程中，应多看、多画其三视图，熟记其形体特征。图 3-2 所示为常见不同位置的棱柱体及其三视图。画棱柱体的三视图时，应先

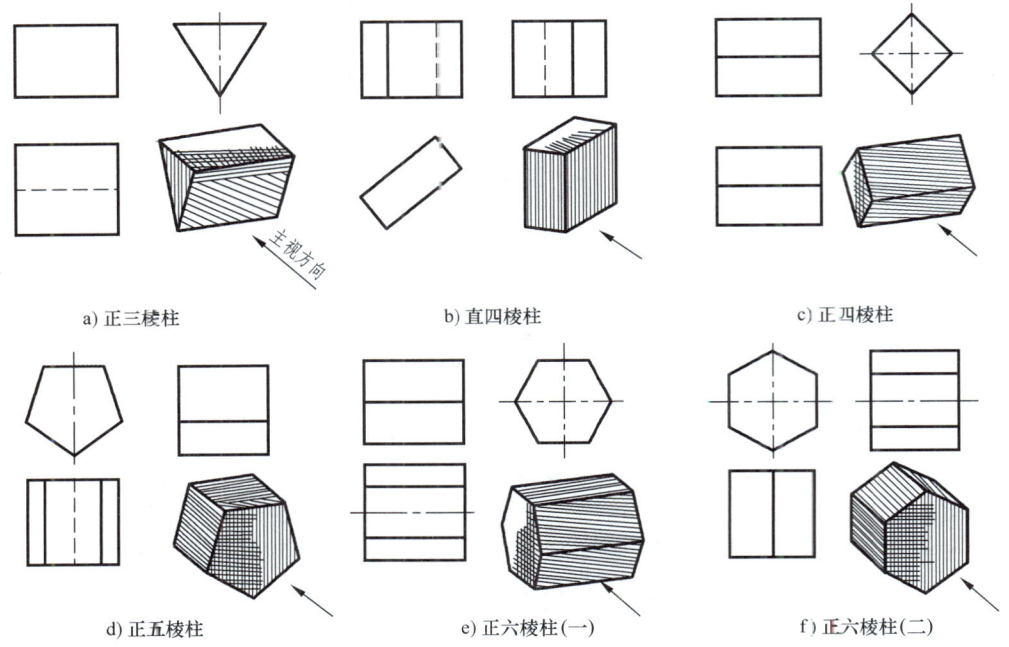

a) 正三棱柱　　　　　b) 直四棱柱　　　　　c) 正四棱柱

d) 正五棱柱　　　　e) 正六棱柱（一）　　　f) 正六棱柱（二）

图 3-2　常见不同位置的棱柱体及其三视图

画多边形，然后再画其他两面投影。

2. 棱锥

（1）棱锥的三视图　棱锥的表面由底面和多个棱面组成，各条棱线汇交于一点（锥顶），各棱面都是三角形，底面为多边形。正棱锥的底面是正多边形，侧面为等腰三角形。

图 3-3a 所示为一正三棱锥，它的底面为一正三角形 $\triangle ABC$，三个棱面都是等腰三角形 $\triangle SBC$、$\triangle SAB$ 和 $\triangle SAC$。底面在俯视图上反映实形，V 面、W 面投影均积聚为直线段；棱面 $\triangle SAC$ 在左视图上积聚成直线；其余两棱面的三面投影都是类似形。

画棱锥的三视图时，先画底面和顶点的投影，然后再画出各棱线的投影，并判断可见性，如图 3-3b 所示。

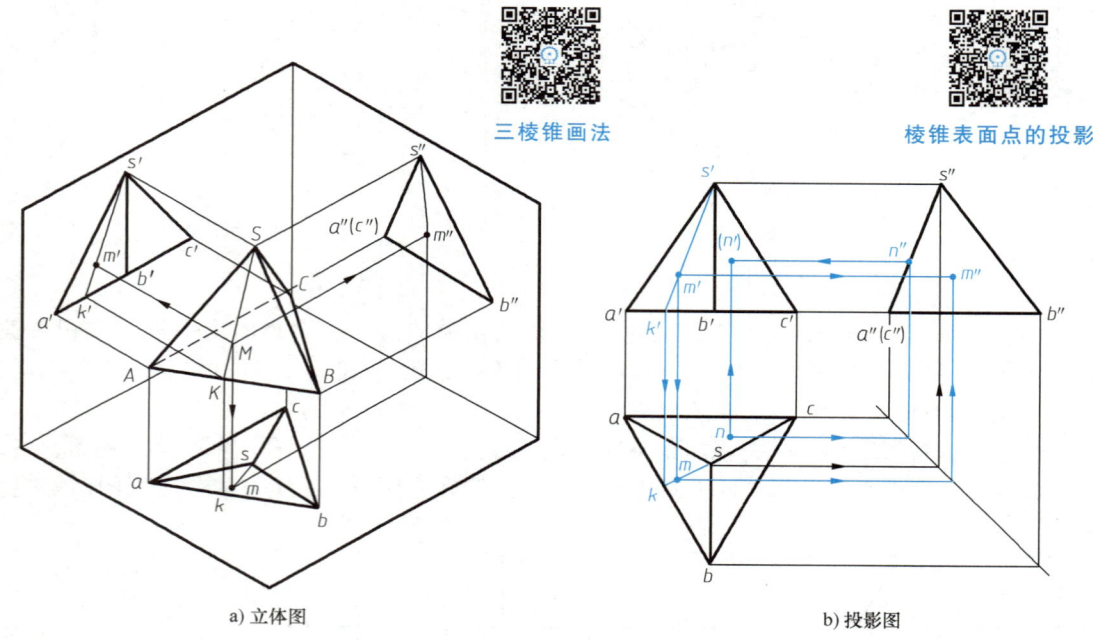

a) 立体图　　　　　　　　　　　　　　　b) 投影图

图 3-3　正三棱锥的三视图及表面点的投影

（2）棱锥表面上的点　正三棱锥的表面有特殊位置平面，也有一般位置平面。特殊位置平面上的点的投影，可利用该平面投影的积聚性直接作图；一般位置平面上的点的投影，可通过在平面上作辅助线的方法求得，现举例说明。

【例 3-2】　如图 3-3 所示，已知三棱锥表面上点 M、N 的正面投影，求作点 M、N 的其余两投影。

分析：由于 n' 不可见，可知点 N 在棱面 $\triangle SAC$ 上，且棱面 $\triangle SAC$ 的侧面投影有积聚性，可利用积聚性求 n''，再由 n' 和 n'' 求出 n。点 M 处在棱面 $\triangle SAB$ 上，为一般位置平面，需要通过在平面上作辅助线的方法，求出点 M 的其余两投影。

作图步骤：

1）过 n' 利用"高平齐"作投影连线求得 n''，利用 45°辅助线由 n' 和 n'' 求得 n。

2）过 m' 作辅助线 $s'k'$，即连 $s'm'$ 交底边于 k'，并求得 k，由 m' 作投影连线交 sk 于点 m，由 m' 和 m 求得 m''。

3）判断可见性：$\triangle SAC$ 水平投影可见，侧面投影有积聚性，所以 n 和 n'' 均可见。棱面

△SAB 的三投影均可见，因此点 M 的三面投影也都可见。

图 3-4 所示为常见的正棱锥及其三视图。由图中可看出：正棱锥由一个正多边形底面和若干个具有公共顶点的等腰三角形侧面构成，其三视图的特征是：一个视图的外形轮廓为正多边形，其他两视图的轮廓均由三角形线框构成。

棱锥被平行于底面的平面截去上部，所剩部分称为棱锥台，简称棱台，如图 3-5 所示。

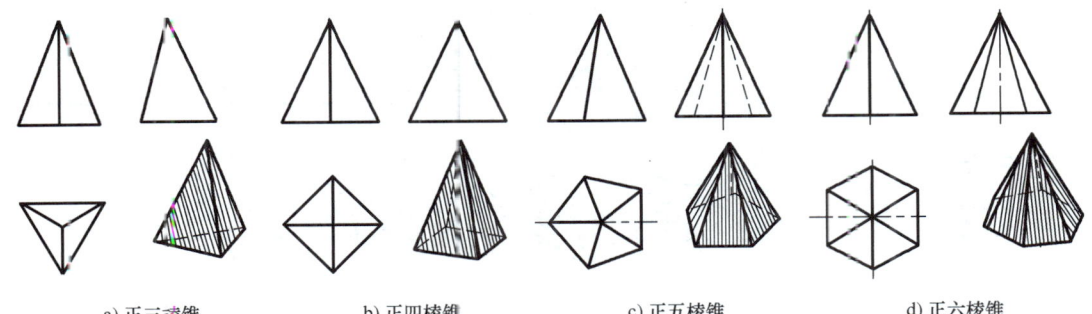

a) 正三棱锥　　b) 正四棱锥　　c) 正五棱锥　　d) 正六棱锥

图 3-4　常见的正棱锥及其三视图

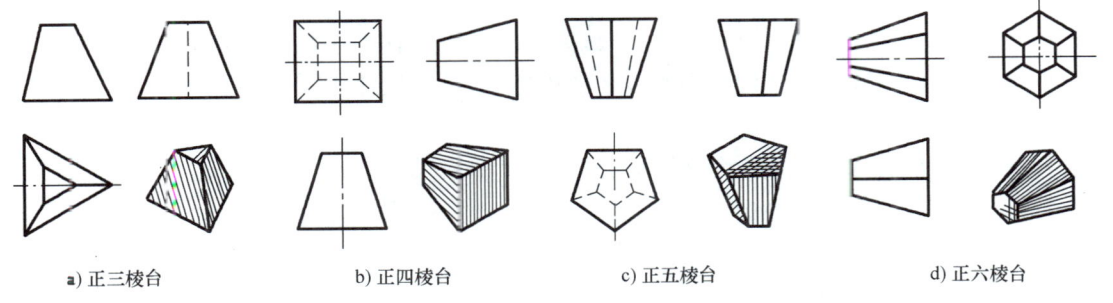

a) 正三棱台　　b) 正四棱台　　c) 正五棱台　　d) 正六棱台

图 3-5　常见的棱台及其三视图

二、曲面立体的三视图

曲面立体是表面全部由曲面或者由面和平面围成的立体，如圆柱、圆锥、圆球等，常见曲面立体也称为回转体。曲面立体是由一条母线绕一条固定的轴线（回转轴）旋转一周形成的曲面（回转面），母线在回转面上的任意位置称为素线。其中，在平行于回转轴的投影面的投影图中，区分回转面可见与不可见的两条分界素线，称为转向轮廓素线。

1. 圆柱

（1）圆柱的形成　圆柱由上下底面及圆柱面组成。圆柱面可看成是母线绕与其平行的轴线旋转而成。

（2）圆柱的三视图　当圆柱的轴线垂直于 H 面时，圆柱面在俯视图中积聚在圆周上，圆柱面在主视图中的轮廓线是圆柱面上最左、最右两条素线的投影，在左视图中的轮廓线是圆柱面上最前、最后两条素线的投影；圆柱体的上下底面在俯视图中为圆（实形），在主、左视图中积聚为直线。由此可见：圆柱的主、左视图为大小相同的矩形，俯视图为圆，如

图 3-6 所示。

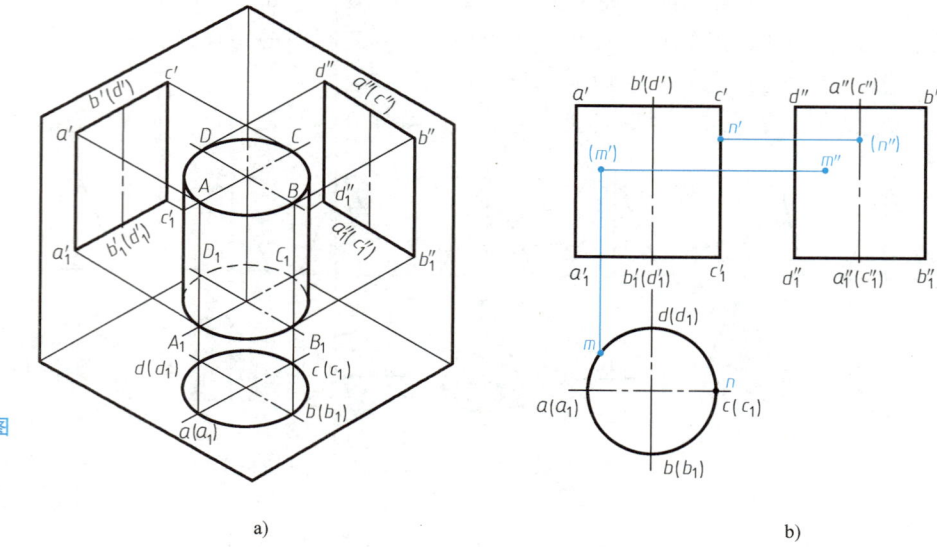

圆柱的三视图

圆柱表面点的投影

图 3-6 圆柱的三视图与表面上的点

画图时，先画中心线，再画积聚性投影圆，最后画其余两视图。画图步骤如下：

1）画基准线，即画俯视图的中心线及轴线的正面和侧面投影。

2）画出投影为圆的俯视图。

3）根据圆柱的高画出另两个视图。

4）检查描深，如图 3-6b 所示。

（3）圆柱表面上的点 由于圆柱面投影有积聚性，可利用积聚性作图。

【例 3-3】 如图 3-6b 所示，已知圆柱面上点 M、N 的正面投影（m′）和 n′，求水平投影和侧面投影。

分析：由于圆柱面的水平投影有积聚性，所以圆柱面上两点 M、N 的水平投影也在该圆上，可直接求出 m、n，由（m′）、n′和 m、n 可求出 m″、(n″)。作图步骤同六棱柱表面点的投影。

2. 圆锥

（1）圆锥的形成 圆锥由圆锥面与底平面组成。圆锥面可看成由一条母线绕与它相交的轴线回转而成。圆锥面上过锥顶 S 的任一直线称为素线。

（2）圆锥的三视图 如图 3-7a 所示，当圆锥的轴线垂直于水平投影面时，圆锥的俯视图是圆；主视图为一等腰三角形，三角形的底边是圆锥底平面的积聚投影，两腰是圆锥面上最左、最右两条素线的投影；左视图也是等腰三角形，三角形的底边是圆锥底平面的积聚投影，两腰是圆锥面上最前和最后两素线的投影。

画图时，应先画中心线和轴线，再画投影为圆的俯视图，最后画锥顶和轮廓线的投影，画图步骤如下：

1）画俯视图的中心线及轴线的正面和侧面投影。

2）画投影为圆的俯视图。

3) 根据圆锥的高画出另两个视图。
4) 检查描深，如图 3-7b 所示。

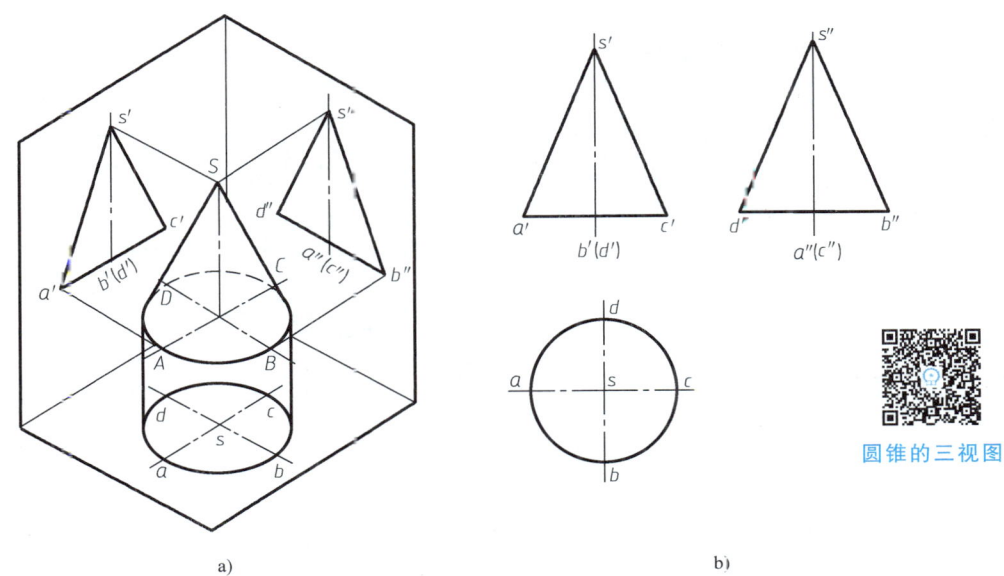

图 3-7 圆锥的三视图

（3）圆锥表面上的点　由于圆锥面投影无积聚性，所以求圆锥表面上的点可用辅助素线法或辅助圆法。

【例 3-4】　如图 3-8a 所示，已知点 M 的正面投影 m' 和点 N 的水平投影 n，求 M、N 两点的其余两投影。

分析：由于圆锥的三面视图均无积聚性，所以求圆锥面上的点可用辅助素线法或辅助圆法，求出辅助素线或辅助圆的三面投影，然后在线或圆上确定点的投影。如图 3-8b 所示，作图步骤如下：

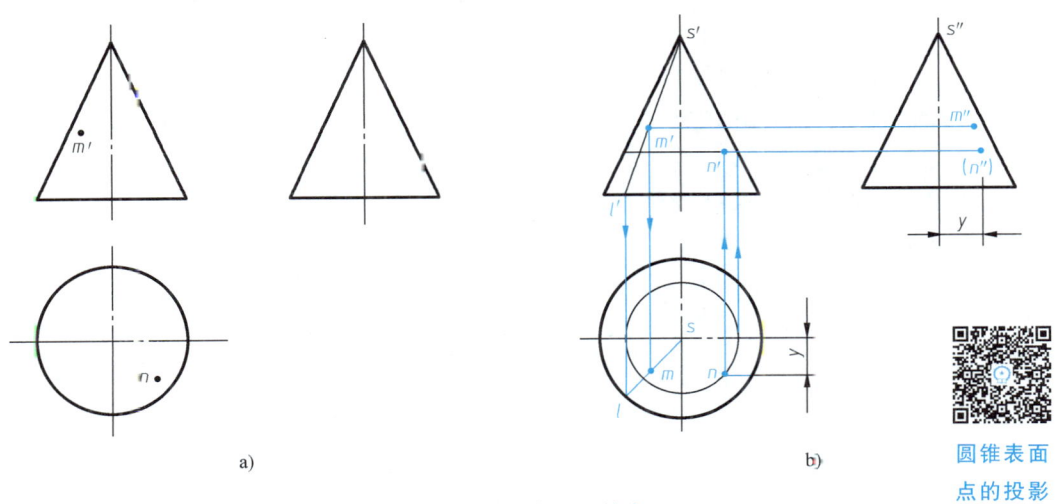

图 3-8 圆锥表面上的点

33

方法一：用辅助素线法求解。

连接 m' 与锥顶 s' 作辅助素线 $s'l'$ 交底边于 l'，求出 sl，再利用直线上点的从属性求出 m，由 m'、m 可求出 m''。

方法二：用辅助圆法求解。

过 n 作辅助圆的水平投影，此水平圆与圆锥底平面圆同心。其正面投影和侧面投影为垂直于轴线的直线，长度为辅助圆的直径，n'、(n'') 在此线上。

可见性判断：由于点 M 在左前圆锥面上，所以三面投影均可见；点 N 在右前圆锥面上，所以 (n'') 不可见。

圆锥被平行于其底面的平面截去其上部，剩余部分称为圆台，如图 3-9 所示。

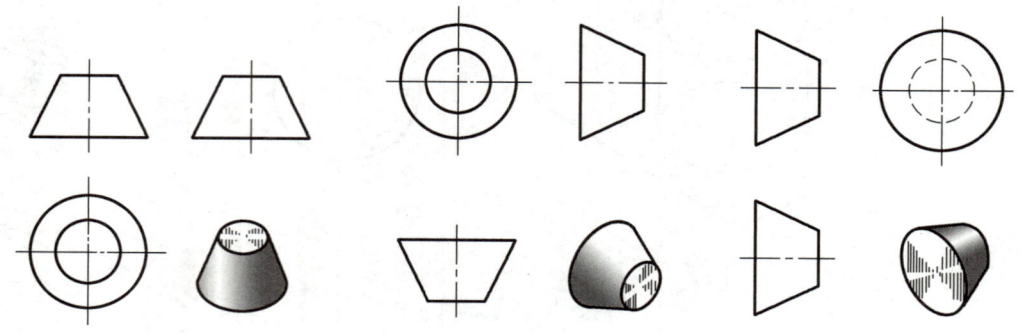

图 3-9　圆台及其三视图

3. 圆球

（1）圆球的形成　圆球是球面围成的实体。球面可以看成由一个圆母线绕其自身的直径即轴线旋转而成。

（2）圆球的三视图　圆球从任意方向投影都是圆，因此其三面投影都是直径相同的圆。3 个圆分别是球面圆 A、B、C 在 3 个投影方向上的投影，如图 3-10 所示。A 在主视图中是 a'，它是前后半球可见与不可见的分界圆，在俯视图和左视图中积聚成直线 a 和 a''，并与中心线重合；同理，B 在俯视图上反映为 b，是上下半球可见和不可见的分界圆；C 在左视图上反映为 c''，它是左右半球可见与不可见的分界圆。

画圆球的三视图时，先画中心线，再画圆球的轮廓线并加深，画图步骤如下：

1）画三个视图的中心线。

2）画出三个直径等于圆球直径的圆。

3）检查描深，如图 3-10b 所示。

（3）圆球表面上的点　可以用纬圆法来确定圆球面上的点的投影。圆球面的纬圆为平行于 V 面、H 面或 W 面的圆。当点处于圆球的最大圆上时，可以直接求出点的投影。

【例 3-5】　如图 3-11 所示，已知圆球面上点 M 的水平面投影（m），求其他两面投影。

分析：由于圆球面在 3 个投影面上均没有积聚性，因此要求点的另两面投影必须在圆球面上作辅助纬圆。图 3-11a 为平行于 V 面的纬线圆。根据点 M 的位置和不可见性，可知点 M 位于圆球的前、右、下部分。

作图步骤：

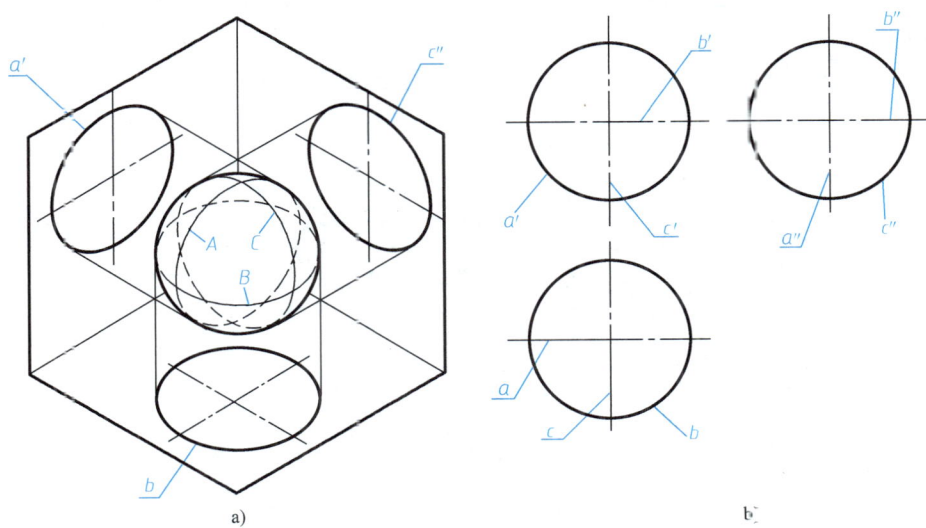

图 3-10 圆球的三视图

1) 过 m 作平行于 V 面的辅助纬圆的水平投影 12。
2) 求出辅助纬圆的正面投影，m' 在此圆上，由（m）可求出 m'。

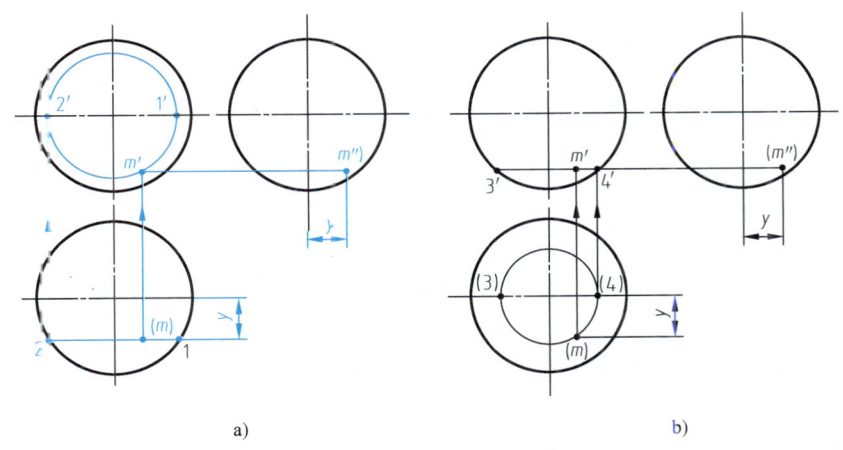

图 3-11 圆球表面上的点

3) 由（m'）和 m 可求出（m''），由于点 M 在右半球面上，所以（m''）不可见。

图 3-11b 为过（m）作平行于 H 面的辅助纬圆。求（m''）和 m' 的过程，请读者自行分析。

4. 圆环

（1）圆环的形成及其三视图　圆环面可看成是以一圆为母线，绕与圆在同一平面但位于圆周之外的轴线旋转而成。

图 3-12a 所示是轴线为铅垂线时圆环的三视图。俯视图为两个实线同心圆，它是圆环对 H 面的转向轮廓素线的投影，点画线圆为母线圆圆心的运动轨迹，它的正面投影重合在水平中心线上。

主视图由圆环的最左、最右素线圆以及最上、最下纬线圆的积聚投影组成。内环面看不见，画虚线。

左视图与主视图类似，由圆环的最前、最后素线圆与最上、最下纬线圆的积聚投影组成。

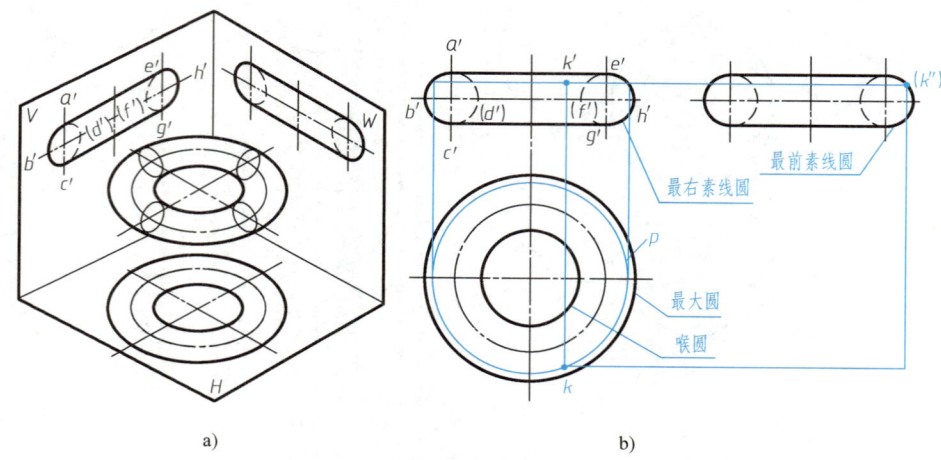

图 3-12　圆环及表面上点的投影

（2）圆环表面上的点　由于环面三面投影无积聚性，也应用纬圆法来求表面上的点。

【例 3-6】　如图 3-12b 所示，已知圆环面上点 K 的正面投影 k'，求作其另两面投影。

可用纬圆法求解，过 k' 作纬圆，其水平投影是纬圆 p，点 K 在外环面上的上半部，所以 k 在纬圆 p 上，且 k 可见，再由 k 和 k' 求出（k''）。

第二节　截交线

当立体被平面 P 所截时，该平面 P 称为截平面。它与立体表面的交线称为截交线，如图 3-13a 所示。

截交线的形状取决于立体的形状及截平面与立体的相对位置。截交线具有下列性质：

（1）封闭性　由于立体表面是封闭的，因此截交线一般是封闭的平面图形。

（2）共有性　截交线是截平面和立体表面的共有线，截交线上的点是截平面和立体表面的共有点。

由截交线的性质可知，求截交线实质上是求截平面与立体表面上的一系列交点，并顺次相连，即得截交线的投影。

一、平面与平面立体相交

平面与平面立体相交，其截交线是由直线组成的封闭的平面多边形，多边形的各条边是截平面与平面立体各表面的交线，多边形的顶点是平面立体的各棱线与截平面的交点。因此，作平面立体的截交线，就是求出截平面与平面立体各棱线的交点，然后依次连接各点同面投影，并判断其可见性即得截交线的投影。

【例 3-7】　如图 3-13a、b 所示，已知正六棱锥被平面 P 截切，求其俯、左视图投影。

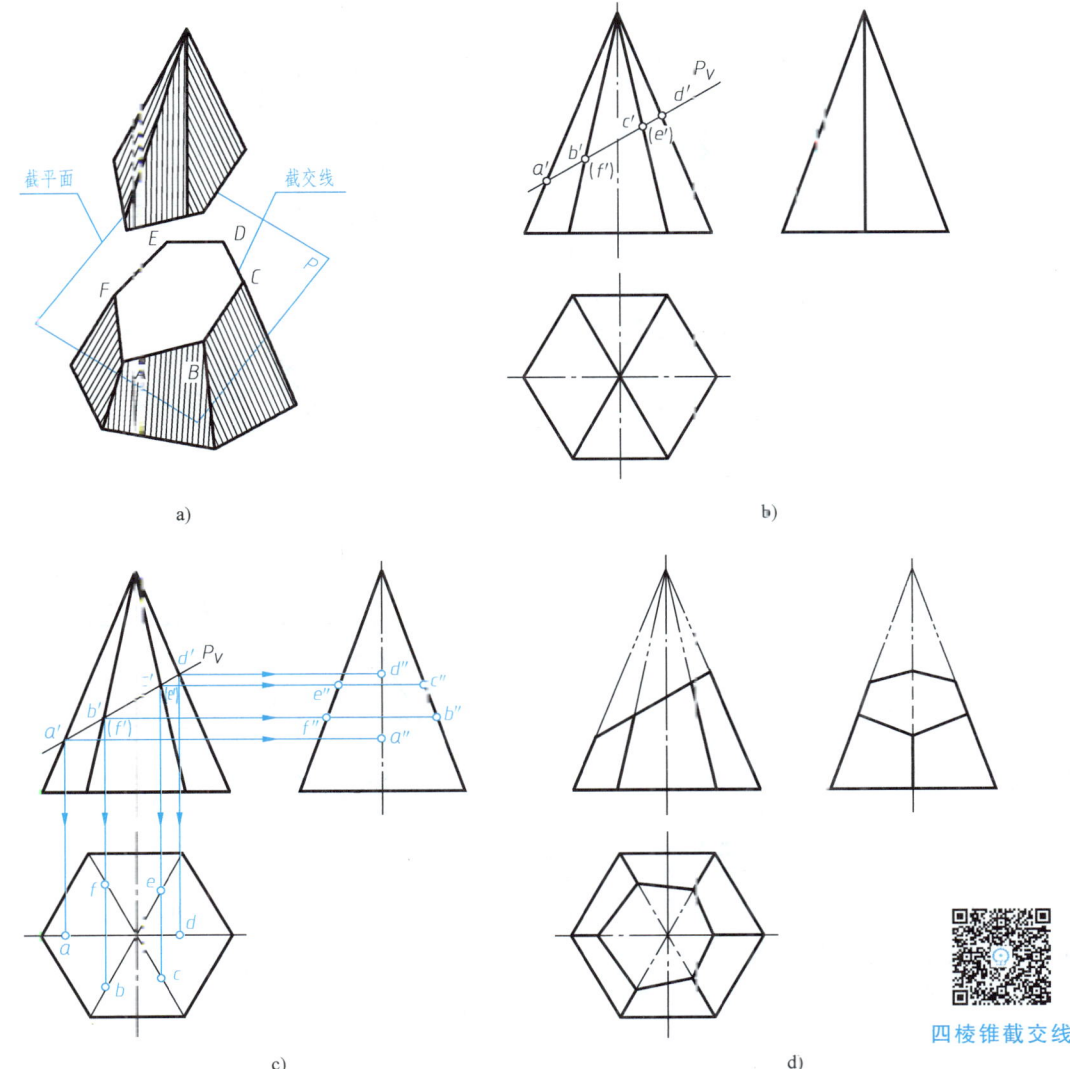

图 3-13 正六棱锥被截切的三视图的画法

分析：由于截平面与正六棱锥的 6 个棱面相交，所以该截交线是六边形，六边形的顶点是正六棱锥的 6 条棱线与截平面的交点。截交线的正面投影积聚在 P_V 上，水平投影与侧面投影为六边形的类似形。

作图步骤：

1) 先画出没有截切的正六棱锥的三视图。
2) 求出截平面与各条棱线交点的正面投影 a'、b'、c'、d'、(e')、(f')，如图 3-13b 所示。
3) 根据直线上点的投影特性，求出各定点的水平投影和侧面投影 a、b、c、d、e、f 及 a''、b''、c''、d''、e''、f''，如图 3-13c 所示。
4) 依次连接各交点即得截交线的水平投影和侧面投影，作图结果如图 3-13d 所示。此外，还应考虑形体其他轮廓的可见性问题，如图 3-13d 中 $a''a''$ 不可见，改为虚线。

四棱锥截交线读者可扫描二维码自行学习。

【例 3-8】 图 3-14a 所示为正六棱柱被正垂面 P 截切，补画截切后的三视图。

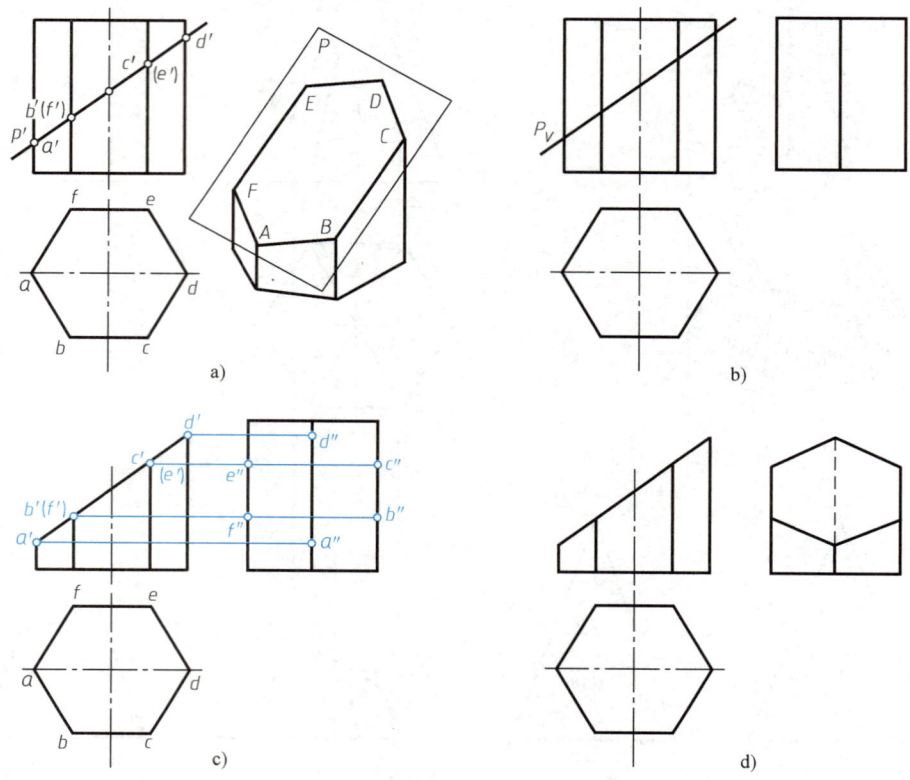

图 3-14 正六棱柱被截切的三视图的画法

分析：由于截平面与正六棱柱的 6 个棱面相交，所以该截交线是六边形，六边形的顶点是正六棱柱的 6 条棱线与截平面的交点。截交线的正面投影积聚在 P_V 上，水平投影与正六棱柱的投影重合，侧面投影为六边形的类似形。

作图步骤：

1) 先画出没有截切的正六棱柱的左视图，如图 3-14b 所示。

2) 根据截平面与各条棱线交点的正面投影 a'、b'、c'、d'、(e')、(f') 和水平投影 a、b、c、d、e、f，根据直线上点的投影特性，求出各定点的侧面投影 a''、b''、c''、d''、e''、f''，如图 3-14c 所示。

3) 依次连接 a''、b''、c''、d''、e''、f''，判断轮廓其他形体可见性，擦去多余的线，作图结果如图 3-14d 所示。

二、平面与回转体相交

平面与回转体相交，截交线是一条封闭的平面曲线，或由平面曲线和直线或完全由直线组成的平面图形。

求平面与回转体截交线的作图步骤是：

1) 根据平面与回转面的相对位置，分析截交线的形状及其在投影面上的投影特点。

2) 求共有点。先求出特殊点（即确定截交线范围的最高、最低、最前、最后、最左和最右点），后求一般点（前面介绍的立体表面上取点方法）。

3）判断可见性，依次光滑连接各点的同面投影，并补全回转面轮廓线的投影。

下面分别介绍平面与圆柱、圆锥、圆球等回转体表面相交时截交线的画法。

1. 平面与圆柱相交

由于截平面与圆柱轴线的相对位置不同，其截交线有 3 种形状，见表 3-1。

表 3-1 平面与圆柱的截交线

截平面的位置	与轴线平行时	与轴线垂直时	与轴线倾斜时
轴测图	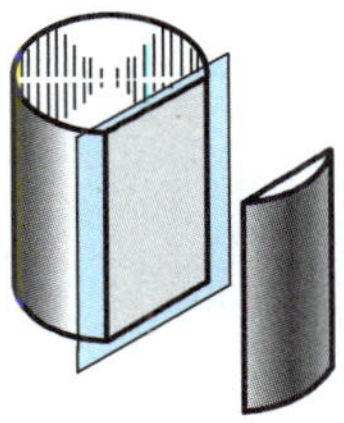	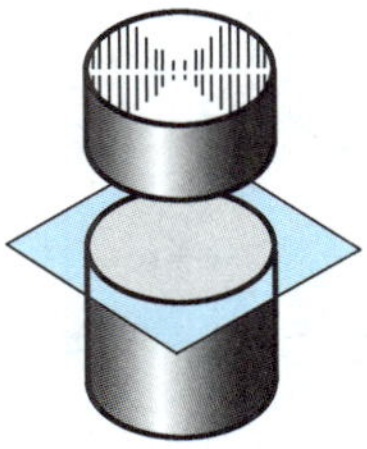	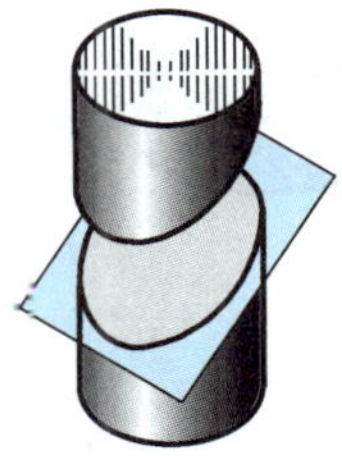
投影图	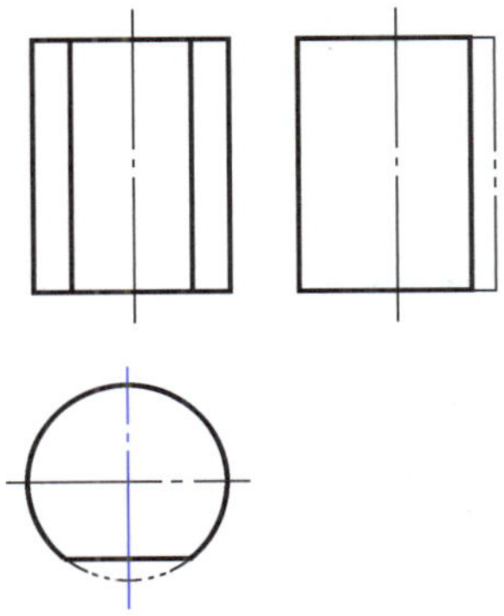	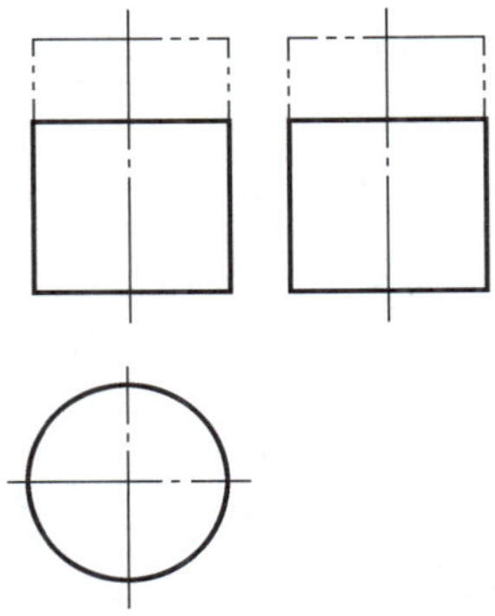	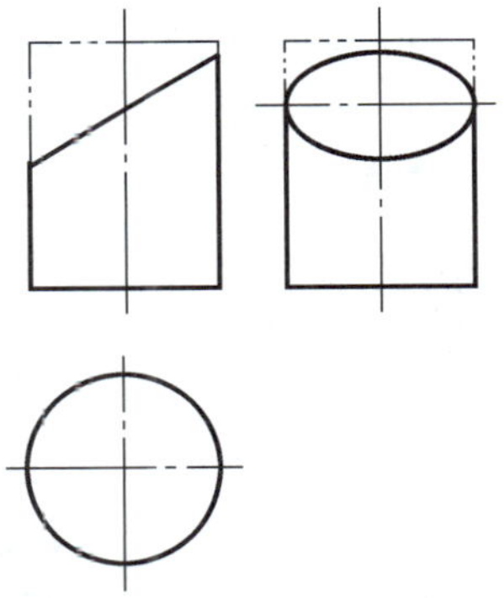
截交线的形状	矩形	圆	椭圆

平面与圆柱的截交线求法：圆柱的投影有积聚性，可利用积聚性求出截交线的投影。表 3-1 中前两种情况，直接按截平面的位置找好投影关系即可得到截交线。第三种情况的截交线是椭圆，椭圆的形状和大小随截平面对圆柱轴线的倾斜程度不同而不同，但短轴的长度总与圆柱的直径相等。因此，需先找出特殊点，即截交线上极限位置点、截交线的特征点和回转轮廓线上的点等；再找出一般点，最后光滑连接这些点即得到截交线。

【例 3-9】 如图 3-15a 所示，求圆柱被正垂面斜切的截交线。

分析：截平面为正垂面，斜切圆柱，因此截交线是椭圆。椭圆的正面投影有积聚性，水平投影与圆柱面的投影重合为圆，侧面投影为椭圆。根据投影规律，可由正面投影和水平投影求出侧面投影。

作图步骤如图 3-15b 所示：

1）先求出截交线上的特殊位置点，即首先求长、短轴的 4 个端点的投影。分别是最低点、最高点、最前点和最后点，分别在圆柱的最左、最右、最前和最后素线上。根据水平投影 1、3、5、7 和正面投影 1′、3′、5′、(7′)，可求出侧面投影 1″、3″、5″、7″。

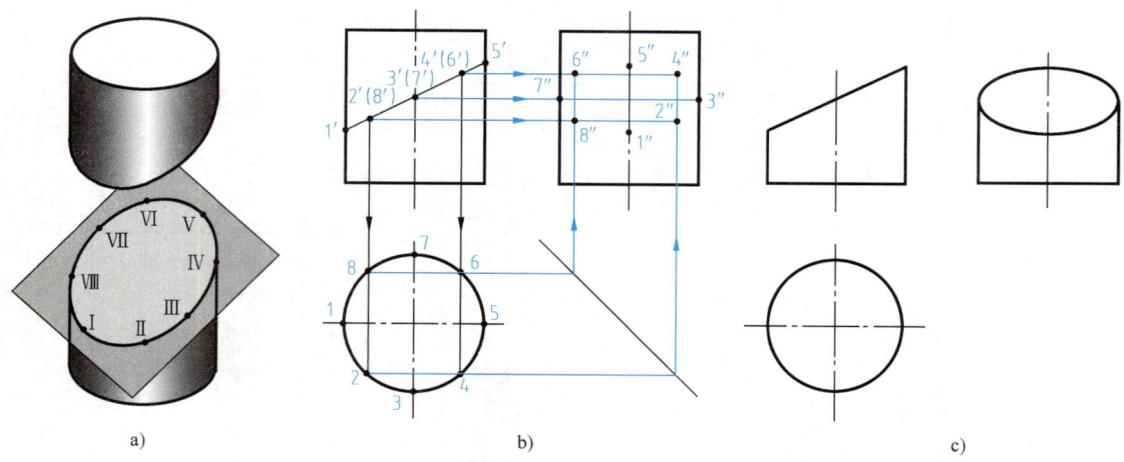

图 3-15 圆柱被截平面斜切

2) 再求截交线上的一般位置点。在截交线上任取一般点，根据水平投影 2、4、6、8 和正面投影 2′、4′、(6′)、(8′)，可求出侧面投影 2″、4″、6″、8″。

3) 依次光滑连接各点，即可得到截交线的侧面投影。

4) 检查描深，如图 3-15c 所示。

【例 3-10】 如图 3-16 所示，画被切圆柱的三视图。

圆柱切口

圆筒切口

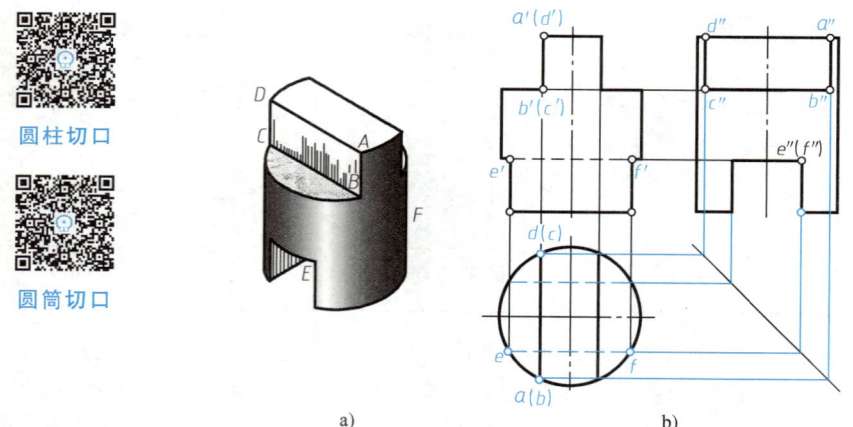

图 3-16 被切圆柱三视图的画法

分析：该圆柱的上端切口由左、右两个平行于圆柱轴线的对称的侧平面及两个垂直于圆柱轴线的水平面截切而成。其下端开槽是用前、后两个平行于圆柱轴线的对称的正平面及一个垂直于圆柱轴线的水平面截切而成。侧平面、正平面与圆柱表面的截交线都为直线，水平面与圆柱表面的截交线都为圆弧，由于它们都分别垂直于相应的投影面，因此，圆柱上部切口和下部开槽部分截交线的投影均可用积聚性法求出。

作图步骤（见图 3-16b）：

1) 画出完整圆柱的三视图。

2) 画上端切口部分。由于截平面分别为侧平面和水平面，圆柱截交线的正面投影都有积聚性，侧平面的水平投影也有积聚性，故应按切口部位的尺寸依次画出正面投影和水平投影,再根据这两面投影求出截交线的侧面投影 a''、b''、c''、d''。

3)画下端开槽部分。作图时应注意两点:①因圆柱最左、最右素线在开槽部位均被切去一段,故主视图的外形轮廓线在开槽部位向内"收缩",其收缩程度与槽宽有关。②注意区分槽底正面投影的可见性:弓形面的投影是可见的,画成粗实线;中间部分($e' \to f'$)是不可见的,画成细虚线。

4)检查描深。

2. 平面与圆锥相交

由于截平面与圆锥轴线的相对位置不同,其截交线有 5 种不同的形状,见表 3-2。

表 3-2 平面与圆锥的截交线

截平面的位置	与轴线垂直	过圆锥顶点	平行于任一素线	与轴线倾斜	与轴线平行
轴测图	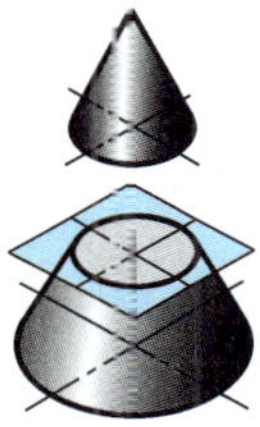	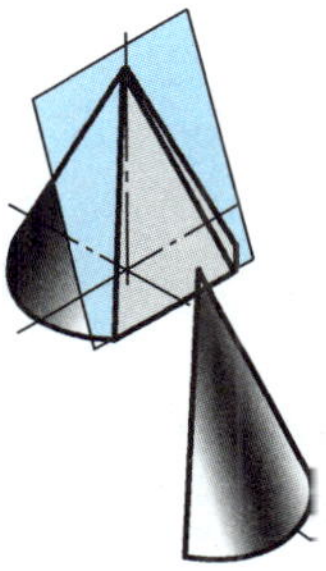	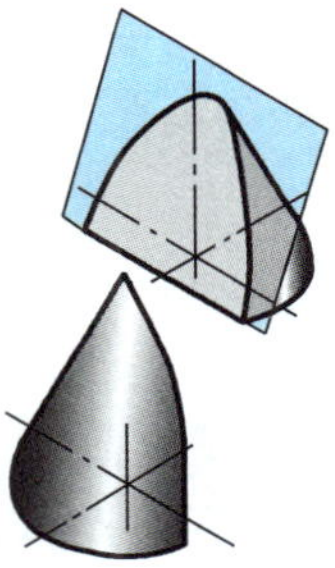	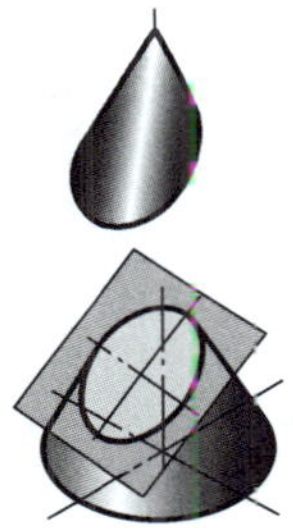	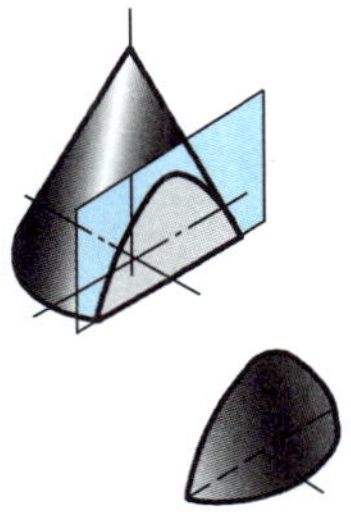
投影图	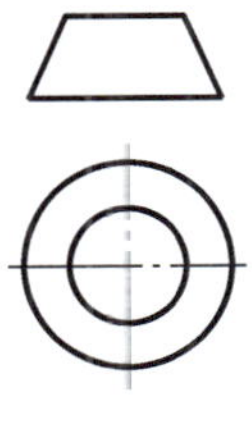	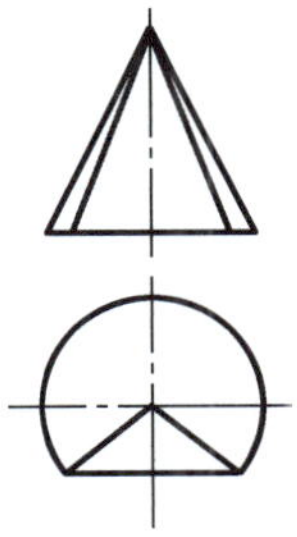	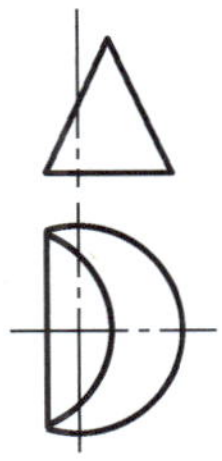	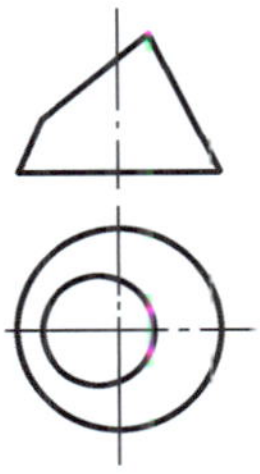	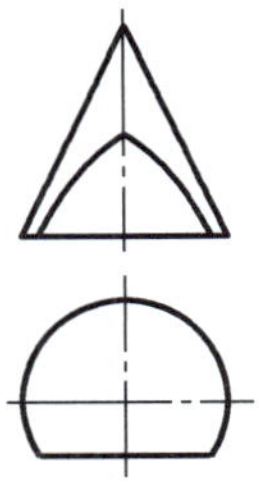
截交线的形状	圆	等腰三角形	封闭的抛物线	椭圆	封闭的双曲线

3. 平面与圆球相交

圆球被任意平面截切,得到的截交线都是圆。当截平面平行于投影面时,截交线在投影面上的投影是一个圆,其他两面的投影均为直线;当截平面垂直于投影面时,截交线在投影面上积聚为直线,其他两面的投影为椭圆。图 3-17 所示是圆球被水平面截切的求解过程。

【例 3-11】 如图 3-18a 所示,已知一开槽半圆球的主视图,求其俯视图和左视图。

分析:半圆球开槽是由两侧平面与一水平面截切而成。侧平面与半圆球的截交线在左视图上的投影是圆的一部分,在俯视图上的投影积聚为直线;水平面与半圆球的截交线在俯视图上的投影是圆的一部分,在左视图上的投影积聚为直线;在左视图上有部分为不可见。

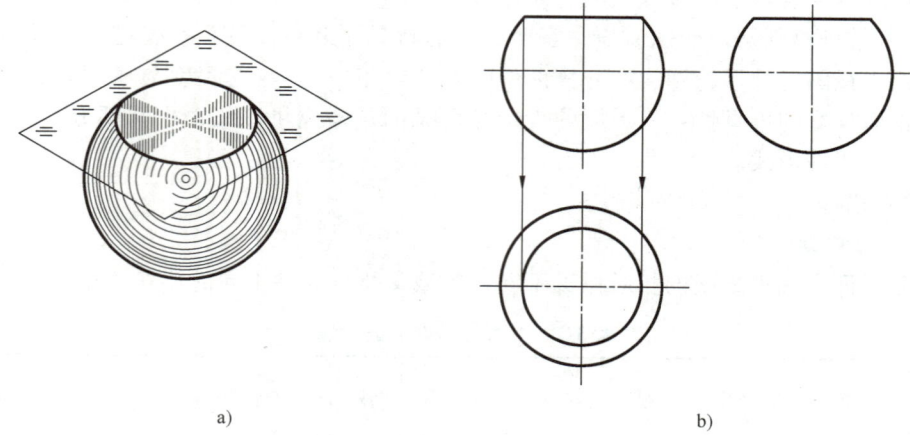

图 3-17 圆球被水平面截切的截交线

注意：左视图中半球的轮廓线在开槽处被截切。

作图步骤：

1) 求出水平面与球面的交线。交线的水平投影为圆弧，侧面投影为直线，如图 3-18b 所示。

2) 求侧平面与球面的交线。交线的侧面投影为圆弧，水平投影为直线。

3) 补全半圆球轮廓线的水平投影及侧面投影，并作出两截平面的交线的侧面投影（为虚线），完成全图。

4) 检查描深，如图 3-18c 所示。

[圆球截交线（1）]

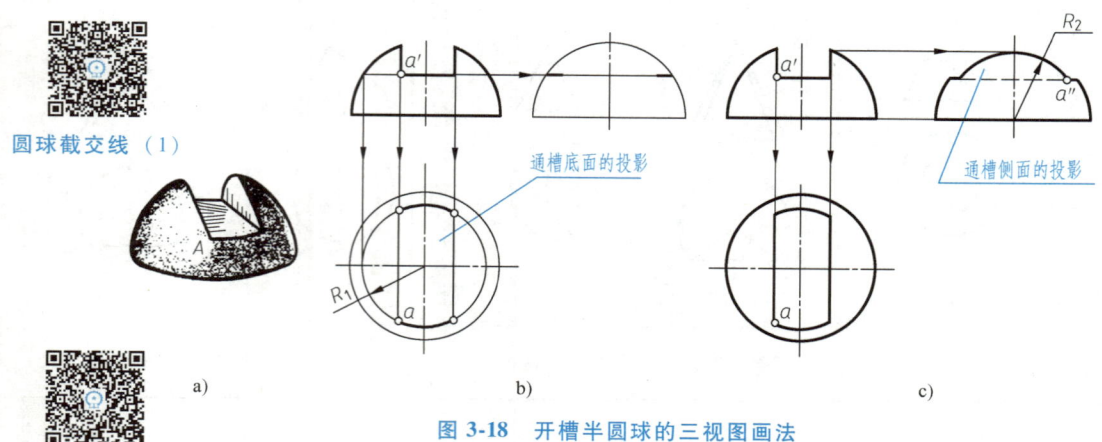

[圆球截交线（2）]

图 3-18 开槽半圆球的三视图画法

第三节　相贯线

一、相贯线的概念及其性质

两立体相交时，在两立体表面所产生的交线称为相贯线，如图 3-19 所示。

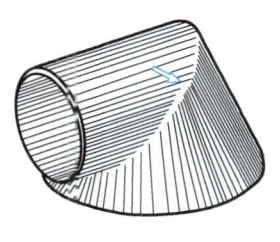 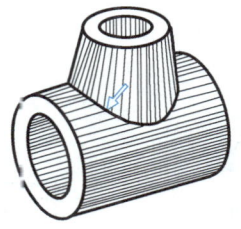 

a) 弯头　　　　　　　b) 三通　　　　　　　c) 盖

图 3-19　相贯线实例

两立体的相贯线有下列基本性质：

（1）共有性　相贯线为两相交立体表面所共有，也是两相交立体的分界线，相贯线上的所有点是两立体表面的共有点。

（2）封闭性　由于立体表面都是封闭的，所以相贯线一般是封闭的空间曲线，特殊情况下是平面曲线或直线。

二、相贯线的画法

一般按如下步骤求相贯线：

（1）求特殊点　包括转向轮廓素线上的点和极限位置点，即最高、最低、最前、最后、最左、最右的点。

（2）求一般点　用积聚法、辅助平面法求一般点。

（3）判断可见性，光滑连接　当相贯线上的点同时处于两立体表面的可见部分时，这些点可见，否则为不可见点。然后，用粗实线或虚线依次光滑连接各点。

【例 3-12】　图 3-20a 所示为两圆柱正贯，求其相贯线。

分析：两圆柱轴线垂直相交，相贯线为前后、左右对称的一条闭合空间曲线。由于大小两圆柱的轴线分别为侧垂线和铅垂线，小圆柱的水平投影积聚为圆。由相贯线的共有性可知，相贯线水平投影也在该圆上。同样，大圆柱的侧面投影积聚为圆，相贯线的侧面投影是大圆柱与小圆柱共有部分的侧面投影，为一段圆弧，即小圆柱最前、最后素线中间的圆弧。只需求出相贯线的正面投影。

作图方法如图 3-20b 和图 3-21 所示。

1）求特殊点：Ⅰ、Ⅱ为最左及最右点，也是最高点；Ⅲ、Ⅳ是最前及最后点，也是最低点。从侧面投影可知，以上 4 个特殊点均在回转体的转向轮廓线上，由 1、2、3、4 和 1″、(2″)、3″、4″利用"三等"关系可直接求得 1′、2′、3′、(4′)，如图 3-21a、b 所示。

2）求一般点：根据需要，在特殊点之间作一般点 Ⅴ、Ⅵ、Ⅶ、Ⅷ，首先在相贯线的水平投影上取 5、6、7、8，根据俯、左视图"宽相等"找出 5″、(6″)、(7″)、8″，再求出 5′、6′、(7′)、(8′)，如图 3-21c 所示。

3）将 1′、5′、(8′)、3′、(4′)、6′、(7′)、2′各点用光滑线连接起来即可得相贯线。

4）检查描深，如图 3-21d 所示。

必须指出：不仅两实体相贯有相贯线，实体上开有孔或槽等也有相贯线。图 3-22 所示为内外都有相贯线的示例，作图方法与上述相同。

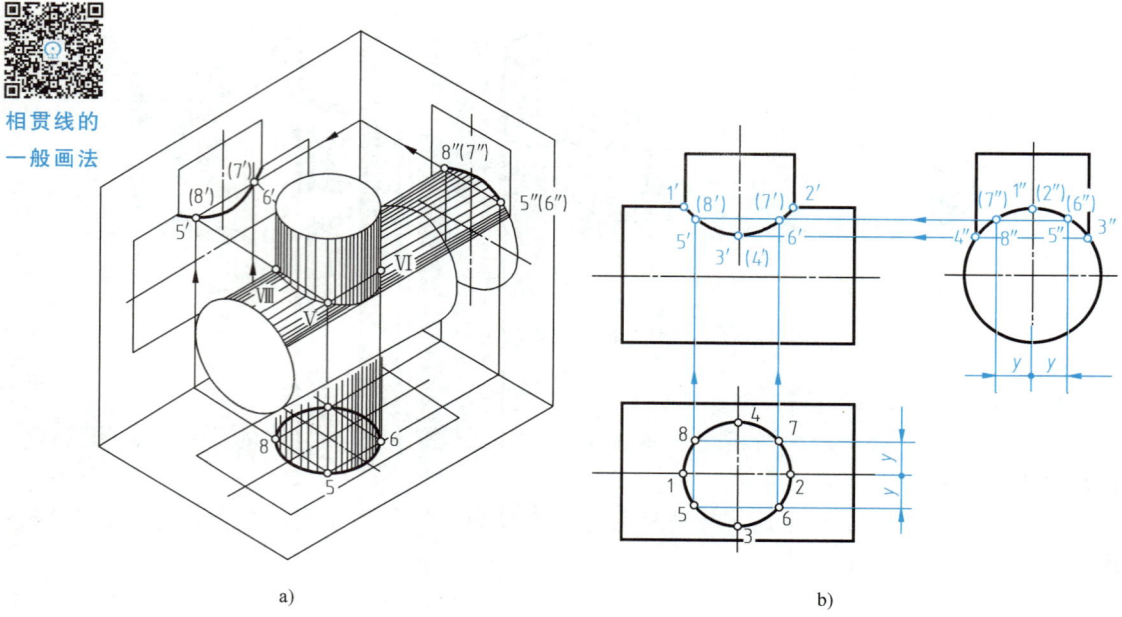

图 3-20 求两正交圆柱的相贯线

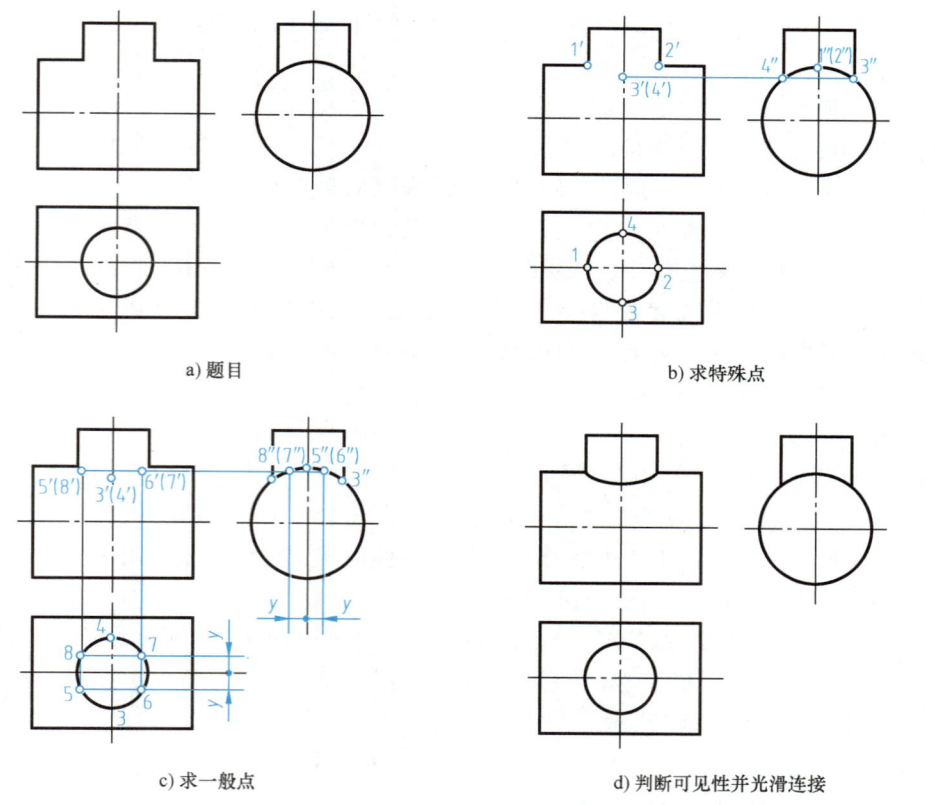

图 3-21 画两正交圆柱相贯线的步骤

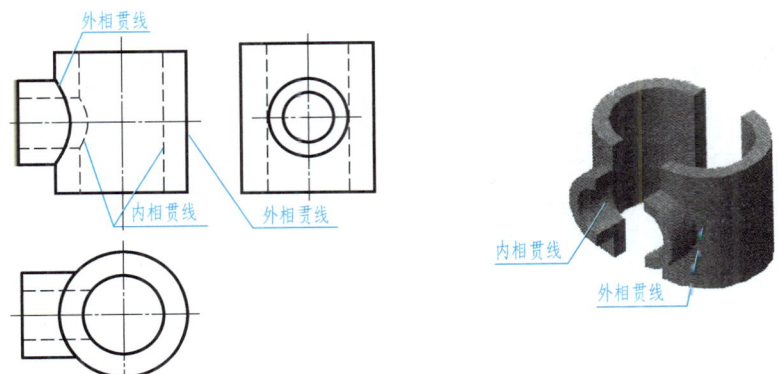

图 3-22 相贯线示例

三、相贯线的近似画法

相贯线的作图步骤较多,如对相贯线的准确性无特殊要求,当两圆柱垂直正交且直径相差较大时,可采用圆弧代替相贯线的近似画法。如图 3-23 所示,用大圆柱的 $D/2$ 为半径作圆弧来代替。即以 A 点为圆心,以 $D/2$ 为半径画弧,交小圆柱的轴线于 O 点,再以 O 点为圆心,以 $D/2$ 为半径画出相贯线。需要

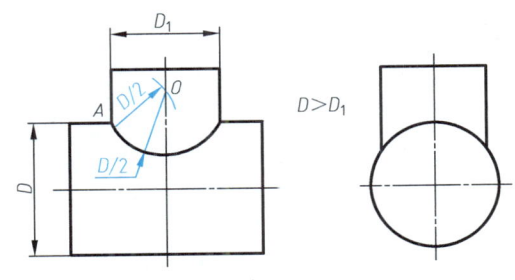

图 3-23 相贯线的近似画法

注意的是:画相贯线时要判定相贯线的弯曲方向,需要补画的相贯线一般在两个圆柱投影都是非圆的视图中,相贯线的弯曲方向是向大圆柱的轴线方向弯曲。图 3-24 所示为常见的两正交圆柱直径大小变化引起相贯线的变化示意图。

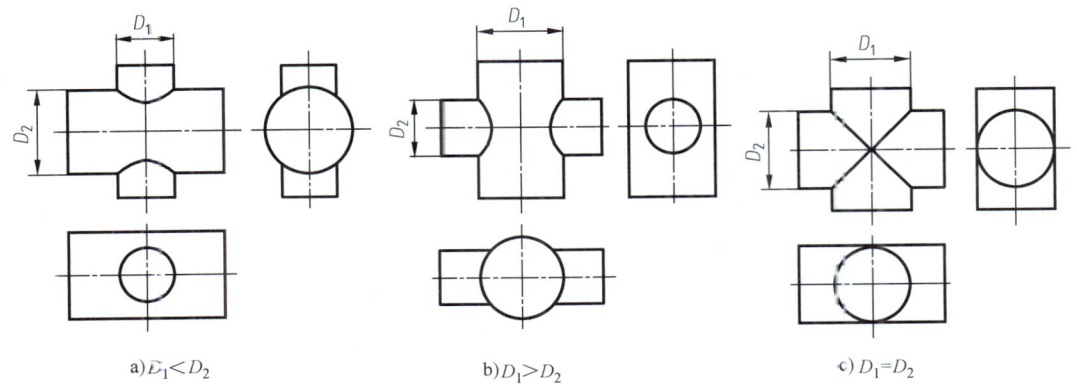

图 3-24 两正交圆柱直径大小变化引起相贯线的变化示意图

图 3-25 所示为两正交圆柱相贯的三种情况。

四、相贯线的特殊情况

一般情况下,相贯线是一条封闭的空间曲线,但在特殊情况下,可成为直线或平面曲线。
1)两圆柱轴线平行或两圆锥共顶时,相贯线为直线,如图 3-26 所示。

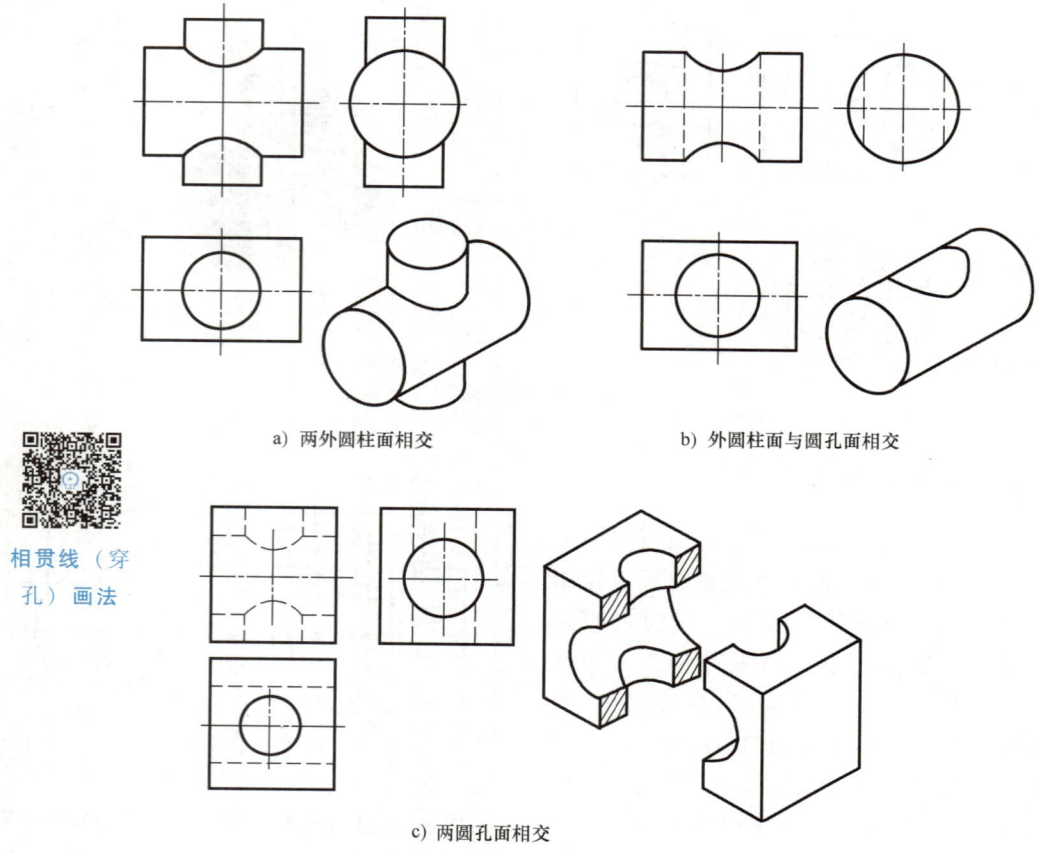

相贯线（穿孔）画法

a) 两外圆柱面相交

b) 外圆柱面与圆孔面相交

c) 两圆孔面相交

图 3-25 两正交圆柱相贯的三种情况

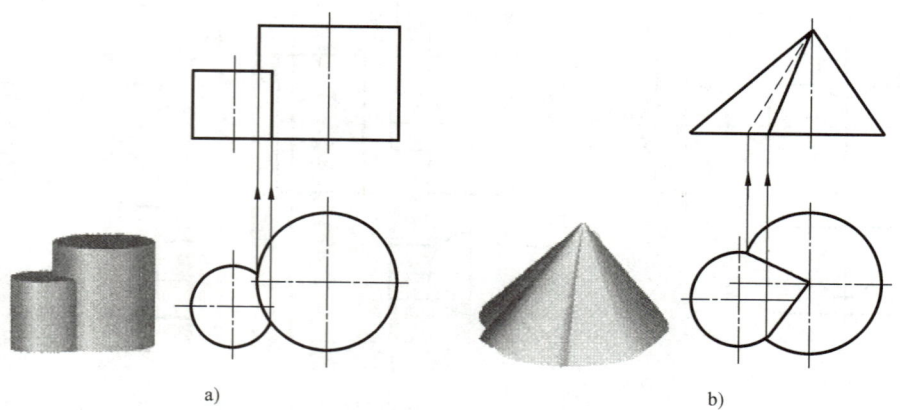

a)   b)

图 3-26 相贯线为直线

2）两回转体具有公共轴线时，相贯线为垂直于轴线的圆；当回转体的轴线平行于某投影面时，相贯线在该投影面上的投影积聚成一直线段，如图 3-27 所示。

3）两回转体公切于一个球时，相贯线是平面曲线——椭圆，当它们的轴线都平行于某投影面时，相贯线在该投影面上的投影积聚成一直线段，如图 3-28 所示。

第三章 基本立体视图

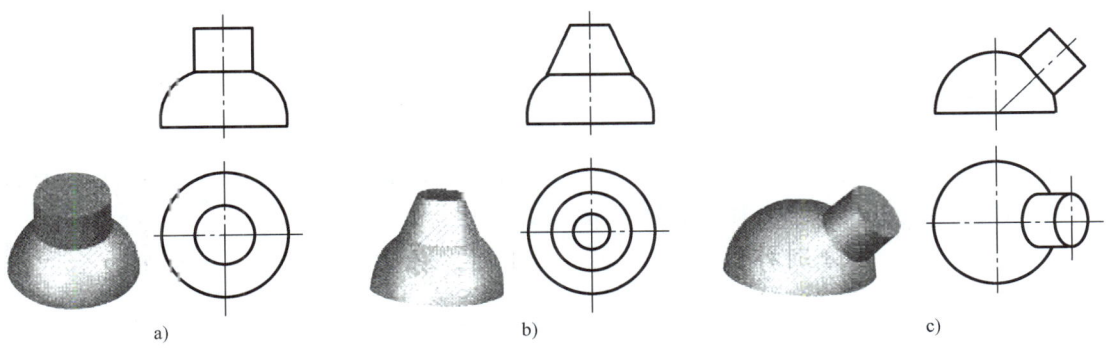

图 3-27 两同轴回转体的相贯线

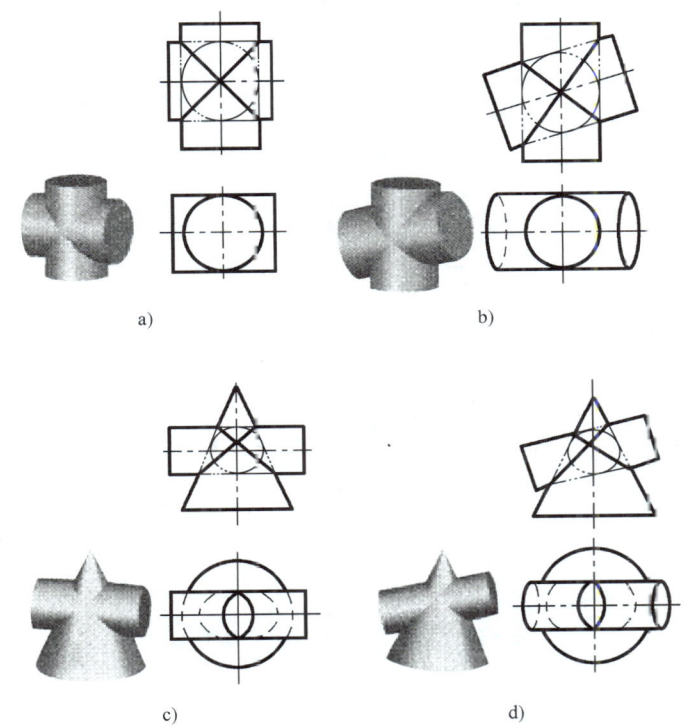

图 3-28 外切于同一球体的回转体的相贯线

第四节 立体的尺寸标注

无论绘制的图样多么准确，都不能用它的大小作为加工的尺寸依据，只有标注在图样上的尺寸才是可靠的依据。对立体的尺寸标注，应遵守尺寸标注的基本规则，并注意以下几点：

1）立体的尺寸应标注在反映形体特征最明显的视图中，尺寸标注尽量集中。
2）半径尺寸一定要标注在反映圆弧的视图中；直径尺寸可以标注在非圆视图中，标注时在尺寸数字前加字符"φ"。

3）不能重复标注尺寸。

一、基本立体的尺寸标注

平面立体一般要标注长、宽、高三个方向的尺寸，如图 3-29 所示；回转体一般要标注径向和轴向两个方向的尺寸，如图 3-30 所示。

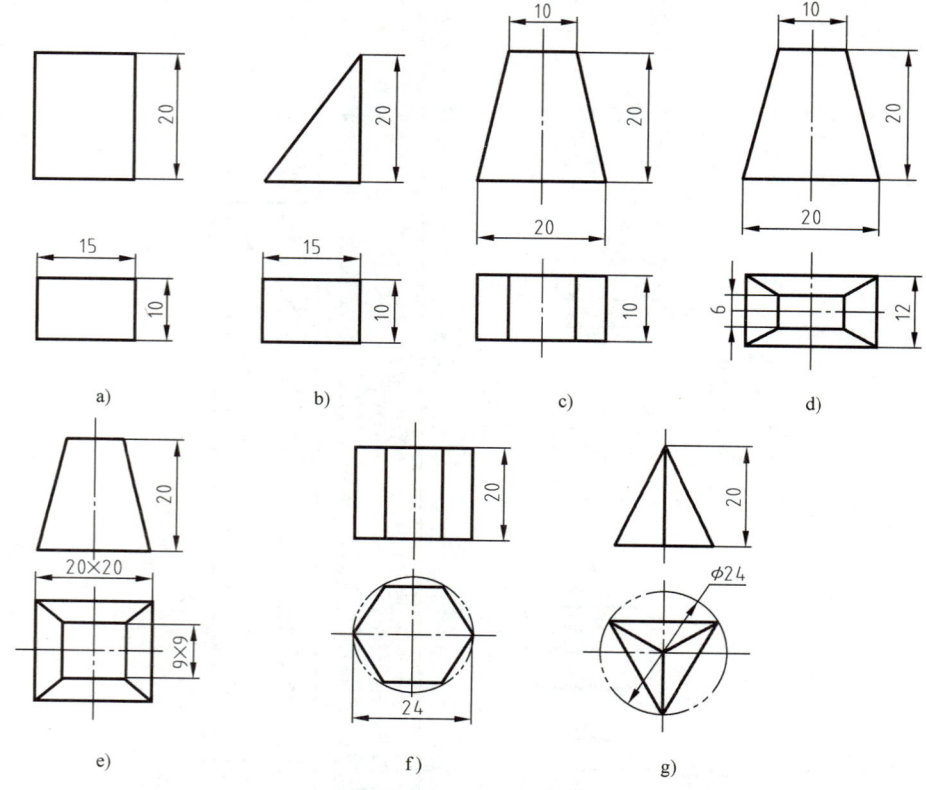

图 3-29　常见平面立体的尺寸注法

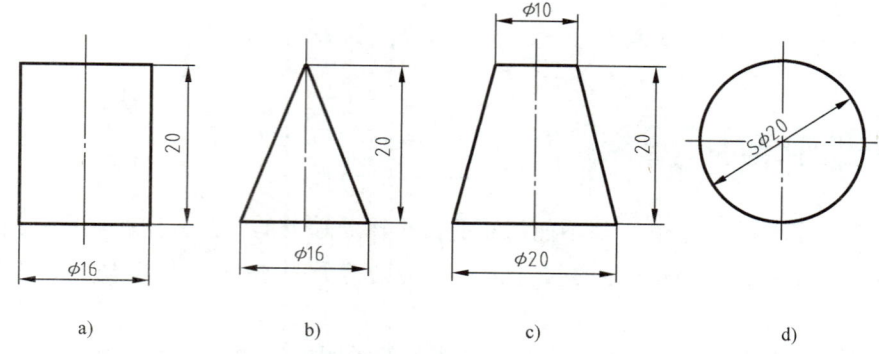

图 3-30　常见回转体的尺寸注法

二、带切口基本立体的尺寸标注

被截切的基本立体除了要标注基本立体的尺寸外，还要标注切口（截切）定位尺寸。因为截平面与立体的相对位置确定后，截交线已完全确定，所以不需标注截交线形状尺寸。常见切割体尺寸注法如图3-31所示，图中打"×"的尺寸为错误的注法，应当避免。

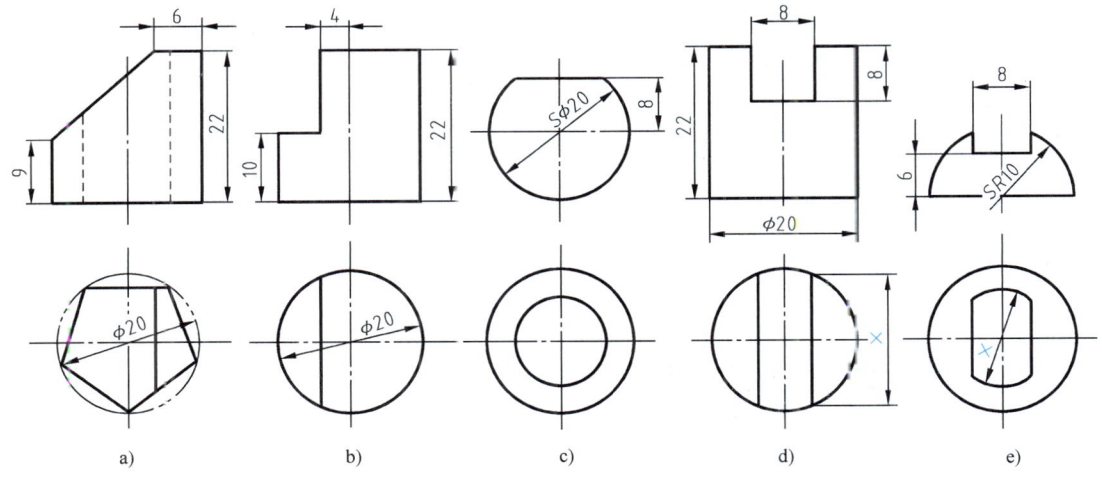

图 3-31　常见切割体的尺寸注法

三、相贯立体的尺寸标注

相贯线的形状和大小取决于立体的形状、大小及相对位置，对于相贯立体的尺寸标注，只需标注参与相贯的各基本形体的尺寸及其相对位置尺寸，如图3-32所示。

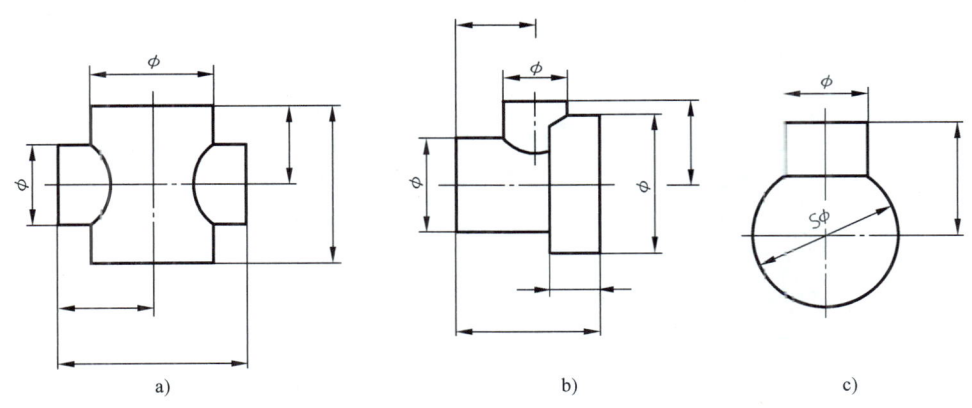

图 3-32　相贯立体的尺寸标注

第四章 组 合 体

由两个或两个以上的基本立体组成的形体称为**组合体**。本章着重介绍组合体三视图的画法、看图方法和尺寸标注,为之后学习零件图奠定基础。基本体组合后才能供机器或部件使用,在学习和工作中也是如此,要有团队合作精神。

第一节 组合体的组合形式

一、组合体的形体分析

任何复杂的物体都可以假想成是由若干个基本立体组合而成的。这些基本立体可以是完整的,也可以是经过开孔、切槽等加工的。如图 4-1a 所示的支座,可看成是由两个尺寸不同的四棱柱(其中一个切圆角)、一个半圆柱和两个肋板(见图 4-1b)叠加起来后,再切出一个大圆柱体和四个小圆柱体而成的,如图 4-1c 所示。因此,分析组合体时,可以采用"先分后合"的方法,就是先想象把组合体分解成若干个基本立体,逐个分析各部分形状,然后按其相对位置综合想出整体结构,这种方法称为**形体分析法**。

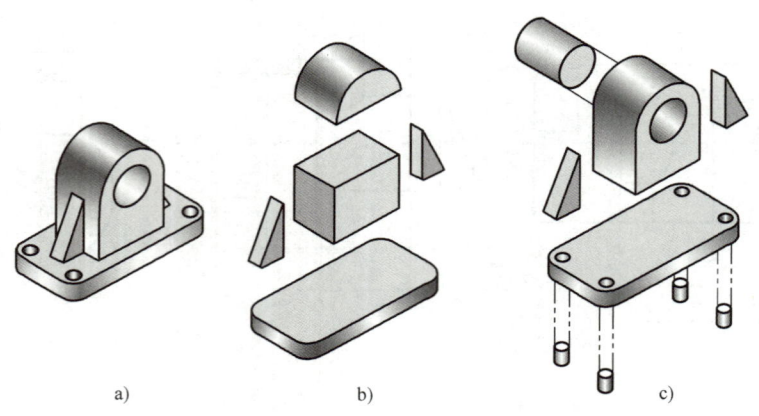

图 4-1 支座的形体分析

二、组合体的组合形式分类

组合体可分为叠加型、切割型和综合型三种组合形式,其中综合型是由前两种形式综合而成。

（1）叠加型　将各基本立体以平面接触相互堆积、叠加后形成的组合体，如图4-2a所示。

（2）切割型　在基本立体上进行切块、挖槽、穿孔等切割后形成的组合体，如图4-2b所示。

（3）综合型　由叠加型和切割型两种形式综合组成的组合体，如图4-2c所示。

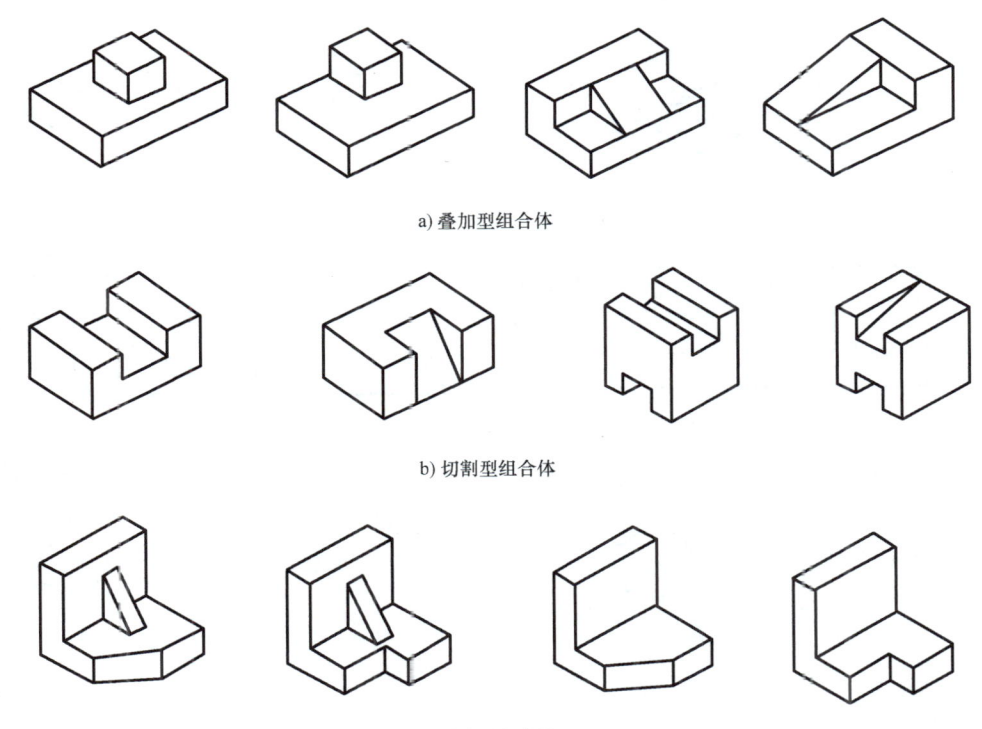

图 4-2　组合体的组合形式

三、组合体的表面连接关系

组合体表面连接关系有平齐、不平齐、相切、相交几种形式。弄清组合体表面连接关系，对画图和看图都很重要。

（1）平齐（共面）　当组合体中两基本立体的表面平齐时，在视图中不应画出分界线，如图4-3所示。

（2）不平齐（不共面）　当组合体中两基本立体的表面不平齐时，在视图中应画出分界线，如图4-4所示。

（3）相切　当组合体中两基本立体的表面相切时，在视图中的相切处不画线，如图4-5所示。

（4）相交　当组合体中两基本立体的表面相交时，在视图中的相交处应画线，如图4-6所示。

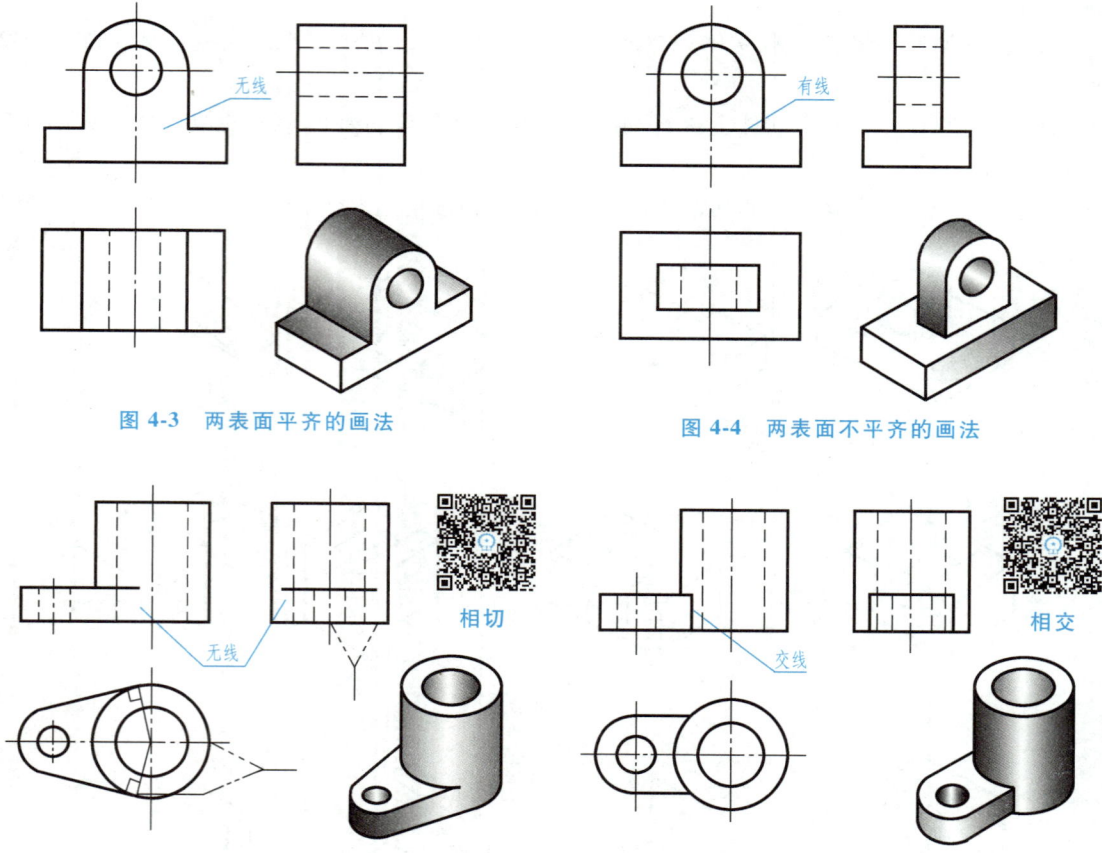

图 4-3 两表面平齐的画法　　图 4-4 两表面不平齐的画法

图 4-5 相切的画法　　图 4-6 相交的画法

第二节　组合体三视图的画法

画组合体的视图时，首先要运用形体分析法将组合体合理地分解为若干个基本立体，并按照各基本立体的形状、组合形式、形体间的相对位置和表面连接关系，逐步进行作图。下面结合实例，介绍组合体三视图的画法。

一、叠加型组合体三视图的画法

【例 4-1】　如图 4-7a 所示的轴承座，绘制该叠加型组合体的三视图。

1. 形体分析

如图 4-7b 所示，轴承座可分解为底板、圆筒、支承板和肋板 4 部分。底板上有直径相等的 2 个圆孔和 1/4 圆角，底板、支承板和肋板之间的组合形式为叠加。支承板与底板的后面平齐，圆筒与支承板的后面不平齐，支承板的左右侧面与圆筒的外表面相切，肋板位于圆筒的正下方并与支承板垂直相交，其左右侧面、前面与圆筒的外表面相交。

2. 选择视图

（1）选择主视图　主视图是表达组合体的一组视图中最主要的视图。一般应选择形状特征最明显、位置特征最多的方向作为主视图的投射方向，同时应避免投影作图时在其他视图上出现较多的虚线，影响图形的清晰性和标注尺寸。

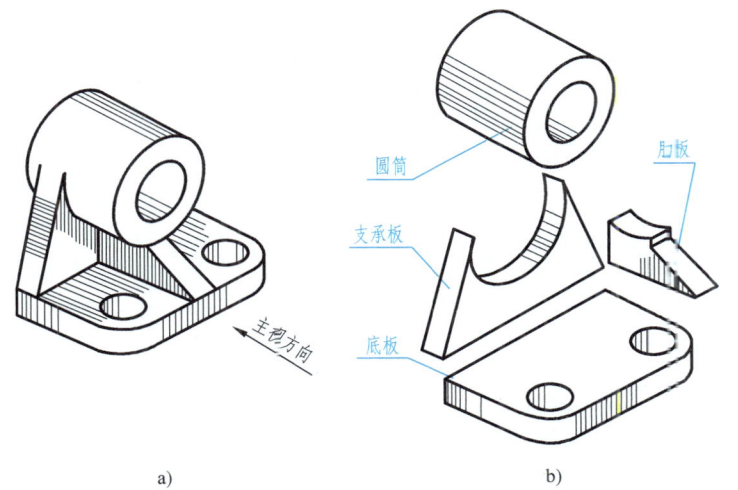

组合体三视图的画法

图 4-7 轴承座形体分析

从图 4-7a 可以看出，箭头所指方向作为投射方向能反映轴承座各组成部分的主要形状特征和较多的位置特征，符合主视图的要求。

（2）确定视图数量　确定其他视图数量的原则是：用最少的视图最清楚地表达组合体各组成部分的形状结构、相对位置和表面连接关系（视图数量的确定主要在第六章中讲解，本章主要画主、俯、左三视图）。

因此，主视图投射方向选定后，根据轴承座的表达需要，确定画出俯视图来表达底板的形状和两孔的相对位置，画出左视图来表达肋板的形状以及支承板和圆筒的宽度。所以，轴承座需要用主、俯、左三个视图才能表达清楚。

3. 选比例、定图幅

选定视图后，要根据组合体的实际大小，按国家标准规定选择比例和图幅。一般情况下，应采用 1∶1 的比例作图。选择图幅时，应留有足够的空间标注尺寸。

4. 布置视图

根据组合体的总长、总宽、总高确定各视图在图框内的具体位置，使视图分布均匀。因此，画图时应首先画出各视图两个方向的基准线，常用的基准线是视图的对称线、大圆柱体的轴线以及大的底面或端面。

5. 画底稿

底稿中的图线应分出线型，线要画得细而淡，以便修改和保持图面整洁。

6. 检查、描深

底稿完成后，要仔细检查全图，改正错误。准确无误后，按国家标准规定的线型加粗、描深。描深时应先画圆或圆弧，后画直线；先画虚线、点画线、细实线，后画粗实线，最后标注尺寸。

绘图具体方法与步骤如图 4-8 所示。

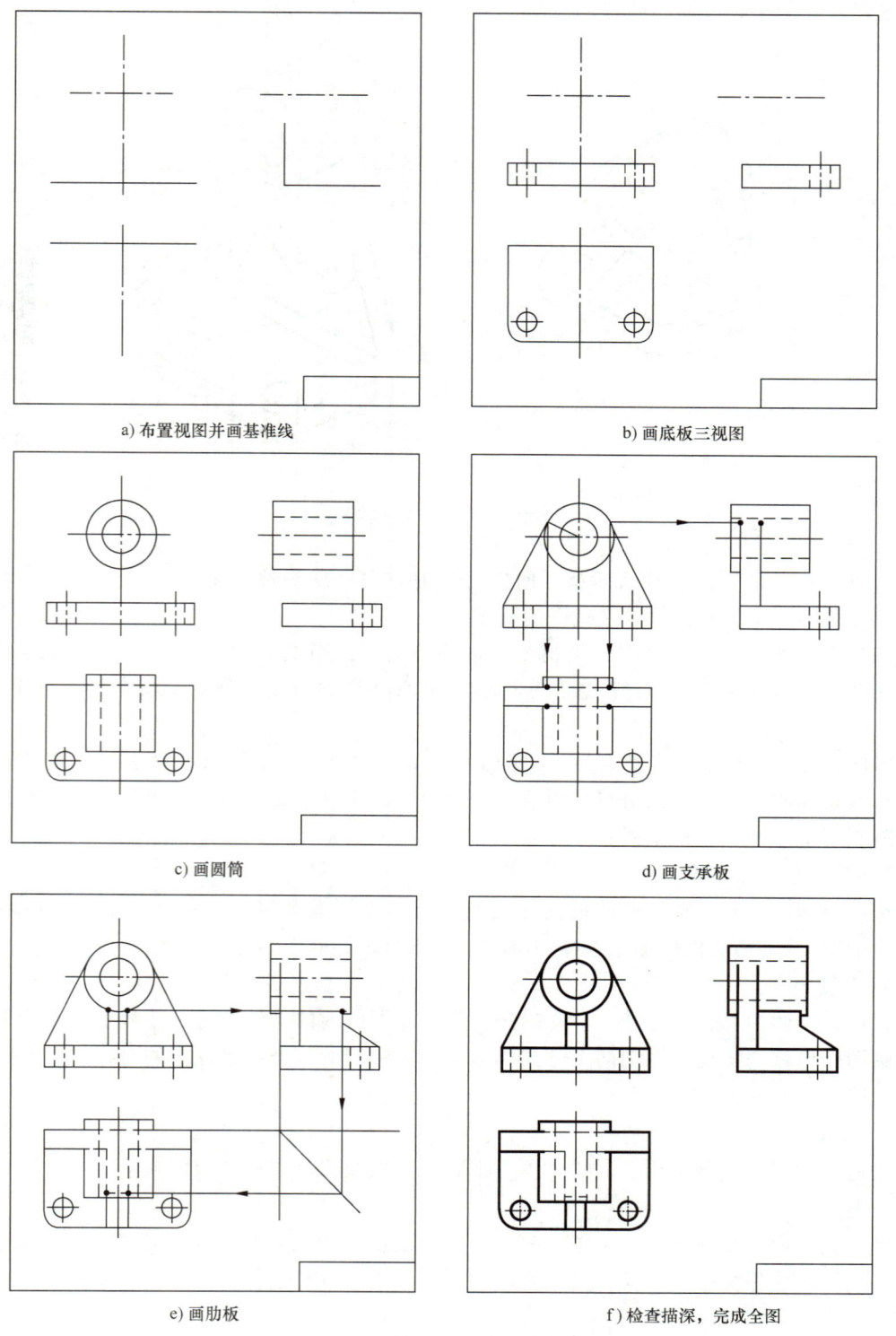

图 4-8 轴承座的画图步骤

二、切割型组合体三视图的画法

【例 4-2】 如图 4-9a 所示，绘制切割型组合体的三视图。

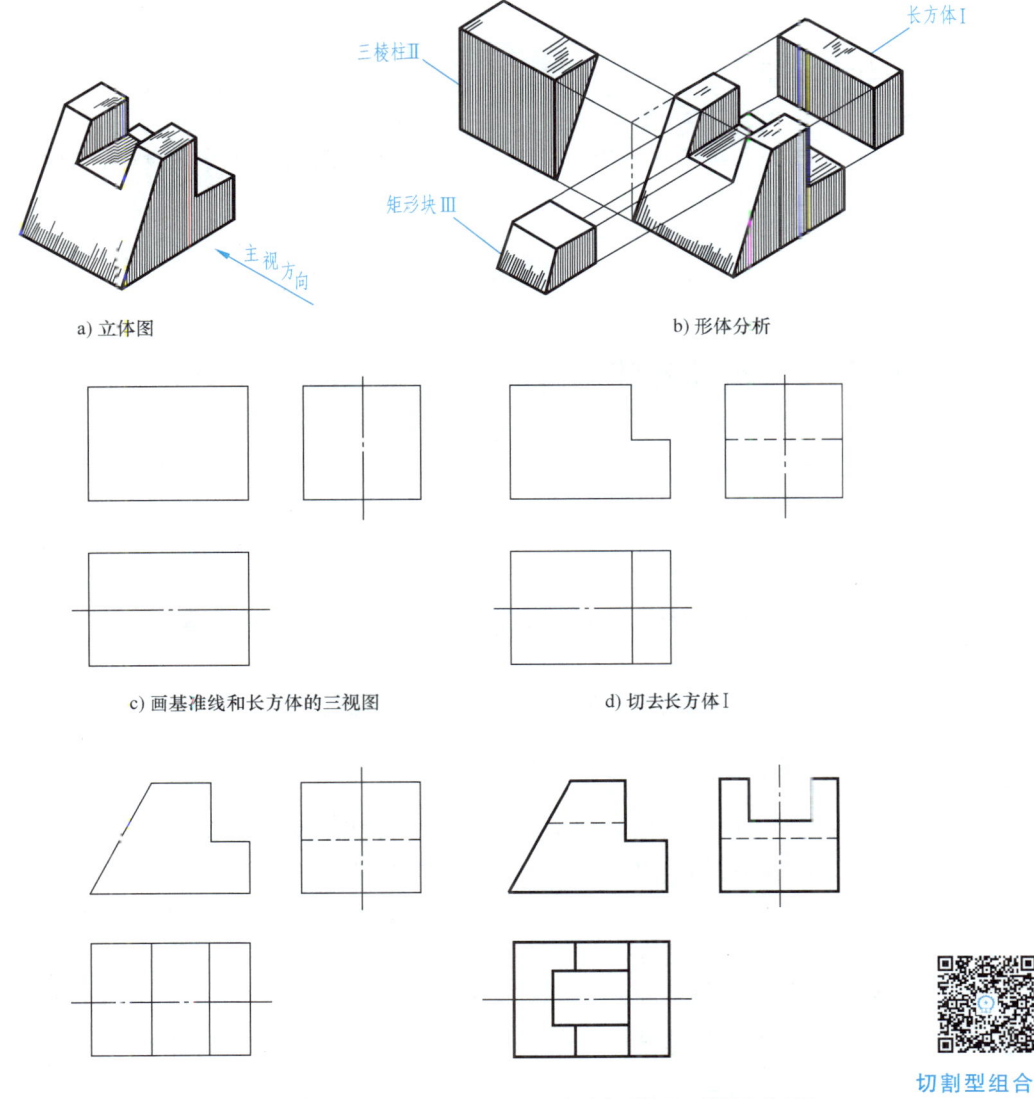

图 4-9 切割型组合体的画图步骤

1. 形体分析

由图 4-9b 可以看出，切割型组合体是由四棱柱经切割而形成的，先用水平面和侧平面切出右上方 I（长方体）；再用正垂面切出左侧 II（三棱柱）；最后用两个正平面和一个水平面切出上面中间部分 III（矩形块），形成图 4-9a 所示的切割型组合体。

2. 选择视图

切割型组合体主视图选择方法和叠加型组合体相同，此处不再赘述。

图 4-9a 所示箭头所指方向选为切割型组合体的主视图方向。经分析切割型组合体需要用主、俯、左 3 个视图才能表达清楚。

3. 选比例、定图幅

略。

4. 布置视图

画出各个视图的基准线。

5. 画底稿

画图时，可以先画出完整长方体的三视图，然后逐个画出被切部分的投影，如图 4-9c ~ f 所示。

6. 检查、描深

绘图具体方法与步骤如图 4-9 所示。

第三节　组合体的尺寸标注

一、尺寸标注的基本要求

（1）正确　标注的尺寸数值应准确无误，标注方法要符合国家标准中有关尺寸注法的基本规定。

（2）完整　标注尺寸必须能唯一确定组合体及各基本形体的大小和相对位置，做到无遗漏，不重复。

（3）清晰　尺寸的布局要整齐、清晰，便于查找和看图。

组合体
尺寸基准
的选择

二、尺寸基准

标注尺寸的起点称为尺寸基准，常选用组合体的底面、重要的端面、对称平面、回转体的轴线以及圆的中心线等作为其尺寸基准。

在组合体的长、宽、高 3 个方向中，每个方向至少要有 1 个主要尺寸基准。当形体较复杂时，还允许有一个或几个辅助尺寸基准。如图 4-10a 所示，以通过圆柱体轴线的侧平面作为长度方向的尺寸基准，以通过圆柱体轴线的正平面作为宽度方向的尺寸基准，以底板的底面作为高度方向的尺寸基准。

定位尺寸
的标注

三、组合体的尺寸种类

定形尺寸
的标注

（1）定位尺寸　定位尺寸指确定组合体中各组成部分相对位置的尺寸。如图 4-10a 中的 36、图 4-10b 中的 50、30 等尺寸。基本立体有长、宽、高 3 个方向上的定位尺寸，若基本立体在某方向上处于叠加、平齐、对称、同轴之一者，则应省略该方向上的 1 个定位尺寸。图 4-10a 中，圆筒长度、宽度方向的定位尺寸均省略。

（2）定形尺寸　定形尺寸指确定组合体中各基本立体的形状和大小的尺寸。如图 4-10b 中 $R14$、$2×\phi10$、$\phi16$ 等均属于定形尺寸。

第四章　组合体

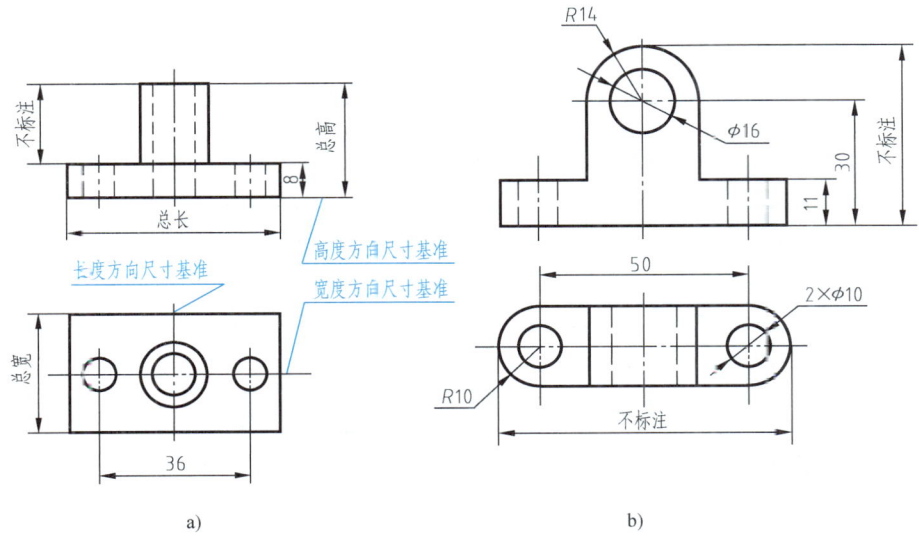

图 4-10　尺寸基准及总体尺寸

（3）总体尺寸　总体尺寸指确定组合体外形的总长、总宽和总高的尺寸。若定形尺寸、定位尺寸已标注完整，在标注总体尺寸时，应对相关的尺寸作适当调整，避免出现封闭尺寸。如图 4-10a 所示，删除小圆柱的高度尺寸，标注总高。另外，当组合体的一端为有同心孔的回转体时，该方向上一般不注总体尺寸，如图 4-10b 所示。

四、标注组合体尺寸的步骤

标注组合体的尺寸时，首先应运用形体分析法分析形体，找出该组合体长、宽、高 3 个方向的主要基准，分别注出各基本立体之间的定位尺寸和各基本立体的定形尺寸，再标注总体尺寸并进行调整，最后校对全部尺寸。

【例 4-3】　现以轴承座为例，说明标注组合体尺寸的具体步骤。

（1）对组合体进行形体分析，确定尺寸基准　如图 4-11 所示，依次确定轴承座长、宽、高 3 个方向的主要尺寸基准：以通过圆筒轴线的侧平面作为长度方向的主要尺寸基准，底板后表面作为宽度方向的主要尺寸基准，底板的底面作为高度方向的主要尺寸基准。

（2）分别标注各组成部分的定位尺寸和定形尺寸　从组合体长、宽、高 3 个方向的基准出发依次注出各基本立体的定位尺寸，并依次标注轴承座各组成部分的定形尺寸，如图 4-11b～d 所示。

（3）标注总体尺寸　组合体一般需要标注总长、总宽和总高尺寸，当所有定位尺寸和定形尺寸都标注完成以后，经适当调整标注相应的总体尺寸。但是当组合体的一端或两端为回转体时，不标注总体尺寸。

五、注意事项

标注尺寸除了要求正确、完整以外，为了便于看图，还要求所注尺寸清晰。为此，应注意以下几点：

1）尺寸应尽量标注在视图外，与两个视图有关的尺寸最好布置在两视图之间。

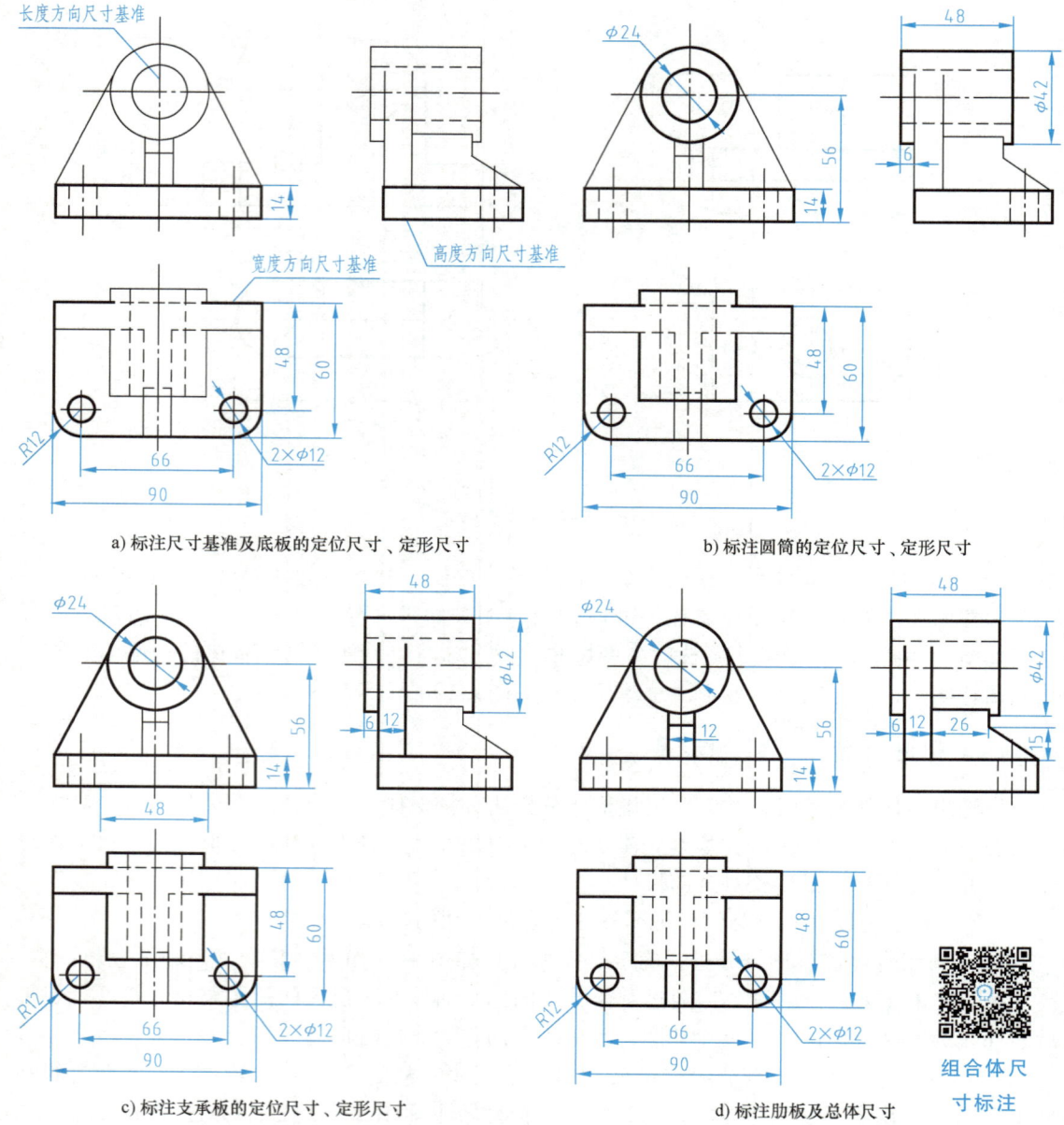

图 4-11 轴承座的尺寸标注

2）同一基本立体的定形尺寸、定位尺寸应尽量集中标注，并尽量标注在反映形状和位置特征的视图上，如图 4-11 中的 $R12$、$2×\phi12$、66、48 等尺寸。

3）直径尺寸尽量标注在投影为非圆的视图上，如图 4-11 左视图中的 $\phi42$ 等尺寸。

4）尺寸尽量不标注在虚线上。

5）尺寸线、尺寸界线与轮廓线尽量不要相交。

以上各点，并非标注尺寸的固定模式，在实际标注尺寸时，有时会出现不能完全兼顾的情况，应在保证尺寸标注正确、完整、清晰的基础上，根据尺寸布置的需要灵活运用，进行适当调整。

图 4-12 所示为一些常见组合体结构的尺寸注法，供标注尺寸时参考。

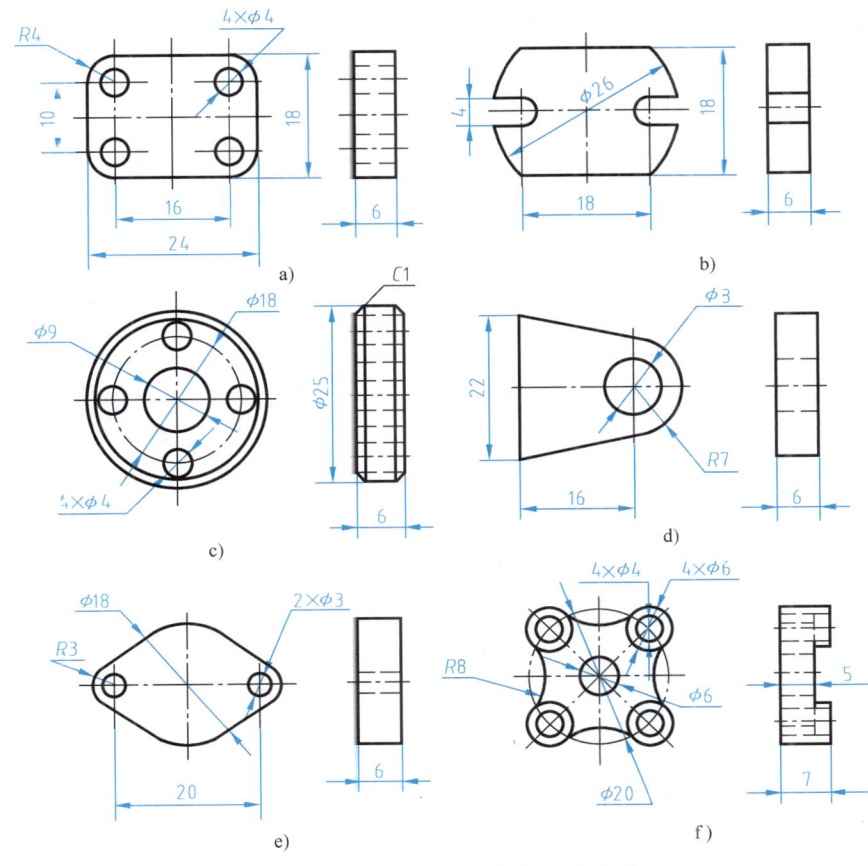

图 4-12　常见组合体结构的尺寸注法

第四节　识读组合体三视图

画组合体的视图是将三维形体用正投影法表示成二维图形，而看组合体的视图，则是将多个二维图形依据它们之间的投影关系，想象出三维的形状。可以说，看图是画图的逆过程。所以，看图同样也要运用形体分析法，但对于复杂的形体，还要对局部的结构进行线面分析，想象出局部结构的形状，从而想象出组合体的空间形状。

一、看图要点

1. 弄清视图中线条与线框的含义

（1）视图中线条的含义　表示具有积聚性的面的投影；表示面与面交线的投影；表示曲面转向轮廓线。

（2）视图中线框的含义

1）一个封闭的线框表示物体的一个面。

2）相邻的两个封闭线框，表示物体上位置不同的两个面，如图 4-13 和图 4-14 主视图所示。

3) 一个大封闭线框内包含小的封闭线框，表示在大的几何体上凸出或者凹下小的几何体。

2. 要把几个视图联系起来进行分析

在一般情况下，一个视图很难完全确定组合体的形状，表达组合体必须要有反映形状特征的视图，看图时，要把几个视图联系起来进行分析，才能想象出组合体的形状，如图 4-13～图 4-15 所示。

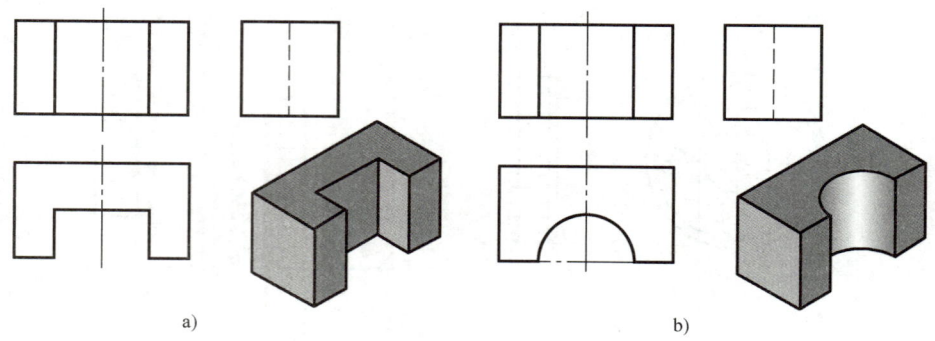

图 4-13　把几个视图联系起来看图（一）

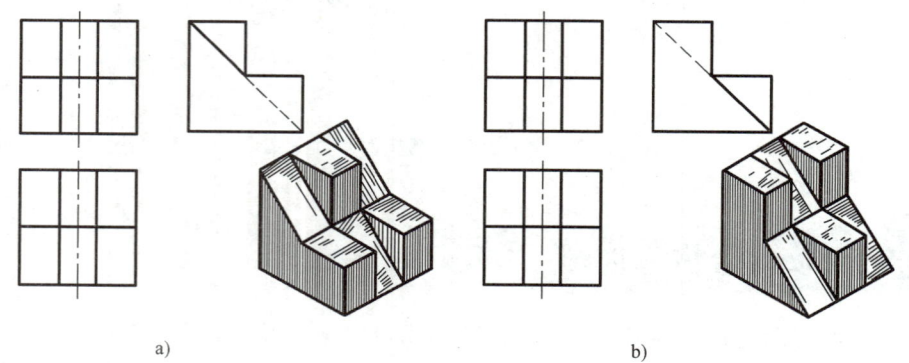

图 4-14　把几个视图联系起来看图（二）

二、看图方法和步骤

1. 形体分析法

看叠加型组合体的视图时，应根据投影规律分析基本形体的三视图，从图上逐个识别出基本形体的形状和相互位置，再确定它们的组合形式及其表面连接关系，综合想象出组合体的形状。

应用形体分析法看图的方法是：从形体出发，在视图上分线框，对投影。

【例 4-4】　利用图 4-16 所示轴承座三视图，介绍应用形体分析法看图的方法和步骤。

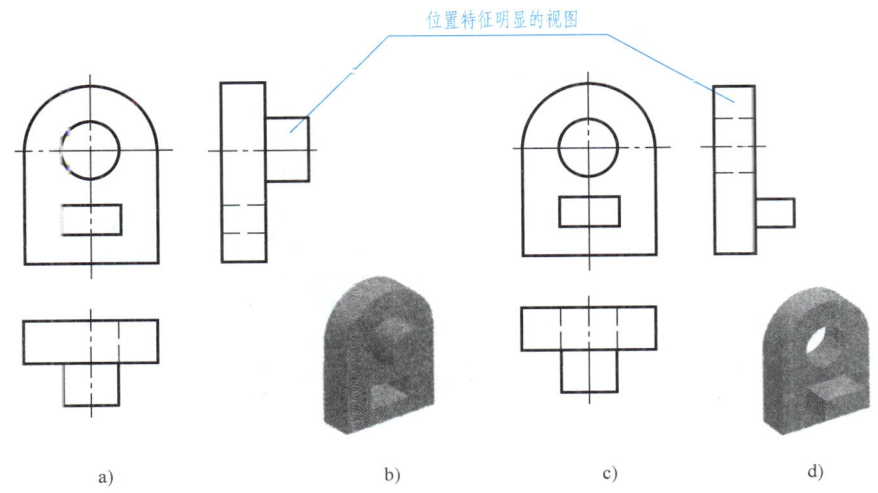

图 4-15 把几个视图联系起来看图（三）

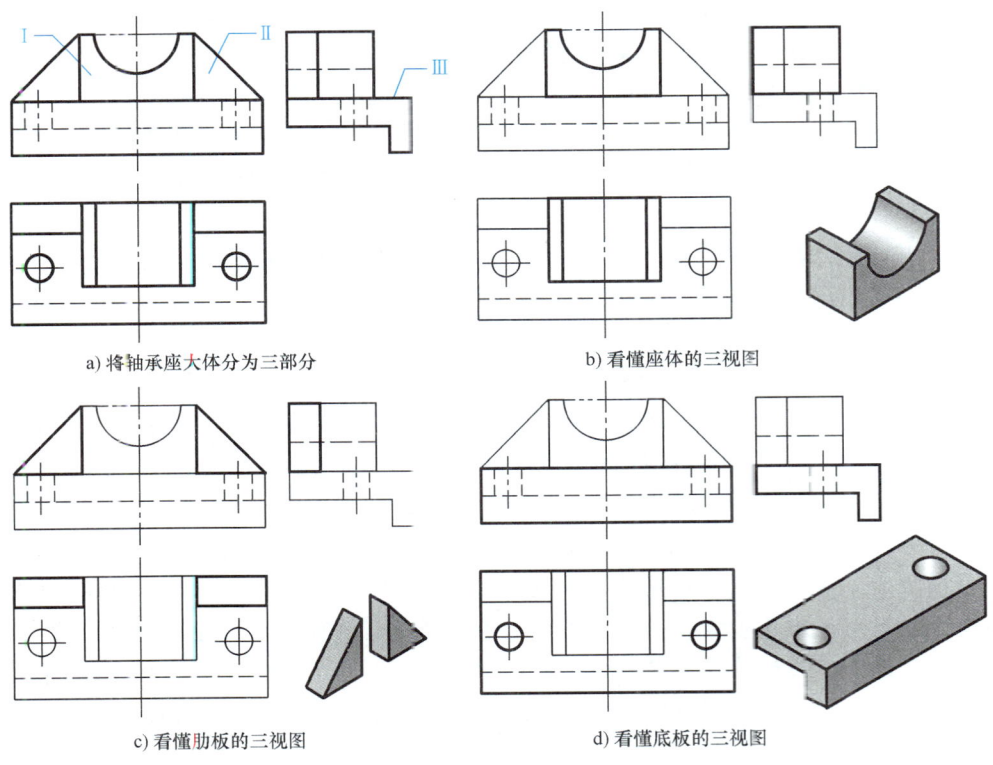

图 4-16 轴承座的看图方法

（1）抓住特征分部分　通过形体分析可知，主视图较明显地反映出形体Ⅰ、Ⅱ的特征，而左视图则较明显地反映出形体Ⅲ的特征。据此，该轴承座可大体分为三部分，如图 4-16a 所示。

(2) 对准投影想形状　形体Ⅰ、Ⅱ从主视图、形体Ⅲ从左视图出发，依据"三等"规律，分别在其他两视图上找出对应投影，并想出它们的形状，如图 4-16b～d 所示。

(3) 综合起来想整体　长方体Ⅰ在底板Ⅲ的上面，两形体的对称面重合且后面平齐；肋板Ⅱ在长方体Ⅰ的左、右两侧，且与其叠加，后面平齐。综合想象出物体的整体形状，如图 4-17 所示。

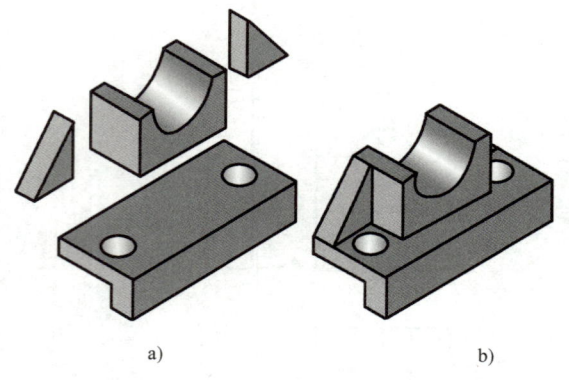

图 4-17　轴承座

2. 线面分析法

所谓线面分析法，就是运用投影规律，把物体表面分解为线、面等几何要素，通过识别这些要素的位置、形状，进而想象出物体的形状。在看切割型组合体的视图时，主要用线面分析法。

线面分析法的看图方法是：从面出发，在视图上分线框。从某一视图上划分线框，并根据投影关系，在其他视图上找出与其对应的线框或图线，确定线框所表示面的空间形状和对投影面的相对位置，进而弄清组合体的整体形状。

【例 4-5】　利用图 4-18 所示压块，介绍用线面分析法看图的方法和步骤。

先分析整体形状，压块三个视图的轮廓基本上都是矩形，所以它的原始形体是长方体。再分析细节部分，压块的右上方有一阶梯孔，其左上方和前后面分别被切掉一角，下方前后对称分别被切掉一角。

(1) 压块左上方的缺角　如图 4-18a 所示，在俯、左视图上相对应的投影为等腰梯形线框 p 和 p''，在主视图上与其对应的投影是一倾斜的直线 p'。由正垂面的投影特性可知，平面 P 是梯形的正垂面。

(2) 压块左方前、后对称的缺角　如图 4-18b 所示，在主、左视图上相对应的投影为七边形线框 q' 和 q''，在俯视图上与其对应的投影为一倾斜的直线 q，由铅垂面的投影特性可知，平面 Q 是七边形铅垂面。同理，处于后方与之对称的位置也是七边形铅垂面。

(3) 压块下方前、后对称的缺角　如图 4-18c、d 所示，它们由两个平面切割而成，其中一个平面 R 在主视图上为一可见矩形线框 r'，在俯视图上的对应投影为水平线 r（虚线），在左视图上的对应投影为垂线 r''。另一平面 S 在俯视图上是有一边为虚线的直角梯形 s，在主、左视图上的对应投影分别为水平线 s' 和 s''。由投影面平行面的投影特性可知，平面 R 是长方形的正平面。平面 S 是直角梯形的水平面。压块下方后面的缺角与前面的缺角对称，此处不再赘述。

在图 4-18d 中，$a'b'$ 不是平面的投影，而是 R 面和 Q 面的交线。其余线框及其投影请读者自行分析。这样，从形体和线面的投影上，分析出了压块的三视图。综合起来，便可想象出压块的整体形状，如图 4-18e 所示。

应当指出，在看图过程中，可以利用尺寸来帮助看图。如直径代号 ϕ 表示圆孔和圆柱形，半径代号 R 则表示圆角等。

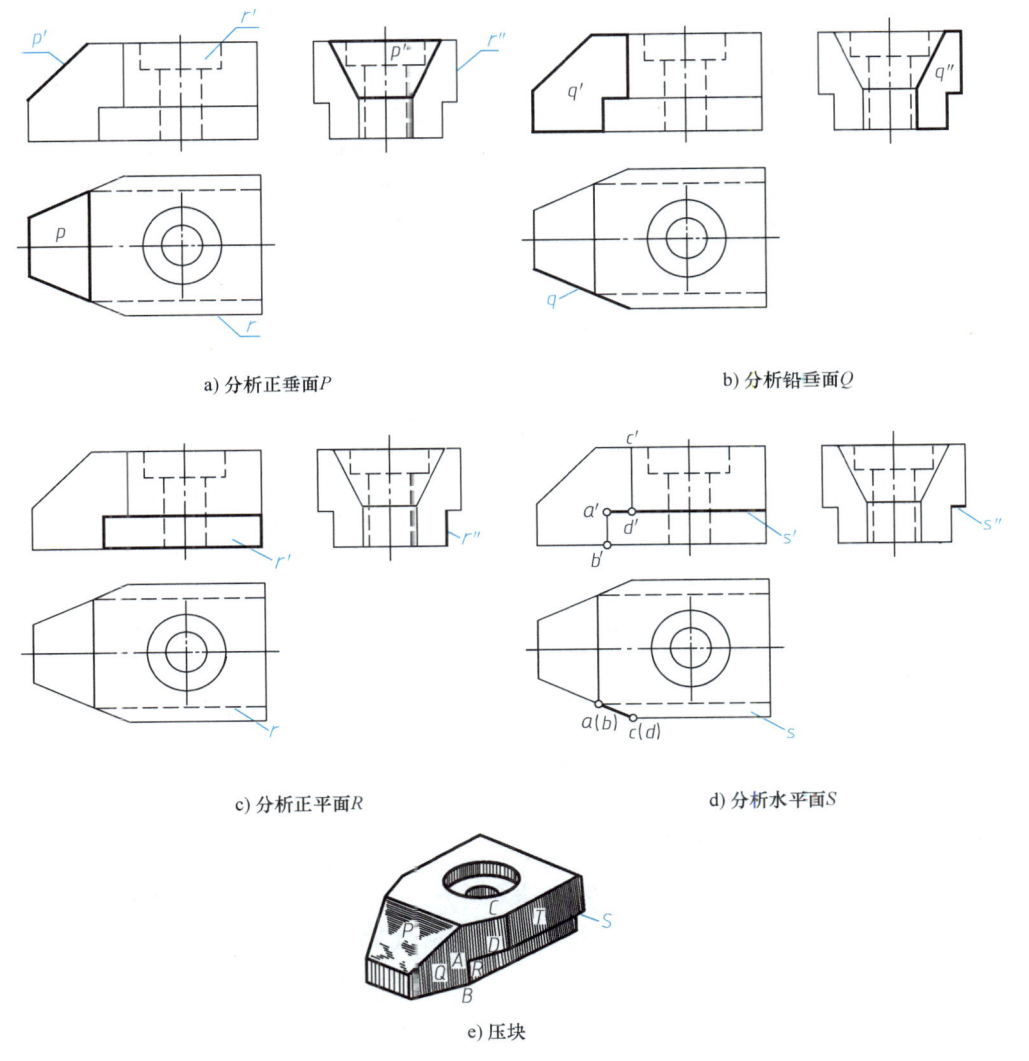

图 4-18　压块的看图方法

综合上面的分析，看图时应以形体分析法为主，而线面分析法在一般情况下只作为一种辅助手段，用来分析视图中难以看懂的图线和线框的含意。

三、补画漏线与补画视图

1. 补画漏线

补画视图中的漏线，即物体的三个视图都具备，但有的视图有缺线，要求补全这些缺线。这种题目，一般应抓住物体的形状、位置特征明显的视图，联系其他视图逐个补出缺线。复杂的物体则要联合运用形体分析法及线面分析法进行分析，弄清物体的形状，也可通过画立体图帮助想象。

【例 4-6】　补画图 4-19a 所示三视图中的缺线。

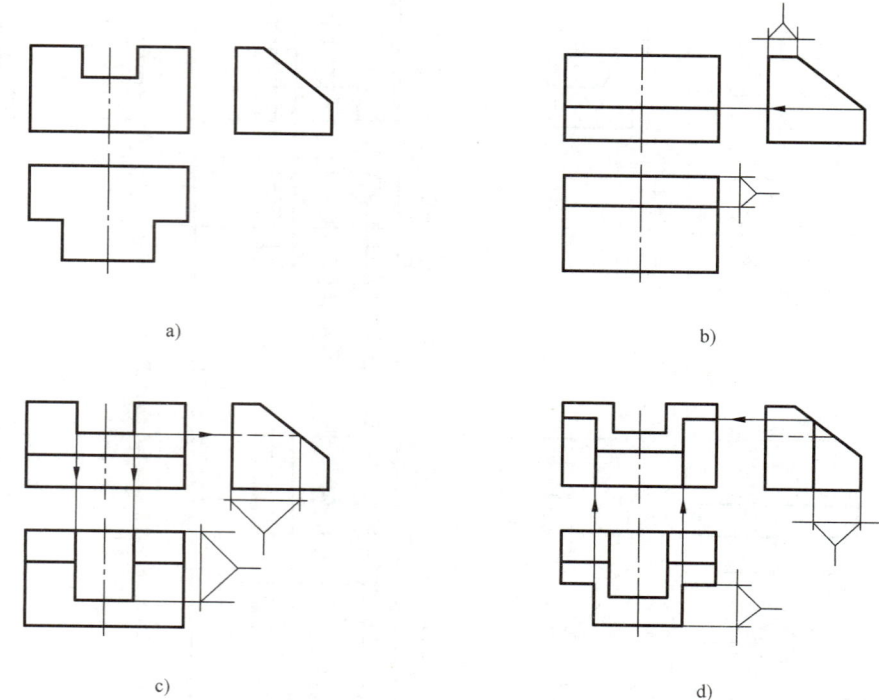

图 4-19 补画三视图中的缺线

（1）形体分析　如图 4-19a 所示，从已知的三个视图分析，该组合体是长方体被几个不同位置的平面切割而成的。可采用边切割边补线的方法逐个补画三个视图中的缺线。在补线过程中，要应用"长对正、高平齐、宽相等"的投影规律，并要特别注意俯、左视图宽相等及前后对应的投影关系。

（2）作图

1）从左视图上的斜线可知，长方体被侧垂面切去一角。在主、俯视图中补画相应的缺线，如图 4-19b 所示。

2）从主视图可知，长方体的上部被一个水平面和两个侧平面切了个凹槽。补画俯、左视图中相应的缺线，如图 4-19c 所示。

3）从俯视图可知，长方体前面被左、右对称切去一角。补全主、左视图中相应的缺线，如图 4-19d 所示。

【例 4-7】　补画 4-20a 所示三视图中所缺的图线。

补画缺线步骤如图 4-20b~f 所示，该物体的立体图如图 4-21 所示。

2. 补画视图

补画视图就是根据已知两个视图，运用形体分析和线面分析的方法，想象出组合体的结构形状，并把第三视图补画出来。如果已知两视图，通常已完全确定了组合体的结构形状，则答案是唯一的。

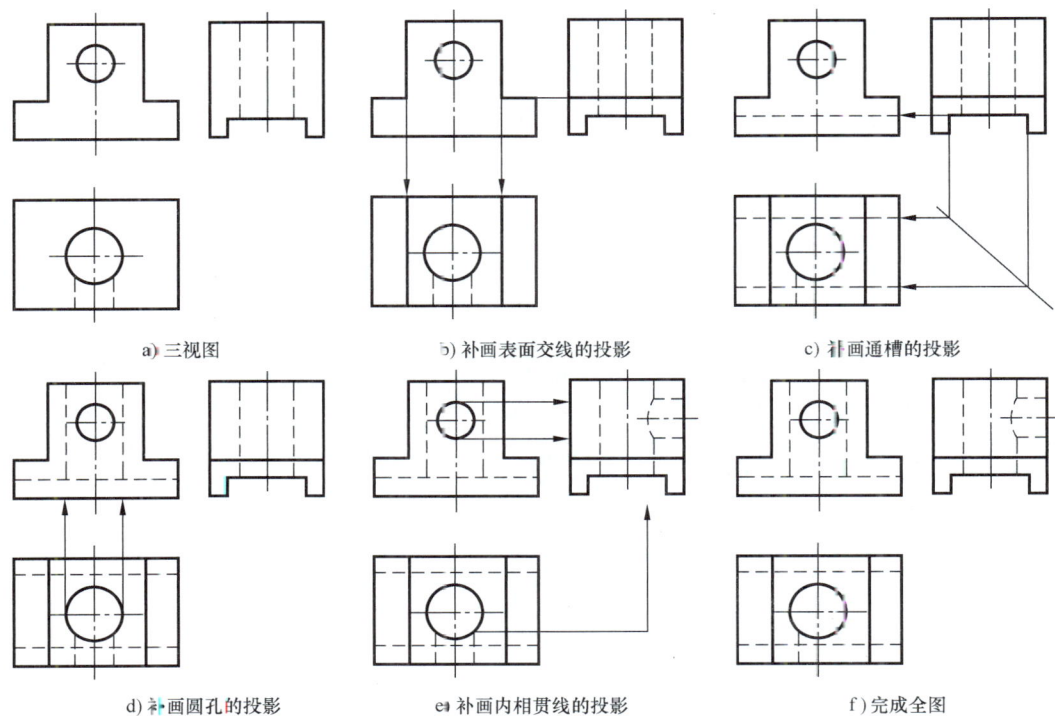

a) 三视图　　b) 补画表面交线的投影　　c) 补画通槽的投影

d) 补画圆孔的投影　　e) 补画内相贯线的投影　　f) 完成全图

图 4-20　补画缺线步骤

【例 4-8】 根据支座的主、俯视图，补画其左视图，如图 4-22a 所示。

运用形体分析法，对主、俯视图进行线框分割，大致可看出它由三个部分组成，下部是一个长方体，上后部也是一个长方体，在上部长方体前方有一个凸台，凸台是一顶部带有半圆柱体的长方体。另外后部开有一方槽，上方还有一个小圆柱孔。

作图步骤如图 4-22b~f 所示。

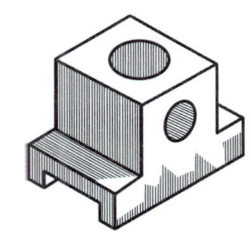

图 4-21　物体立体图

a) 已知两视图　b) 补画底板　c) 补画后立板　d) 补画半圆板　e) 补画通槽　f) 补画通孔

图 4-22　已知两视图补画第三视图（例 4-8）

【例 4-9】 根据图 4-23a 所示的主、俯视图，补画左视图。具体作图步骤如图 4-23b~e 所示。

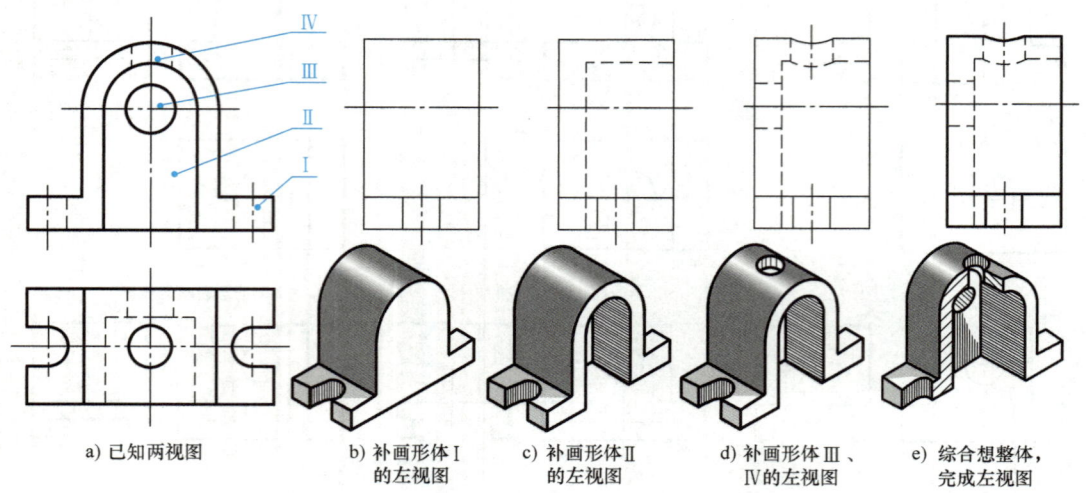

a) 已知两视图　　b) 补画形体Ⅰ的左视图　　c) 补画形体Ⅱ的左视图　　d) 补画形体Ⅲ、Ⅳ的左视图　　e) 综合想整体，完成左视图

图 4-23　已知两视图补画第三视图（例 4-9）

第五章 轴 测 图

> 多面正投影图能完整、准确地反映出物体的形状和大小,而且作图简单,但它缺乏立体感,只有具备一定的读图能力的人才能看懂。为了弥补不足,工程上有时也采用富有立体感的轴测图来表达设计意图,轴测图能够同时反映物体长、宽、高三个方向的形状,富有立体感,但其作图复杂,在机械图样中只能作为辅助图样。本章主要介绍轴测图的基本知识和画法。在本章的学习过程中,应注意培养换位思考和多角度看待问题的意识。

第一节 轴测图的基本知识

一、轴测图的形成

将物体连同其所在的直角坐标系,沿不平行于任一坐标平面的方向,用平行投影法将其投射在单一投影面上所得到的具有立体感的图形,称为轴测投影图,简称轴测图。

如图 5-1 所示,沿投射方向 S 用平行投影法将空间物体进行投射,所得的投影即为轴测图,投影面 P 称为轴测投影面。轴测图能够同时反映物体长、宽、高三个方向的形状,所以具有立体感。

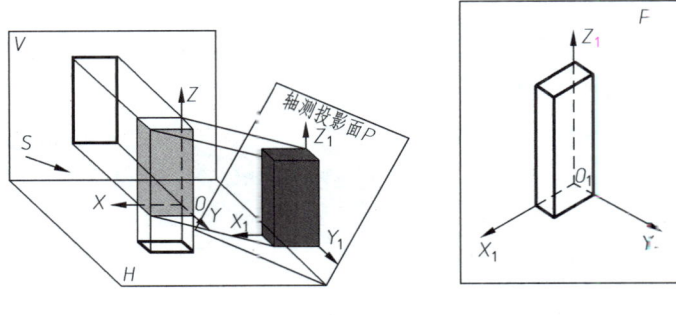

图 5-1 轴测图的形成

二、轴测图的术语

1. 轴测轴

空间直角坐标轴 OX、OY、OZ 在轴测投影面上的投影 O_1X_1、O_1Y_1、O_1Z_1

轴测投影术语

称为轴测轴，如图 5-1 和图 5-2 所示。

2. 轴间角

轴测投影中，任意两轴测轴之间的夹角称为轴间角，如图 5-1 和图 5-2 中 $\angle X_1O_1Y_1$、$\angle X_1O_1Z_1$、$\angle Y_1O_1Z_1$。

3. 轴向伸缩系数

轴测轴上的单位长度与相应的直角坐标轴上对应的单位长度的比值，称为轴向伸缩系数。X、Y、Z 轴的轴向伸缩系数分别用 p_1、q_1、r_1 表示，即

$$p_1 = O_1X_1/OX \quad q_1 = O_1Y_1/OY \quad r_1 = O_1Z_1/OZ$$

三、轴测图的分类

按投影方向与轴测投影面之间的关系，轴测图可分为正轴测图和斜轴测图两类，工程上常见的是正等轴测图和斜二等轴测图。

1. 正等轴测图

轴测投射方向与轴测投影面垂直时，所得到的轴测图称为正轴测图，若 $p_1 = q_1 = r_1$，三个轴向伸缩系数相同，称为正等轴测图，简称正等测，如图 5-2a 所示。

2. 斜二等轴测图

轴测投射方向与轴测投影面不垂直时，所得到的轴测图称为斜轴测图，若 $p_1 = r_1 = 2q_1$，称为斜二等轴测图，简称斜二测，如图 5-2b 所示。

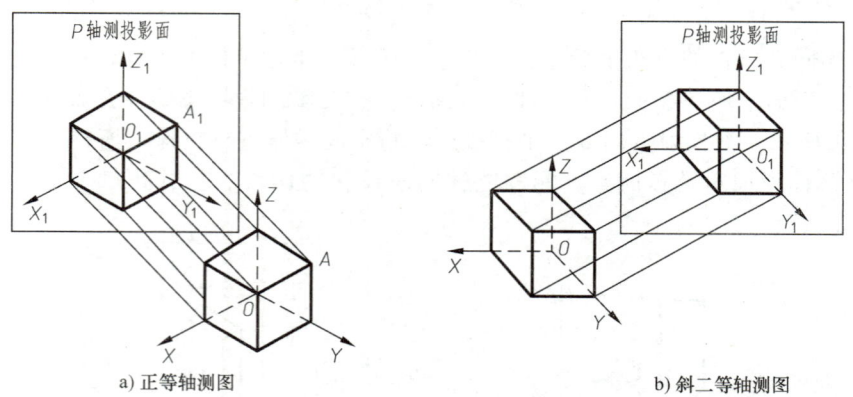

a) 正等轴测图   b) 斜二等轴测图

图 5-2 轴测图的分类

四、轴测图的投影特性

由于轴测投影属于平行投影，因此，轴测投影具有平行投影的基本性质。

1）物体上相互平行的线段，其轴测投影也相互平行。

2）物体上与坐标轴平行的线段，其轴测投影平行于相应的轴测轴，且其变形系数与该坐标轴的轴向变形系数相同。

从轴测图的投影特性可知，凡与坐标轴平行的线段，即轴向线段，其尺寸可以直接测得，"轴测"的名称由此而来；反之，非轴向线段的尺寸因变形系数千变万化，不可直接测量。熟练掌握和运用以上性质，可以迅速而准确地画出轴测图。

第二节 正等轴测图的画法

一、正等轴测图的形成及参数

使确定物体的空间直角坐标轴对轴测投影面的倾角相等，用正投影法将物体连同其所在的坐标轴一起投射到轴测投影面上，所得到的轴测图称为正等轴测图，简称正等测。

如图 5-3a 所示，正等测的轴间角均为 120°，Z 轴处于铅垂方向，X 轴和 Y 轴与水平方向成 30°，轴测轴的画法如图 5-3b 所示。由于空间直角坐标轴与轴测投影面的倾角相同，所以 3 个轴向伸缩系数均相等，经推证并计算得知 $p_1 = q_1 = r_1 \approx 0.82$。

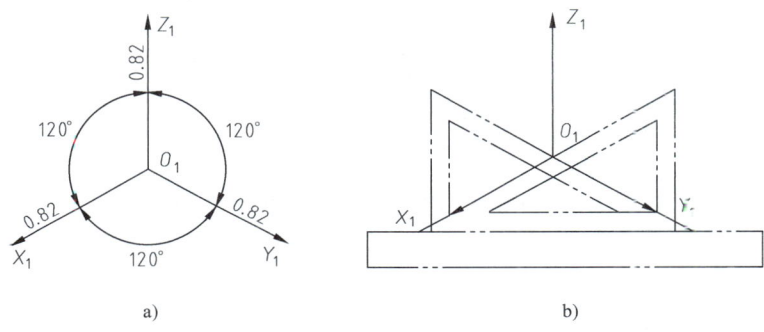

图 5-3 正等测轴间角、轴向伸缩系数及轴测轴的画法

为了作图方便，实际作图时采用简化的变形系数，即 $p_1 = q_1 = r_1 = 1$。

这样，画正等轴测图时，沿轴向的所有尺寸可直接按物体的实际长度来作图。但按简化伸缩系数画出的图形比实际物体放大了 $1/0.82 \approx 1.22$ 倍。图形虽然大了一些，但形状和直观性都没有发生变化。图 5-4 所示为采用两种不同的伸缩系数画出的正等测。

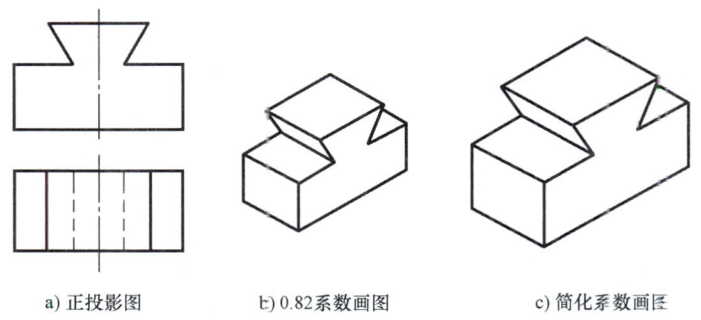

a) 正投影图   b) 0.82系数画图   c) 简化系数画图

图 5-4 两种伸缩系数的正等轴测图及其比较

二、平面立体的正等轴测图画法

1. 基本立体的正等轴测图画法

通常采用坐标法绘制基本立体的正等轴测图。作图时，首先定出空间直角坐标系，画出

69

轴测轴；再按立体表面上各顶点或直线的端点坐标，画出其轴测投影；最后按其可见性连接各点，完成轴测图。

【例5-1】 画出三棱锥的正等轴测图，如图5-5a所示。

作图步骤：

1）确定空间直角坐标体系，为作图方便，使 OX 轴与 AB 重合，即 ox 与 ab 重合、$o'x'$ 与 $a'b'$ 重合；坐标原点与棱锥底面的三角形顶点 B 点重合，即 o 与 b 重合、o' 与 b' 重合。

2）画轴测轴，按底面三角形顶点的坐标画出 A、B、C 的轴测图 A_1、B_1、C_1，如图5-5b所示。

3）画出锥顶 S 的轴测图 S_1，如图5-5c所示。

4）按可见性连接各顶点并描深，如图5-5d所示。

三棱锥的正等测画法

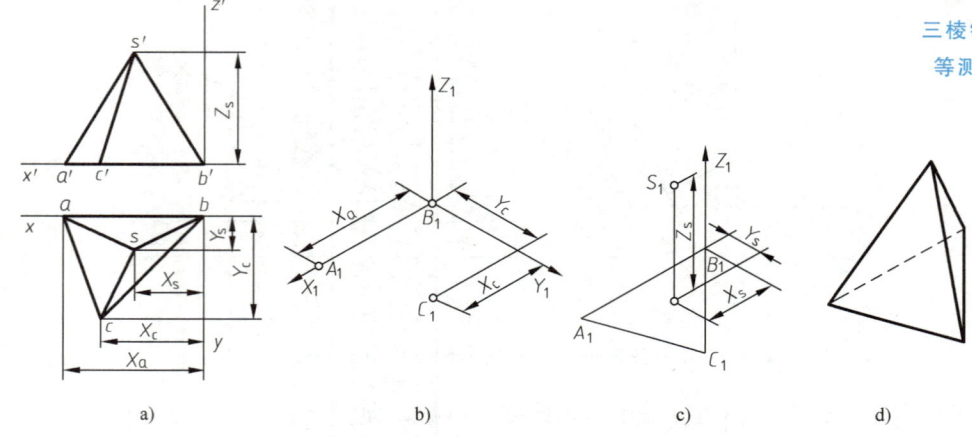

图 5-5 三棱锥的正等轴测图的作图步骤

【例5-2】 画出六棱柱的正等轴测图，如图5-6a所示。

由于正六棱柱前后、左右对称，故选择顶面的中点作为坐标原点，棱柱的轴线作为 Z 轴，顶面的两条对称线作为 X、Y 轴。其作图步骤如图5-6b~d所示。

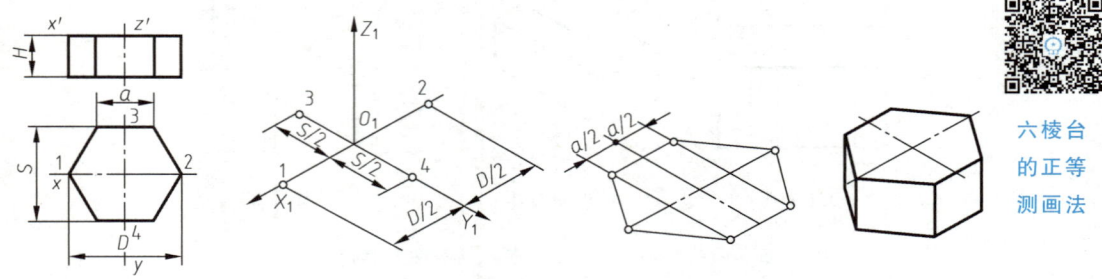

a) 视图上定出坐标轴　　b) 画轴测轴并确定1、2、3、4点　　c) 定出六棱柱的各个顶点　　d) 作六棱柱的高度H，完成轴测图

图 5-6 六棱柱的正等轴测图的作图步骤

六棱台的正等测画法，读者可扫码自行学习。

2. 组合体的正等轴测图画法

组合体的正等轴测图的画法根据组合体的具体情况分为两种，即叠加法和切割法。

（1）叠加法　先将组合体分解成若干个基本形体，然后按照其相对位置逐个画出各基本形体的轴测图，进而完成整体的轴测图。

【例 5-3】　根据图 5-7a 所示组合体的三视图，作其正等轴测图。

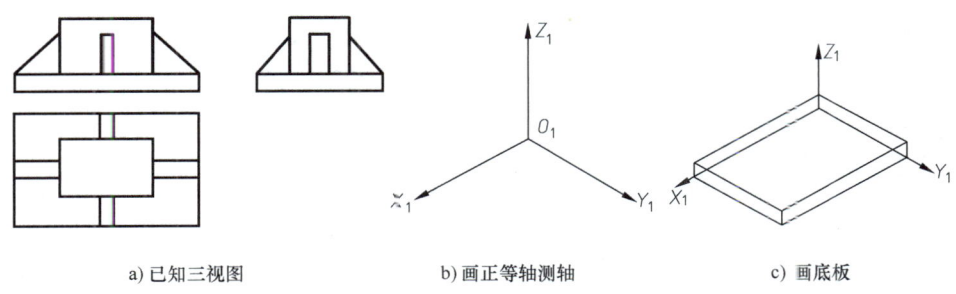

a) 已知三视图　　b) 画正等轴测轴　　c) 画底板

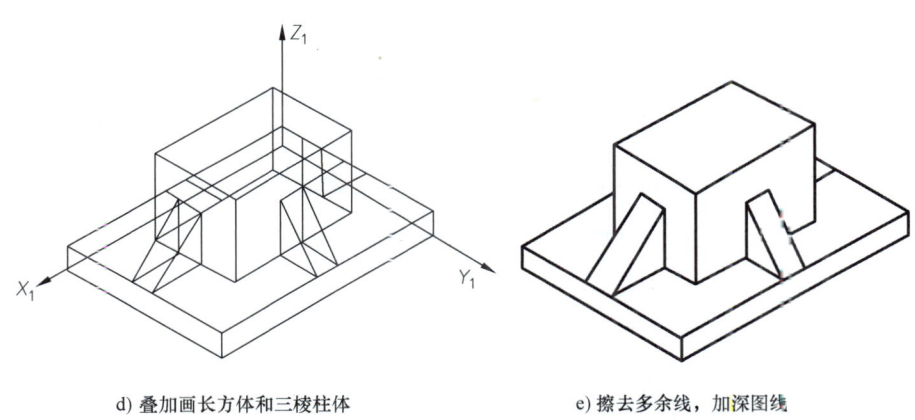

d) 叠加画长方体和三棱柱体　　e) 擦去多余线，加深图线

图 5-7　用叠加法画组合体的正等轴测图（一）

该组合体由底板、长方体和四个三棱柱叠加而成。采用叠加法画出其轴测图。其作图步骤如图 5-7b～e 所示。

（2）切割法　切割法与叠加法的不同之处在于先画出完整的基本形体的轴测图（通常为长方体，也称方箱），然后按其结构特点逐个切去多余的部分，进而完成组合体的轴测图。关于两种作图方法的不同，读者可扫描二维码自行学习。

【例 5-4】　根据图 5-8a 所示组合体的三视图，作其正等轴测图。

根据对组合体的三视图分析，该组合体是一长方体经过多次切割形成，如图 5-8a 所示。画轴测图时，先画出整体（方箱），再逐步切割。其作图步骤如图 5-8b～d 所示。

熟练的情况下，可以不用画轴测轴，直接画各部分的轴测图即可，如例 5-5、例 5-6。

叠加法正等测画法　　切割法正等测画法

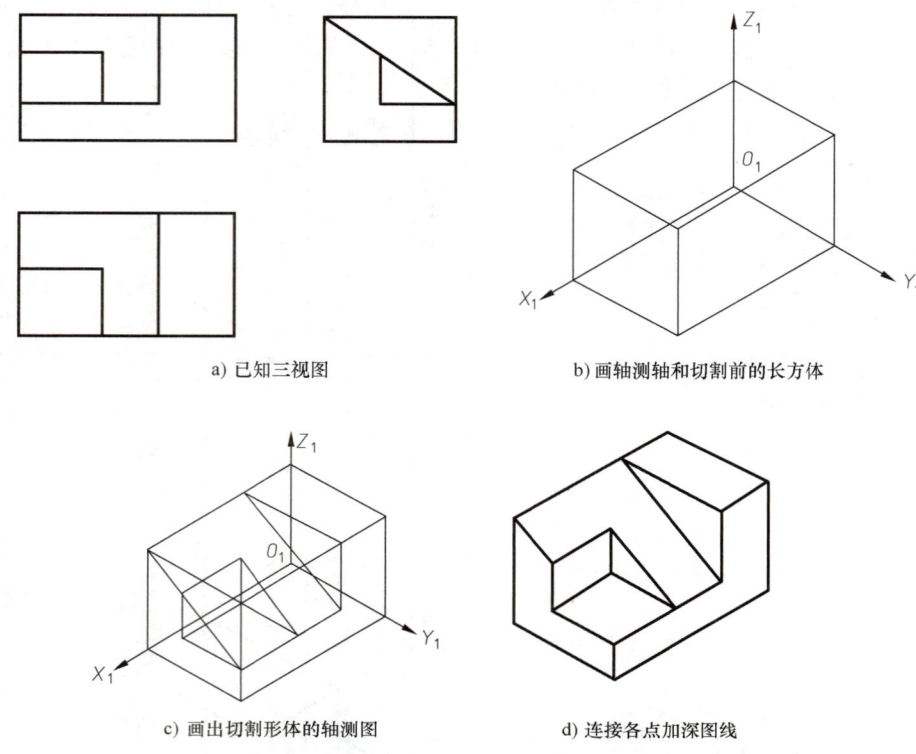

图 5-8 用切割法画组合体的正等轴测图（一）

【例 5-5】 根据图 5-9a 所示组合体的三视图，作其正等轴测图。

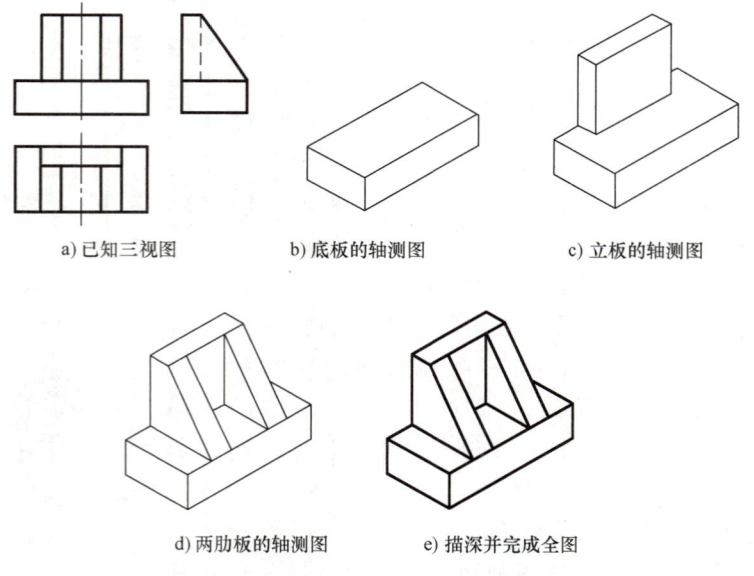

图 5-9 用叠加法画组合体的正等轴测图（二）

【例 5-6】 根据图 5-10a 所示组合体的三视图，作其正等轴测图。

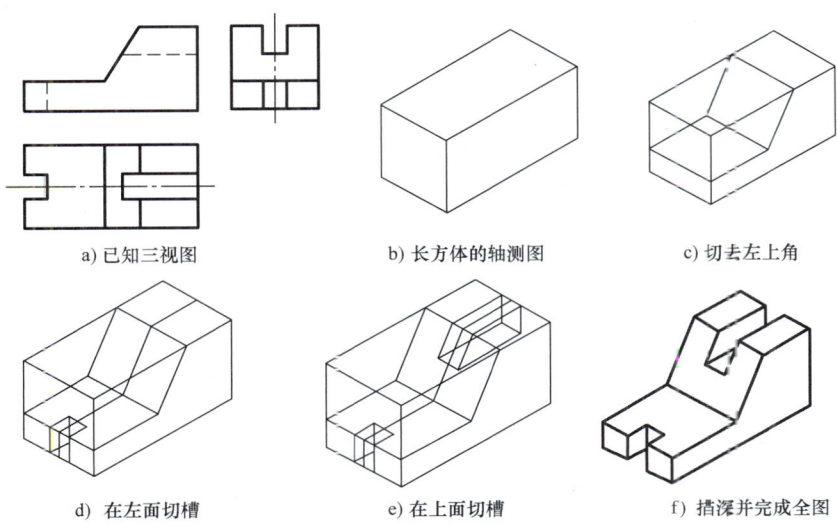

a) 已知三视图　　b) 长方体的轴测图　　c) 切去左上角

d) 在左面切槽　　e) 在上面切槽　　f) 掺深并完成全图

图 5-10　用切割法画组合体的正等轴测图（二）

三、回转体的正等轴测图画法

绘制回转体的正等轴测图，关键是要掌握圆的正等轴测图画法。

1. 圆的正等轴测图画法

圆的正等轴测图常采用菱形法（也称为"四心法"）画椭圆。此方法只适用于正等轴测图中画平行于坐标面的圆。作图时，首先作出圆的外切正方形的轴测投影，即椭圆的外切菱形，然后再定出画椭圆的四个圆心，由四段圆弧连接即成椭圆。

【例 5-7】 现以水平圆为例说明其作图步骤，如图 5-11 所示。

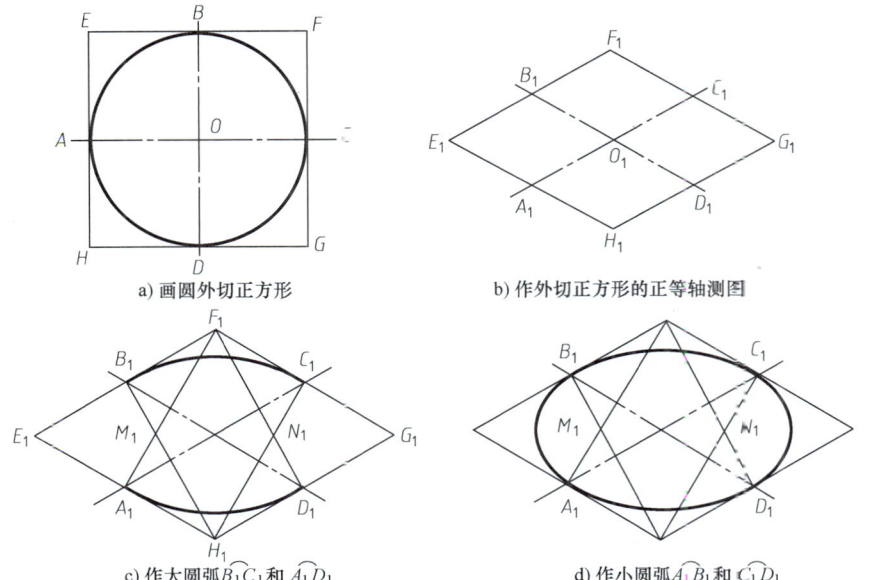

a) 画圆外切正方形　　b) 作外切正方形的正等轴测图

c) 作大圆弧 $\overset{\frown}{B_1C_1}$ 和 $\overset{\frown}{A_1D_1}$　　d) 作小圆弧 $\overset{\frown}{A_1B_1}$ 和 $\overset{\frown}{C_1D_1}$

图 5-11　圆的正等轴测图的近似画法

圆的正等测画法

平行于坐标面的圆,其正等轴测图都是椭圆。画回转体的正等轴测图时,要明确圆所在的平面与哪一个坐标面平行,才能保证画出方位正确的椭圆,如图 5-12 所示。

2. 圆柱的正等轴测图画法

【例 5-8】 根据图 5-13 所示圆柱的视图,作出其正等轴测图。

圆柱的轴线垂直于水平面,其上、下底的两个圆与水平面平行且大小相等(见图 5-13a)。可根据其直径 d 和高度 h 作出两个大小完全相同、中心距为 h 的椭圆,然后作两个椭圆的公切线即可。具体的作图步骤如图 5-13b~d 所示。

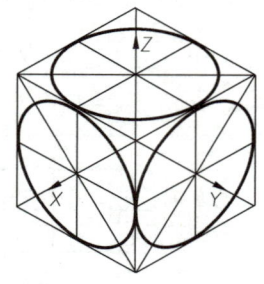

图 5-12 不同坐标面上圆的正等轴测图

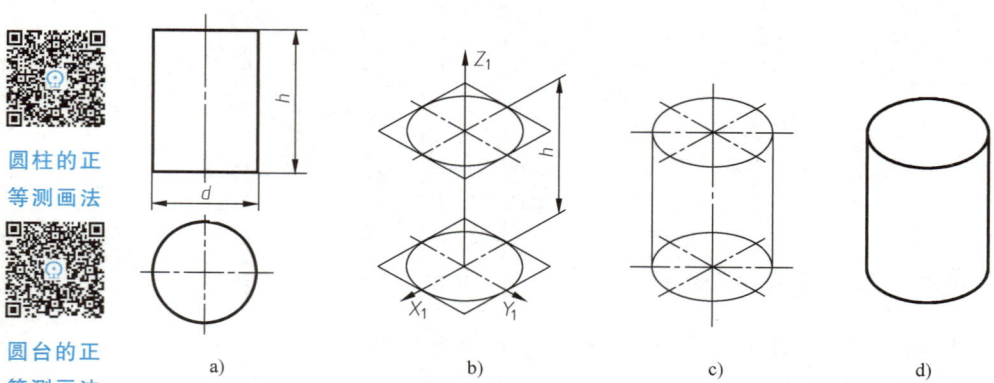

图 5-13 圆柱的正等轴测图画法

圆台的正等测画法,读者可扫码自行学习。

3. 圆角的正等轴测图的简化画法

平行于坐标面的圆角,实质上是平行于坐标面的圆的一部分。这些圆角的正等轴测图分别对应于椭圆的四段圆弧,画圆角时不必作出整个椭圆,只需直接画出该段圆弧即可。在圆角的边上量取半径 R,从量得的点作边线的垂线,再以两垂线的交点为圆心,以垂线长为半径画圆弧即为所需的圆角。

【例 5-9】 以图 5-14 为例,说明圆角正等轴测图的简化画法。

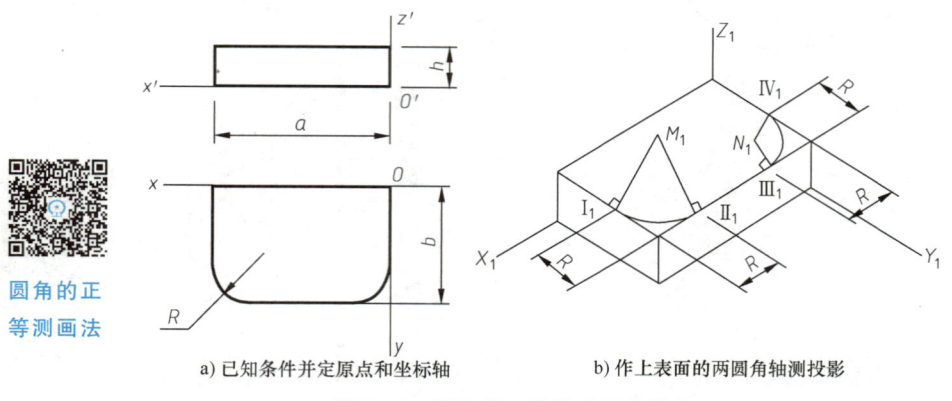

a) 已知条件并定原点和坐标轴　　b) 作上表面的两圆角轴测投影

图 5-14 圆角的正等轴测图的简化画法

74

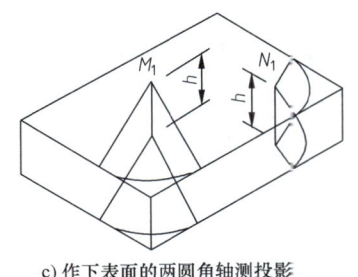
c）作下表面的两圆角轴测投影

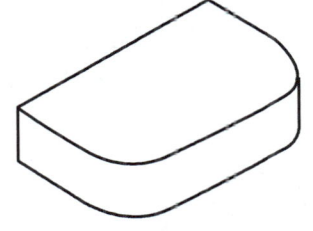
d）作圆角切线，加深加粗得形体轴测图

图 5-14　圆角的正等轴测图的简化画法（续）

第三节　斜二等轴测图的画法

一、斜二等轴测图的形成及参数

如图 5-15 所示，在确定物体的直角坐标系时，使 OX 轴与 OZ 轴平行于轴测投影面 P，用斜投影法将物体连同其坐标轴一起向 P 面投射，即得到斜二等轴测图，简称为斜二测。

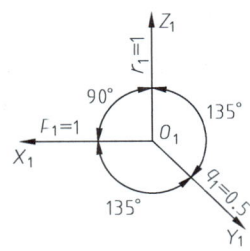

图 5-15　斜二测的轴向伸缩系数和轴间角

斜二测的 3 个坐标轴 O_1Y_1、O_1X_1、O_1Z_1 之间的夹角形成轴间角，一般取 $\angle X_1O_1Y_1 = \angle Y_1O_1Z_1 = 135°$；$\angle X_1O_1Z_1 = 90°$。

由于 XOZ 坐标面与轴测投影面平行，OX、OZ 轴的轴向伸缩系数相等，即 $p_1 = r_1 = 1$；OY 轴的轴向伸缩系数 q_1 随着投射方向的不同而不同，可以任意选定，为了绘图简便，国家标准规定，$q_1 = 0.5$。

按照上述原则绘制出来的斜轴测图就是斜二测。斜二测的特点是：物体上凡是平行于 XOZ 坐标面的表面，其轴测投影反映实形。利用这一特点画斜二测时，应尽量将形状复杂的平面或圆放在与 $X_1O_1Z_1$ 面平行的位置上，作图比较简便快捷。

二、斜二测的画法

斜二测的作图方法和正等测基本相同，也可采用坐标法、切割法、叠加法等。所不同的是斜二测的轴间角和正等测不同，斜二测中 OY 的轴向伸缩系数 $q_1 = 0.5$，沿 O_1Y_1 方向的长度应只取物体上相应长度的一半。

斜二测画法

【例 5-10】　绘制空心圆台的斜二等轴测图。

图 5-16a 所示的空心圆台单方向的圆较多，故将其轴向垂直于 XOZ 坐标面，使前、后两底圆均平行于 XOZ，其轴测图反映实形（圆），沿 Y 轴以 0.5 的轴向变形系数依次决定各圆的圆心位置，画出各圆。其作图步骤如图 5-16b、c 所示。

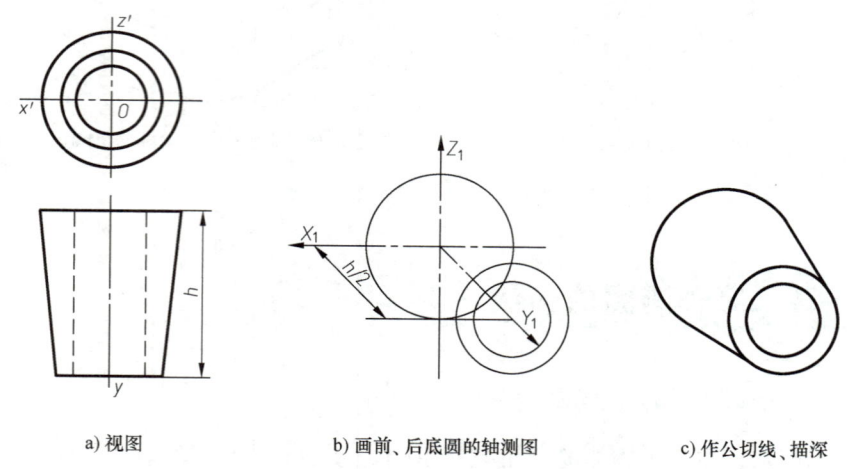

a) 视图　　　　b) 画前、后底圆的轴测图　　　　c) 作公切线、描深

图 5-16　空心圆台的斜二测画法

【例 5-11】　绘制图 5-17a 所示支架的斜二等轴测图。

如图 5-17b 所示，取圆及孔所在的平面为正平面，在轴测投影面 $X_1O_1Z_1$ 上得与图 5-17a 主视图一样的实形。支架的宽为 L，反映在 Y_1 轴上应为 $L/2$；在 Y_1 轴沿圆心 O_1 向后移 $L/2$ 定 O_2 点位置；根据 O_2 点画后面的圆及其他部分。最后作圆头部分的公切线，擦去作图辅助线并描深，完成全图。

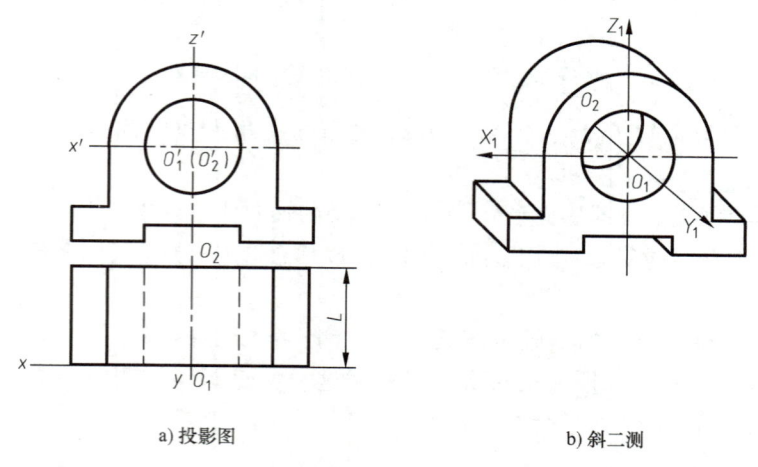

a) 投影图　　　　　　　　b) 斜二测

图 5-17　支架的斜二测画法

第六章　机件的表达方法

在生产实际中，当机件的形状、结构比较复杂时，如果仍采用三视图来表达，则很难把机件的内外形状和结构准确、完整、清晰地表达出来。为了满足实际的表达要求，技术制图和机械制图相关标准中规定了各种表达方法。绘制技术图样时，应根据图样的结构特点，选用适当的表达方法，在完整、清晰地表达出物体形状的前提下，力求制图简便。本章将主要介绍国家标准 GB/T 17451—1998、GB/T 17452—1998、GB/T 17453—2005、GB/T 16675.1—2012、GB/T 16675.2—2012 规定的视图、剖视图和断面图、简化表示方法等机件常用的表达方法。画图时应根据机件的实际结构形状特点，选用恰当的表达方法。在本章的学习过程中，应注意用全面、多方位的眼光看待问题，培养大局意识。

第一节　视图

视图是用正投影法将机件向投影面投影所得的图形。它主要用来表达机件的外部结构形状。其不可见部分用虚线表示，必要时虚线也可省略不画。

视图通常分为基本视图、向视图、局部视图和斜视图四种。

一、基本视图

用正六面体的六个面作为基本投影面，将物体放在正六面体内，分别用正投影法将物体向六个基本投影面投影所得到的六个视图称为基本视图，如图 6-1a 所示。除了前面介绍的主视图、俯视图、左视图三个基本视图外又增加了三个视图，名称规定为：后视图（从后向前投影）、仰视图（从下向上投影）、右视图（从右向左投影）。六个基本视图的展开方法是规定正面不动，把其他投影面展开到与正面成同一个平面上，展开以后基本视图的配置关系如图 6-1b 所示。

1. 位置关系

六个基本视图展开后的位置关系如图 6-1b 所示。

2. "三等关系"

六个基本视图仍然保持"长对正、高平齐、宽相等"的三等关系。

1）长对正：主、俯、仰、后视图。
2）高平齐：主、左、右、后视图。

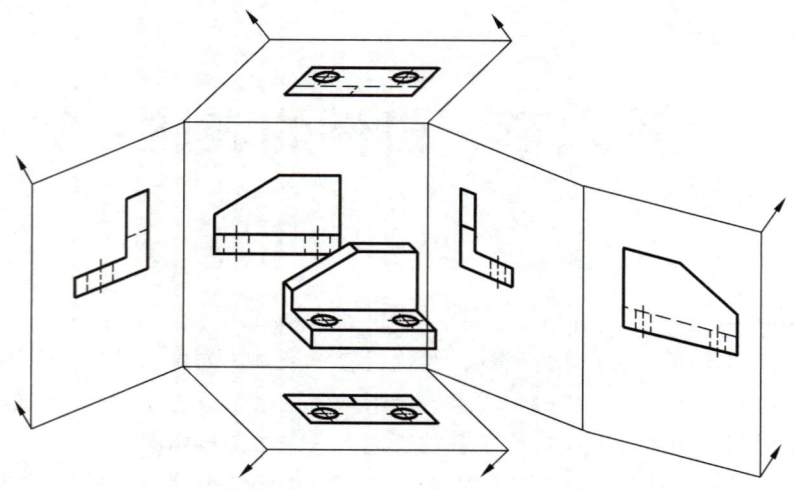

a) 六个基本视图的形成及展开

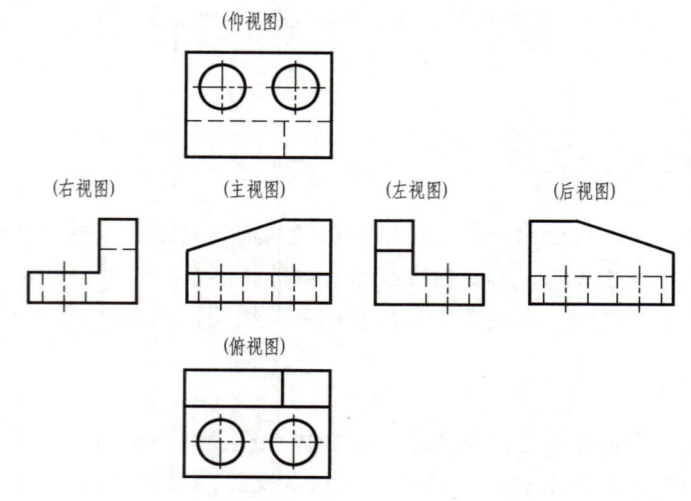

基本视图
的配置

b) 基本视图的配置

图 6-1 基本视图

3) 宽相等：俯、左、仰、右视图。

3. 方位关系

1) 主、后视图反映物体的上下、左右。
2) 俯、仰视图反映物体的前后、左右。
3) 左、右视图反映物体的上下、前后。

其中俯、左、仰、右视图靠近主视图的一面表示物体的后面，而远离主视图的一面表示物体的前面；后视图的左侧反映物体的右面，右侧反映物体的左面。

实际绘图时，应根据机件的复杂程度和表达需要，合理选用必要的基本视图。

二、向视图

实际绘图时，由于考虑到视图在图样中的布局问题，视图可不按图 6-1b 所示的位置配置，此时应在视图上方标出视图的名称"×"（"×"为大写拉丁字母，下同），并用箭头在相应视图附近指明投射方向，并标注相同的字母，这种视图称为向视图，如图 6-2 所示（注意所用字母或箭头要比图中所注尺寸数字和尺寸线上的箭头大一号或两号，字母一律水平书写）。

基本视图和向视图均用于表示机件的整体外形。

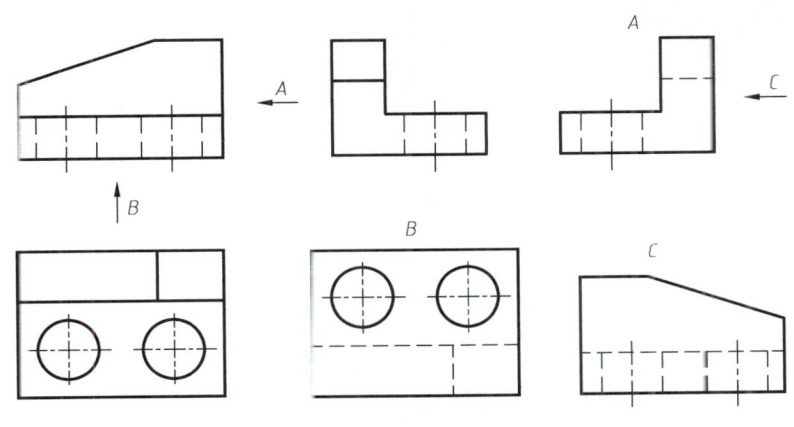

图 6-2　向视图

三、局部视图

当机件某一局部形状没有表达清楚，而又没有必要用一完整基本视图表达时，可单独将这一部分向基本投影面投影，从而避免了其他部分的重复表达。这种将机件的某一部分向基本投影面投射所得的视图称为局部视图，如图 6-3 和图 6-4 所示。局部视图是一个不完整的基本视图，利用局部视图可以减少基本视图的数量。局部视图尽可能地配置在箭头指明投影方向的这一边，并注上同样的字母。在实际绘图时，用局部视图表达机件可使图形重点突出，清晰明确。

画局部视图时应注意：

1）局部视图可按向视图的形式配置并标注，如图 6-3 中 A 向局部视图。当局部视图按基本视图配置的形式配置，且中间没有其他图形隔开时，可省略标注，如图 6-3 中机件左边的腰圆形凸台。

2）局部视图断裂处的边界线以波浪线（或双折线）表示，不能超出所在视图的轮廓线，如图 6-3 中的 A 向局部视图。当被表达部分的结构是完整的，其图形的外轮廓线封闭时，波浪线可省略不画，如图 6-3 中的腰圆形凸台、图 6-4 中的 B 向局部视图和图 6-6 中的 C 向局部视图。

79

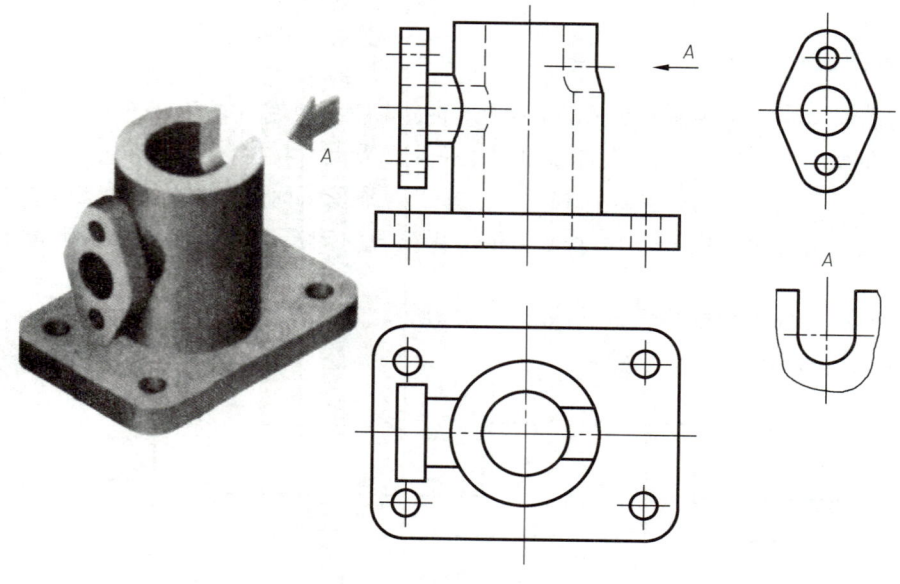

图 6-3 局部视图（一）

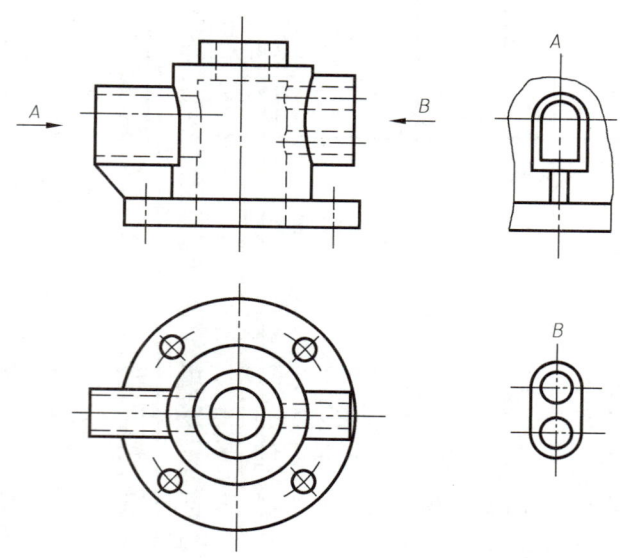

图 6-4 局部视图（二）

四、斜视图

斜视图

当机件上某一部分的结构形状是倾斜的，且不平行于任何基本投影面时，无法在基本投影面上表达该部分的实形和标注真实尺寸。这时，可用与该倾斜结构部分平行且垂直于一个基本投影面的辅助投影面进行投影，然后将此投影面按投影方向旋转到与其垂直的基本投影面。机件向不平行于基本投影面的平面投影得到的视图，称为斜视图。

图 6-5a 所示压紧杆具有倾斜结构，在基本视图上无法反映结构的真实形状，给读图、绘图和标注尺寸带来困难。为此可设置一个与倾斜结构平行的辅助投影面，把倾斜结构向该投影面用正投影法投影即可得到反映该部分实形的视图，如图 6-5b 所示。

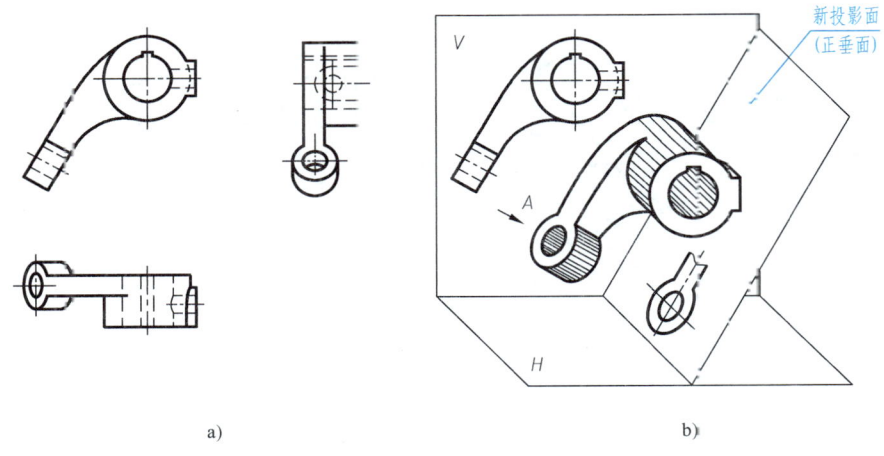

图 6-5 压紧杆的三视图及斜视图的形成

斜视图只需要表达倾斜结构的局部实形，其余部分不必画出，其断裂边界以波浪线（或双折线）表示。画斜视图时，必须在斜视图的上方标出视图名称"×"，在相应的视图附近用箭头指明投射方向，并在箭头旁按水平方向注上相同的字母，如图 6-6a 所示的 A 向斜视图、图 6-7 所示的 A 向斜视图。

斜视图一般应按投影关系配置，必要时也可配置在适当位置，在不致引起误解时允许将倾斜的图形旋转，标注形式为×向旋转，表示该视图名称的大写拉丁字母应靠近旋转符号的箭头端，如图 6-6b、图 6-7 所示。

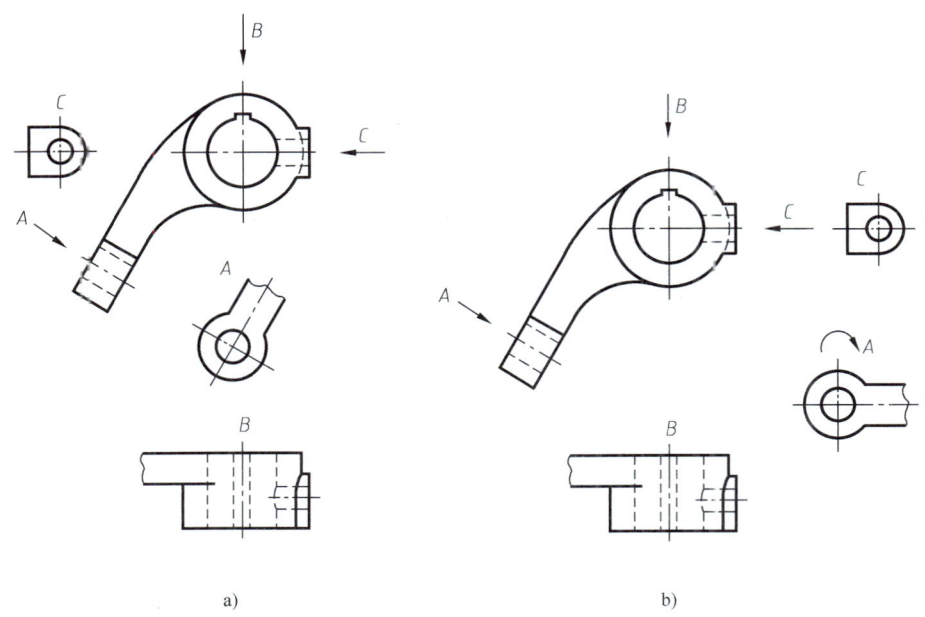

图 6-6 压紧杆的斜视图

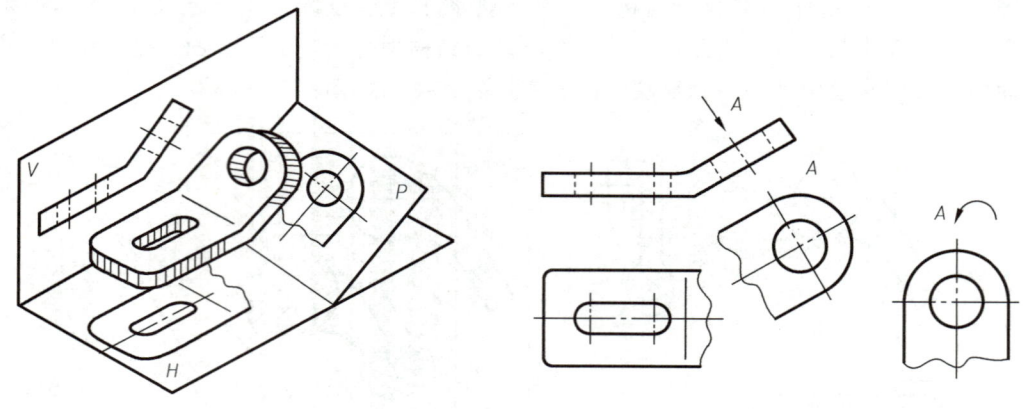

图 6-7 斜视图

第二节　剖视图

用视图表达机件的结构形状时，对于机件上看不见的内部结构形状用虚线表示。当机件内部结构复杂时，在视图上会出现许多虚线从而使图形不清晰。为了将内部结构表达清楚，同时又避免出现虚线，常采用剖视图的方法来表达。

一、剖视图的概念

假想用剖切面剖开机件，将处在观察者和剖切面之间的部分移去，将其余部分向投影面投射所得的图形称为剖视图，简称剖视。剖切面就是剖切机件的假想平面或柱面，如图 6-8 所示。

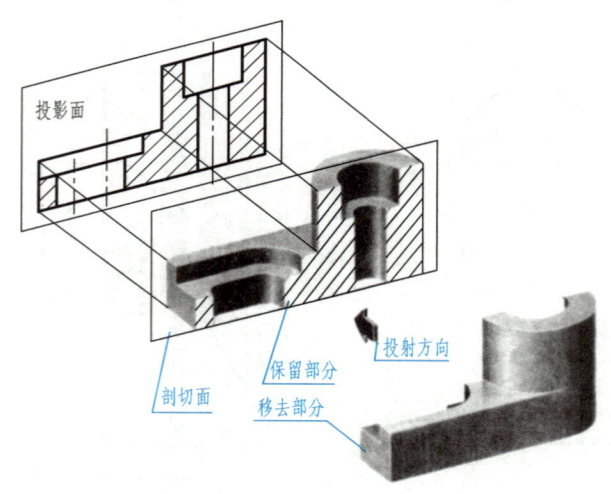

图 6-8　剖视的概念

剖切面与机件接触的部分，称为断面，在断面图形上应画出剖面符号。不同的材料采用不同的剖面符号。一般机械零件是金属，采用 45°的间隔均匀斜线。如图 6-9 所示，主视图采用剖视图的画法，视图中不可见的部分变成可见，原有的虚线变成了实线，加上剖面线的作用，使图形显得非常清晰。

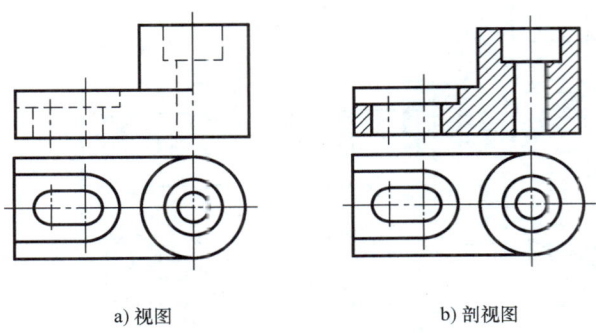

a) 视图　　　　　　　　　b) 剖视图

图 6-9　视图与剖视图的比较

1. 画剖视图的方法和步骤

1) 画出机件的视图。

2) 确定剖切平面的位置。为了能确切地表达物体的真实形状，所选剖切平面一般应与某基本投影面平行，并应通过物体内部孔、槽的轴线或对称面。图 6-9b 所示的剖切平面就是通过机件前、后对称平面的平面。

3) 画出剖切平面后的可见部分，并画剖面符号。

4) 标出剖切平面的位置和剖视图的名称。

2. 绘制剖视图的注意事项

1) 剖视图是一个假想的作图过程，因此一个视图画成剖视图后，其他视图仍应按完整机件画出，如图 6-10 所示。

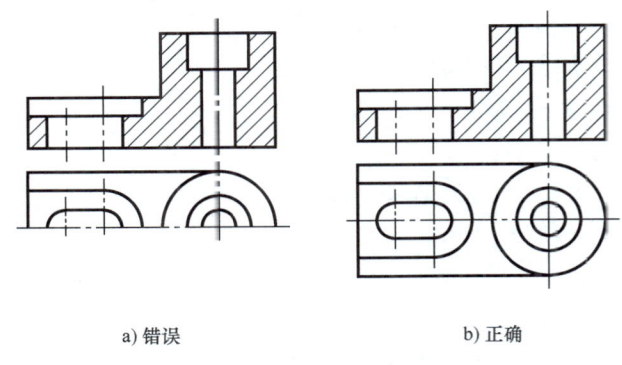

a) 错误　　　　　　　　　b) 正确

图 6-10　画剖视图时应注意机件的完整性

2) 画剖视图时，在剖切面后的可见轮廓线也应画出。初学者常常会忽略这一点而只画出与剖切面重合部分的图形，如图 6-11 所示。

3) 剖视图上一般不画虚线，以增加图形的清晰性，但若画少量虚线可减少视图数量时，也可画出必要的虚线，如图 6-12 所示。

3. 剖视图的标注

根据国家标准的规定，在绘制剖视图时，先在相应的视图上用剖切符号和箭头表示剖切

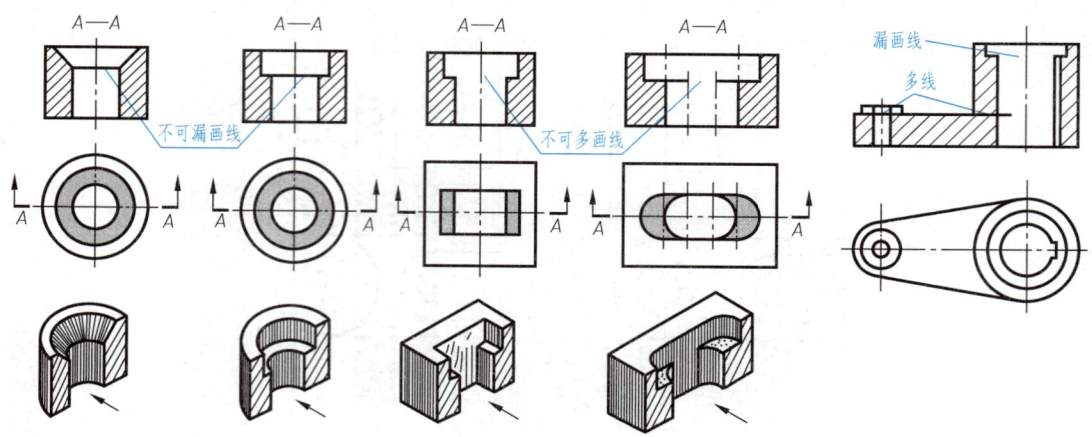

图 6-11　剖视图不应漏画可见轮廓线

位置和投射方向，并注上字母，然后在相应剖视图的上方用相同字母标出剖视图的名称"×—×"。

剖切符号是指剖切面起、止和转折位置（用粗短画表示）及投射方向（用箭头表示）的符号，如图 6-11 所示。

根据具体情况，剖视图的标注可以简化或省略。

1) 当剖视图按投影关系配置，中间又没有其他图形隔开时，可省略箭头。

2) 当单一剖切平面通过机件的对称平面或基本对称平面，且剖视图按投影关系配置，中间又没有其他图形隔开时，可省略标注。

3) 当单一剖切平面的剖切位置明显时，局部剖视图的标注可省略。

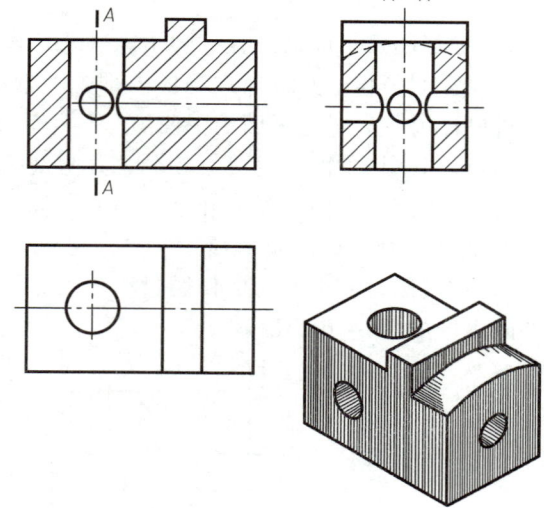

图 6-12　剖视图上的虚线

二、剖视图的种类

按机件被剖开的范围来分，剖视图可分为全剖视图、半剖视图和局部剖视图三种。

1. 全剖视图

用剖切面（一个或几个）完全地剖开机件所得的剖视图称为全剖视图，如图 6-9~图 6-12 所示。

全剖视图适用于表达不对称的内部形状复杂、外形简单的机件。

2. 半剖视图

当机件具有对称平面时，在垂直于对称平面的投影面上投射所得的图形，以对称中心线为界，一半画成剖视图，另一半画成视

全剖视　　全剖视
图（1）　　图（2）

图，这种图形称为半剖视图，如图 6-13 所示。

半剖视图既表达了机件的外形，又表达了其内部结构，适用于内、外形状都比较复杂的对称机件。

半剖视图 (1)

半剖视图 (2)

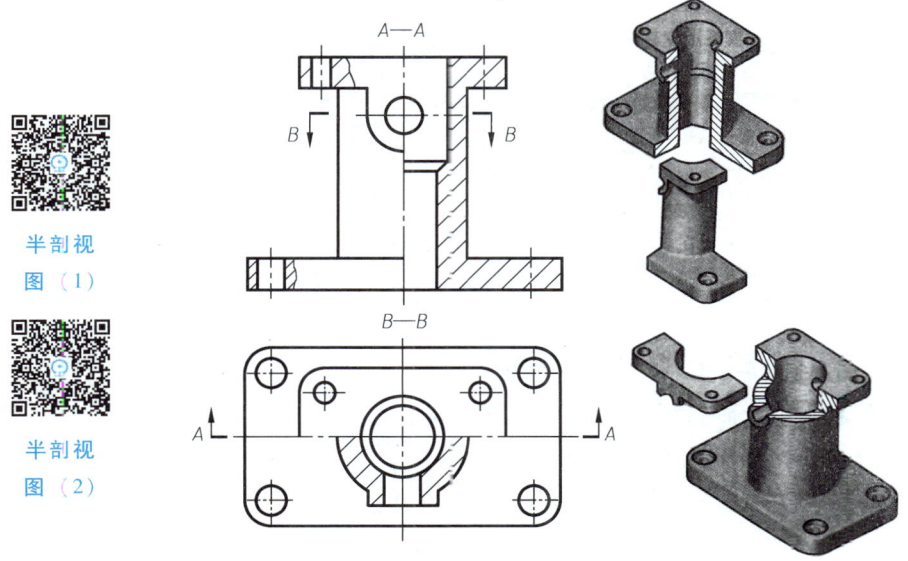

图 6-13 机件的半剖视图

画半剖视图时应注意以下几点：

1) 半个视图和半个剖视图应以细点画线为界。

2) 在表示外形的半个视图中一般不画虚线，在半个剖视图中未表达清楚的结构，可在半个视图中作局部剖视，对未剖到的孔或槽等，应画出中心线位置，如图 6-13 中的主视图所示。

3) 半剖视图一般用于对称机件。且当机件的形状接近对称，且不对称部分已在其他视图上表达清楚时，也可以画成半剖视图，如图 6-14 所示。

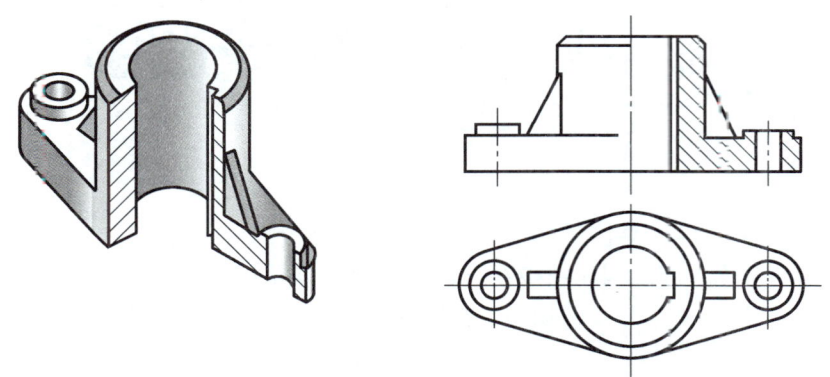

图 6-14 基本对称机件的半剖视图

半剖视图的标注方法与全剖视图相同，如图 6-13 和图 6-15 所示。

3. 局部剖视图

用剖切面局部地剖开机件所得的剖视图称为局部剖视图，如图 6-16 所示。

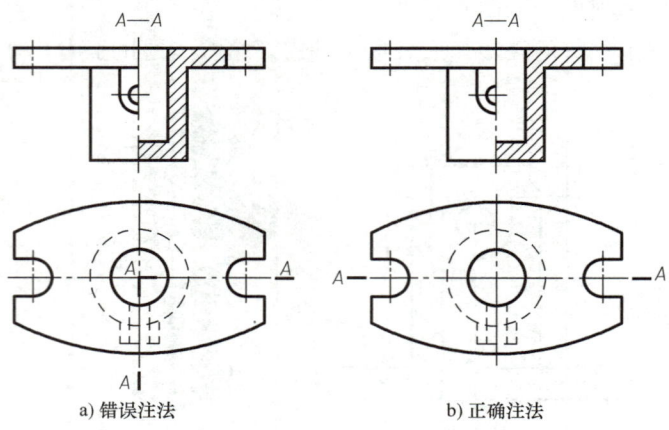

a) 错误注法　　　　　　　b) 正确注法

图 6-15　半剖视图的标注

物体内、外形状都需表达而又不对称时，可用局部剖视图表达，如图 6-16 所示。只有局部内部形状需要表达，而不必或不宜采用全剖视图时（如轴、连杆、螺钉等实心零件上的某些孔或槽等），可用局部剖视图表达。剖切平面的位置与范围应根据表达需要而决定。

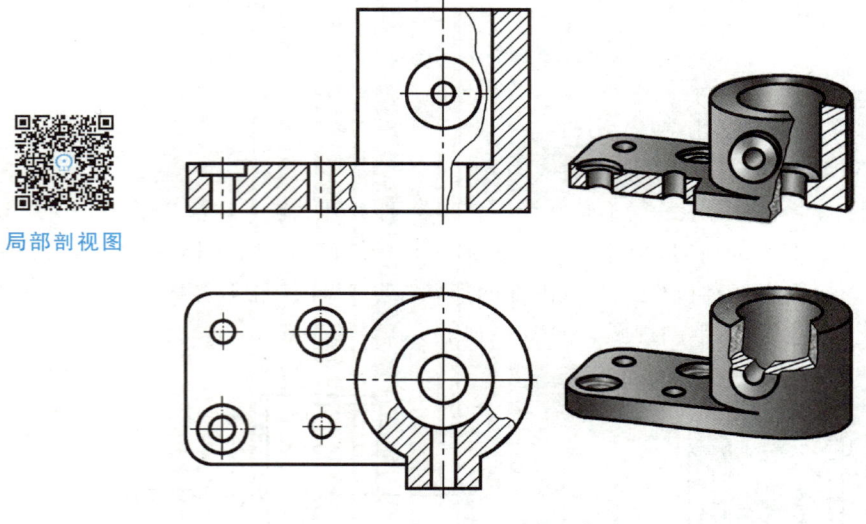

局部剖视图

图 6-16　局部剖视图

画局部剖视图时，应注意以下几点：

1) 被剖部分与原视图之间用波浪线分开，波浪线表示机件断裂处边界线的投影，因而波浪线应画在机件的实体部分，不能超出视图的轮廓线或与图样上其他图线相重合，也不应画在孔槽之内，如图 6-17 所示。

2) 局部剖视图的标注方法与全剖视图相同。对于剖切位置明显的局部剖视图，一般可省略标注。

三、视图的剖切方法

由于机件的内部结构形状多种多样，因此画剖视图时，应根据物体的结构特点，选用不

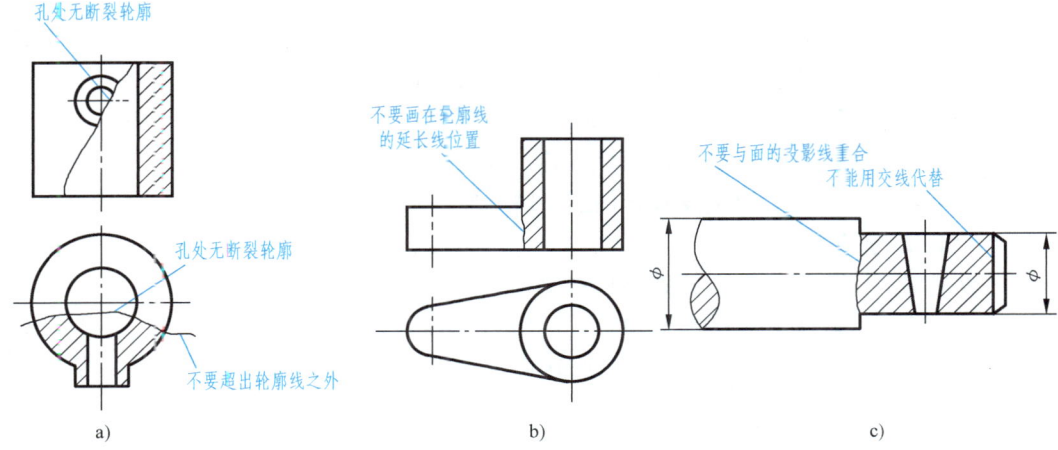

图 6-17 波浪线的错误画法

同的剖切面,以便使物体的内部形状得到充分体现。为此国家标准规定的剖切方法有用单一剖切平面、几个平行的剖切平面、两个相交的剖切平面、不平行于任何基本投影面的剖切平面和复合的剖切平面剖切五种。

1. 单一剖切平面

采用一个剖切平面将物体剖开的方法称为单一剖。

采用这种剖切方法时,一般选用平行于基本投影面的剖切平面,也可以采用柱面剖切机件。

前面所述的全剖视图、半剖视图、局部剖视图均由单一剖切平面剖切得到。

2. 几个平行的剖切平面

采用几个相互平行的剖切平面剖开物体的方法称为阶梯剖,如图 6-18 所示。

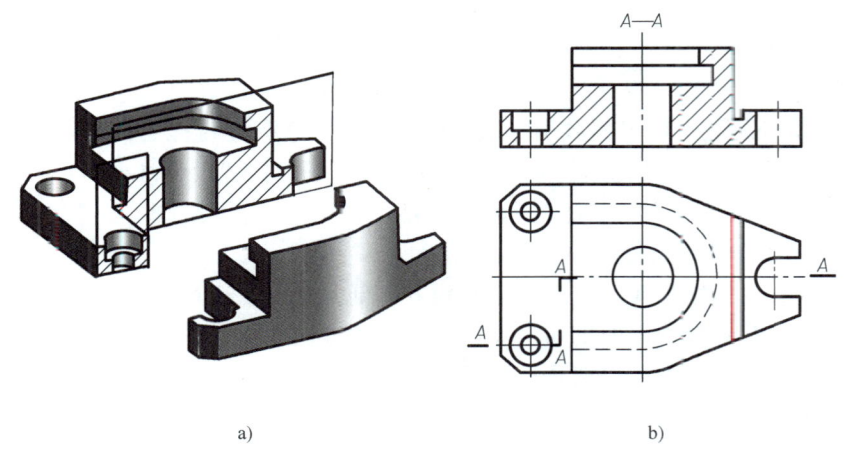

图 6-18 阶梯剖视图

阶梯剖适用于表达外形简单、内部结构复杂但排列在几个互相平行平面上的机件。

采用阶梯剖要注意以下几点:

1) 阶梯剖虽然采用了两个或多个相互平行的剖切平面,但在剖切平面的分界处不能画出分界线（即不能画出各剖切平面的交线）。

2）剖切平面的转折处不应与图中的实线或虚线重合。另外，一般情况下也不要在孔或槽的中间部分转折，以免孔或槽的结构仅有一部分被剖切。

3）阶梯剖视图必须标注，标注方法如图6-18所示。但应注意，剖切平面符号在转折处不允许与图上的轮廓线重合。如因转折处位置有限，且不致引起误解时，可以不注字母。当剖视图按投影关系配置，中间又没有其他图形隔开时，可省略箭头。

3. 两个相交的剖切平面

采用两个相交的剖切平面剖开物体的方法称为旋转剖，如图6-19所示。有些物体的内部结构有回转轴线，并与基本投影面倾斜，可用相交的两个剖切平面剖开物体，为使剖开的倾斜结构在剖视图上反映实际尺寸，可以将倾斜剖切面剖开的部分旋转到与基本投影面平行后再进行投影。

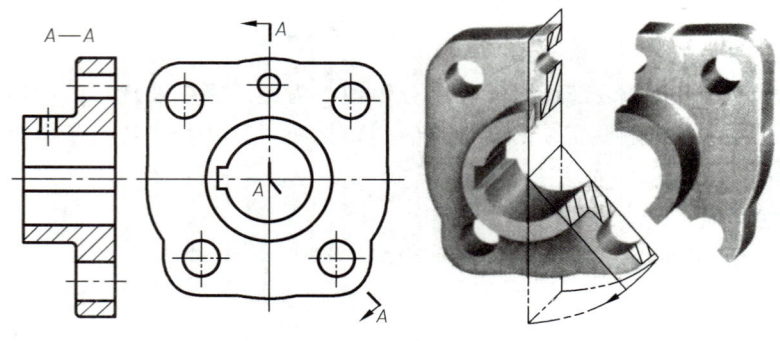

图6-19　旋转剖视图

当机件内部结构形状用单一剖切平面剖切不能完全表达，而机件在整体上又有回转轴线时，则可用旋转剖表达。

画旋转剖视图时应注意以下几点：

1）必须标注剖切位置。在它的起止点和转折处标注字母"×"，在剖切符号两端画出表示剖切后投射方向的箭头，箭头线与剖切符号垂直，并在剖视图的上方注明剖视图的名称"×—×"。当转折处位置有限又不致引起误解时，允许省略标注转折处的字母。

2）处在剖切平面后的其他结构要素，一般仍按原来的位置投影画出。

3）强调"先剖开后旋转"，而不是将要表达的结构先旋转再剖开。

4. 不平行于任何基本投影面的剖切平面

当物体上具有倾斜结构时，只有沿着倾斜方向剖开才可以表达倾斜结构的内部形状。这种用不平行于任何基本投影面的剖切平面剖开物体的方法叫斜剖，如图6-20所示。

与斜视图类似，斜剖视图一般是按照投影关系配置在相对应的位置，必要时可将它放置于其他适当的地方。

画斜剖视图应注意以下几点：

1）斜剖视图必须标注剖切符号、投射方向和剖视图名称。

2）为了看图方便，斜剖视图最好配置在箭头所指方向上，并与基本视图保持对应的投影关系，如图6-20中"A—A"所示。为了合理利用图纸，也可将图形旋转画出，但必须标注"×—×⌒"。

5. 复合的剖切平面

当机件的内部结构复杂，用阶梯剖或旋转剖仍不能表达清楚时，可以用复合的剖切平面剖开机件，这种方法称为复合剖，如图 6-21 所示。

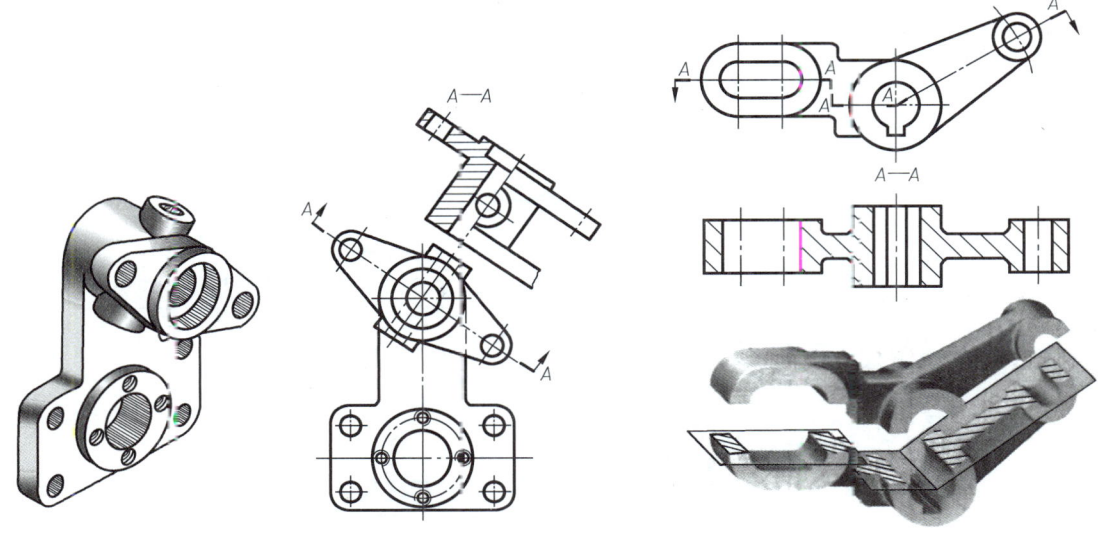

图 6-20　斜剖视图　　　　　　图 6-21　复合剖视图

画复合剖视图时应注意以下几点：

1）复合剖常用来表达多孔的结构和复杂的机件内部形状。
2）当采用几个旋转剖组成的复合剖时，一般采用展开画法。
3）复合剖的画图方法和标注方法与旋转剖和阶梯剖的标注方法基本相同。展开的复合剖视图应在剖视图上方注出"×—×展开"。

第三节　断面图

一、断面图的概念

假想用剖切平面将机件的某处切断，仅画出剖切平面与机件接触部分的图形，称为断面图，又称断面。断面图与剖视图的区别是：断面图只画出机件被剖切后的接触部分的断面形状，而剖视图除了画出其断面形状外，还必须画出断面之后所有的可见轮廓，如图 6-22 所示。

断面图常用于表达物体某处的断面结构形状，如肋、轮辐、键槽、孔、锥坑以及各种型材的断面形状等。

二、断面图的种类

断面图按其配置位置不同，可分为移出断面图和重合断面图两种。

1. 移出断面图

画在视图外的断面图称为移出断面图，如图 6-22b 和图 6-23 所示。

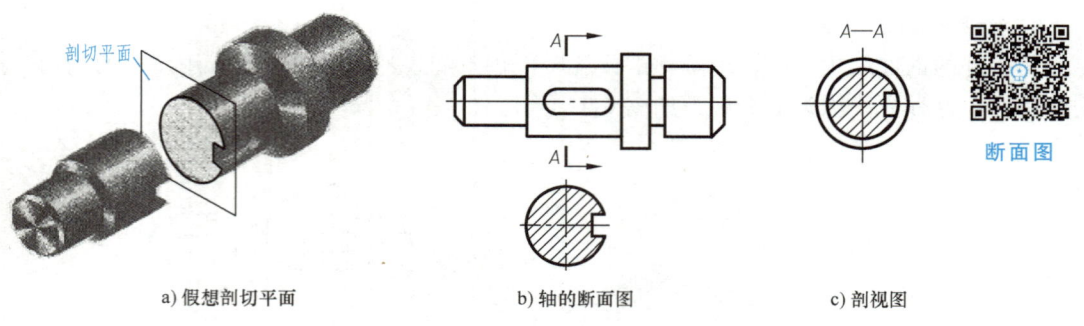

图 6-22 轴的断面图与剖视图的区别

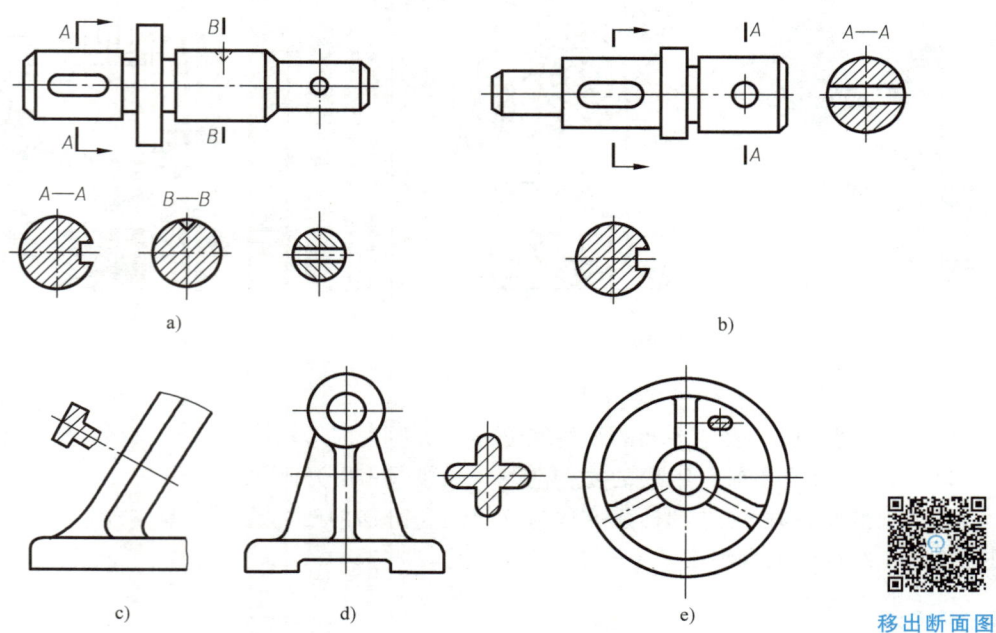

图 6-23 移出断面图

移出断面图通常按以下原则绘制：

1) 移出断面图的轮廓线用粗实线绘制。
2) 移出断面图应尽量配置在剖切符号或剖切平面迹线的延长线上。
3) 当断面图形对称时也可画在图形的中断处，如图 6-24 所示。
4) 由两个或多个相交的剖切平面剖切得到的移出断面图，中间应断开，如图 6-25 所示。

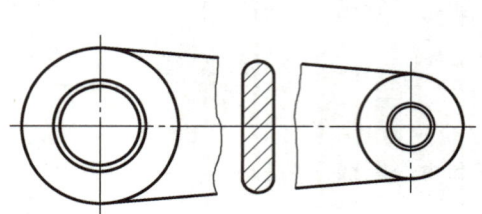

图 6-24 画在视图中断处的断面图

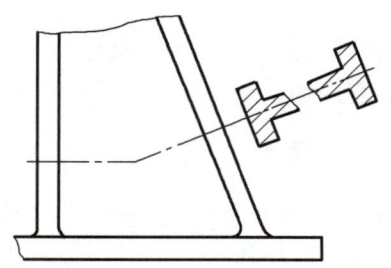

图 6-25 两相交剖切平面剖切时断面图的画法

5) 当剖切平面通过回转面形成的孔和凹坑的轴线时，这些结构应按剖视图绘制，如图 6-26 所示。

6) 当剖切平面通过非圆孔，会导致出现完全分离的两个断面时，则此结构应按剖视图绘制，如图 6-27 所示。

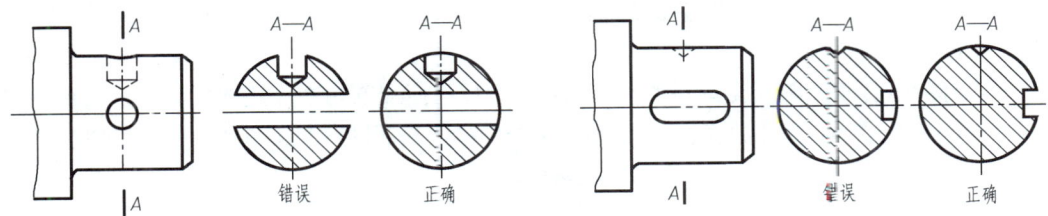

图 6-26　按剖视图绘制的断面图（一）

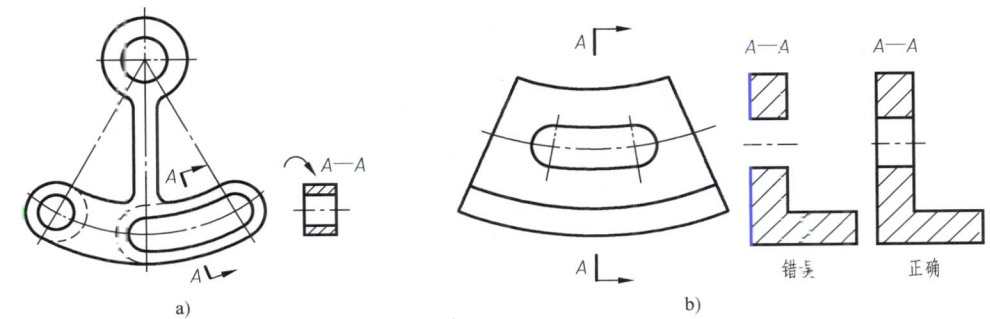

图 6-27　按剖视图绘制的断面图（二）

2. 重合断面图

画在视图轮廓线内的断面图称为重合断面图，如图 6-28 所示。

重合断面图的轮廓线规定用细实线绘制。当剖视图中的轮廓线与重合断面的图形重叠时，视图中的轮廓线仍应连续画出，不可断开，如图 6-28b 所示。

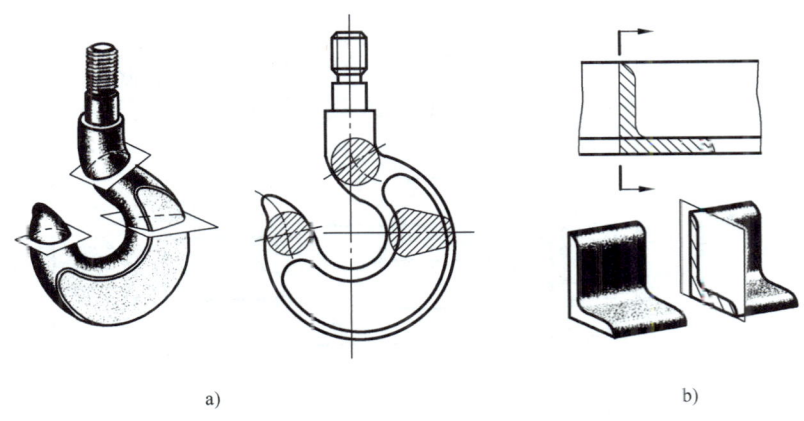

图 6-28　重合断面图

3. 断面图的标注

移出断面图的标注同剖视图的标注，一般应在图形上方用大写拉丁字母标出断面图的名称"×—×"，在相应的视图上，用剖切符号表示剖切平面的位置，用箭头表示投射方向并注上相同的字母。

下列情况可以省略字母、箭头或标注：

1) 配置在剖切平面或剖切平面迹线延长线的移出断面图（见图 6-23a、b）或重合断面图（见图 6-28）可省略字母。

2) 按基本视图位置配置的移出断面图（见图 6-26）或对称移出断面图（见图 6-29 中 B—B）可省略箭头。

3) 对称的重合断面图（见图 6-28a）、配置在剖切平面或剖切平面迹线延长线的对称移出断面图（见图 6-23、图 6-25）以及配置在视图中断处的移出断面图（见图 6-24），均可省略标注。

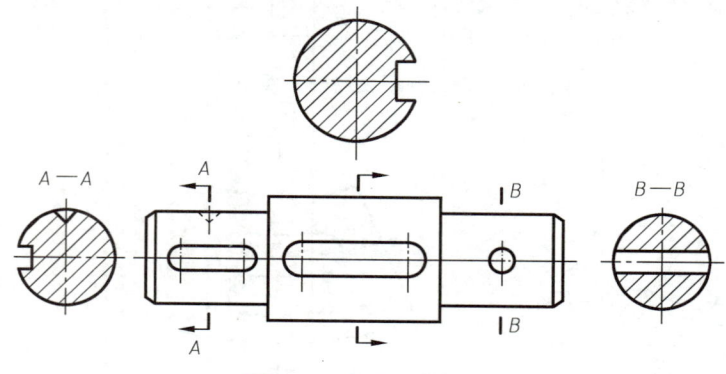

图 6-29　断面图的标注

第四节　其他表达方法

为使图形清晰和画图简便，国家标准还规定了局部放大图、简化画法等表达方法，以供绘图时选用。

一、局部放大图

将机件的部分结构，用大于原图形所采用的比例所绘出的图形称为局部放大图，如图 6-30 所示。当机件上的细小结构在视图中表达不清楚或不便于标注尺寸和技术要求时，

局部放大图

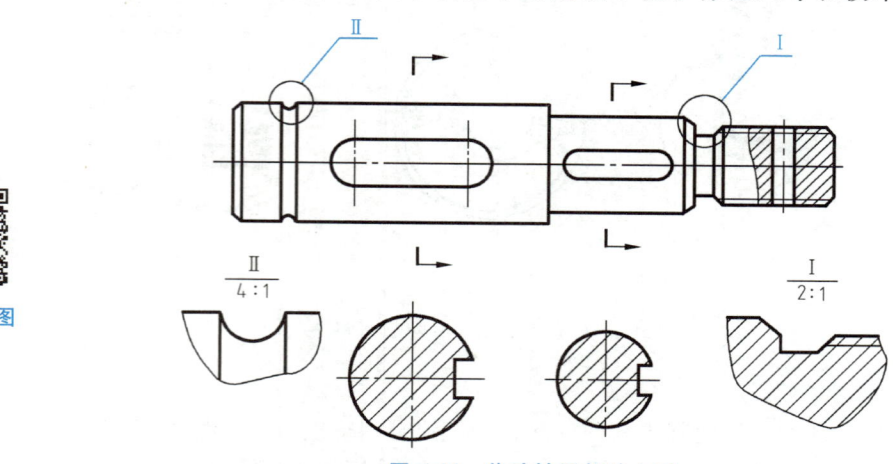

图 6-30　传动轴局部放大图

可采用局部放大图。

局部放大图可以根据需要画成视图、剖视图、断面图，它与被放大部分的表达方式无关。必要时可用几个图形来表达同一个被放大的结构。

绘制局部放大图时，用细实线圆圈出被放大的部位，当同一物体有几个被放大的部位时，必须用罗马数字依次标明被放大的部位，局部放大图的上方用分数形式标注出相应的罗马数字和所采用的比例，如果图中只有一处被放大，则无须标注字母，只在对应的局部放大图上标注比例即可。局部放大图的比例为图中图形与其实物相应要素的线性尺寸之比，并非与原图形之比。为使看图方便，局部放大图应尽量配置在被放大部位附近。

二、规定画法和简化画法

1. 剖视图中的规定画法

1) 对于机件的肋、轮辐及薄壁等，如按纵向剖切，则这些结构都不画剖面符号，而用粗实线将它与其邻接部分分开，如图 6-31 所示。

当剖切平面垂直于轮辐和肋的对称平面或轴线（横向剖切）时，轮辐和肋仍要画上剖面符号。

2) 均匀分布的结构要素在剖视图中的画法：当回转体一类的物体有成辐射状均匀分布的孔、肋、轮辐等结构，且它们不处于剖切平面上时，可将这些机构旋转到剖切平面的位置上画出，如图 6-32 所示。

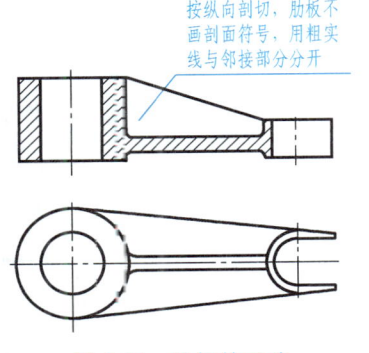

图 6-31 肋板的画法

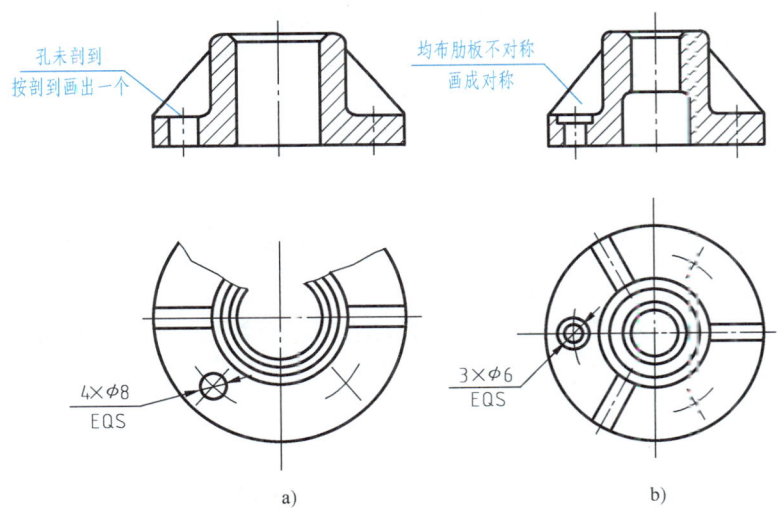

图 6-32 均匀分布结构的规定画法

2. 相同结构

当物体具有多个按一定规律分布的相同结构（齿、槽等）时，只需画出几个完整的结构，其余用细实线连接，并注明该结构的总数，如图 6-33a 所示。对于多个直径相同且成规律分布的孔（圆孔、螺孔、沉孔等），可以只画一个或几个孔，其余孔只需用细点画线表示其位置，并注明孔的总数，如图 6-33b 所示。

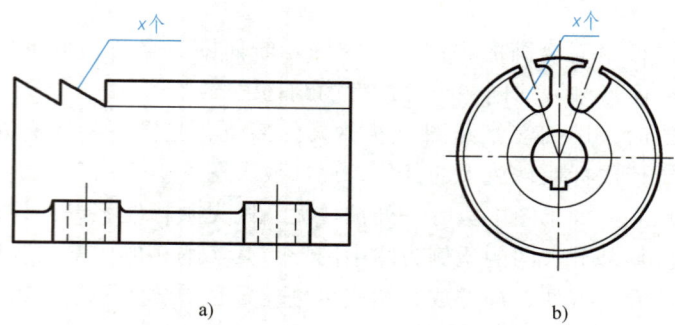

图 6-33 相同结构要素的简化画法

3. 不能充分表达的平面

当图形不能充分表达平面时,可用平面符号(相交两细实线)表示,如图 6-34 所示。

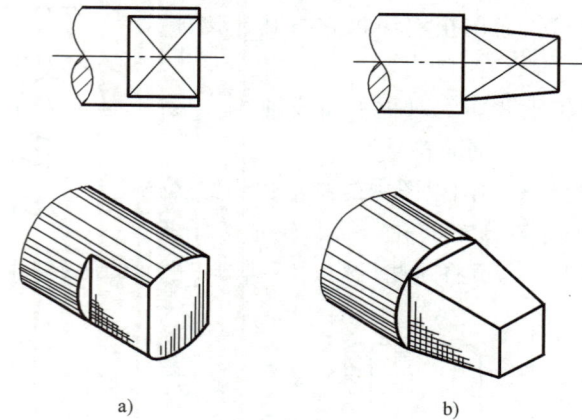

图 6-34 平面的表示方法

4. 法兰盘上的孔

圆柱形法兰盘及与其类似物体上均布的孔,可按图 6-35 所示方法绘制。

5. 剖面符号

在不致引起误解时,物体的移出断面图允许省略剖面符号,但剖切位置以及断面图的标注必须符合规定,如图 6-36 所示。

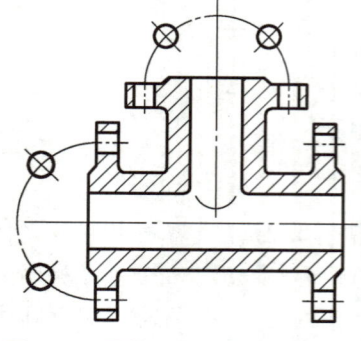

图 6-35 圆柱形法兰盘的简化画法

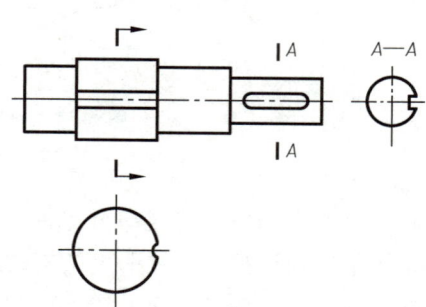

图 6-36 省略剖面符号的画法

6. 折断画法

较长的物体（轴、杆、型材、连杆等）沿长度方向的形状一致或按一定规律变化时，可断开后缩短绘制，如图 6-37 所示，但断开后的尺寸应按实际长度标注。

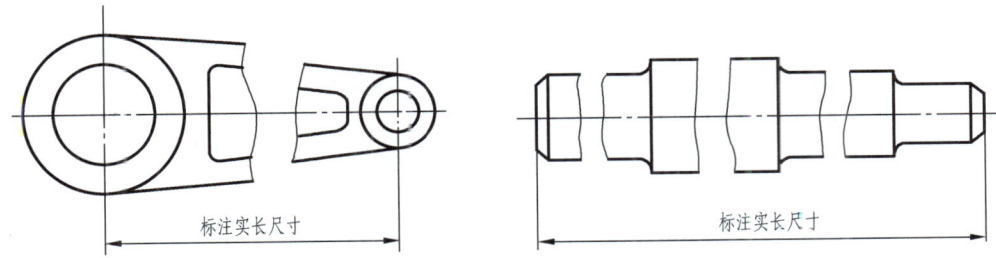

图 6-37　较长机件的折断画法

7. 对称机件的简化画法

在不致引起误解时，对称机件的视图可只画一半或四分之一，并在对称中心线的两端画出两条与其垂直的平行细实线，如图 6-38 所示。

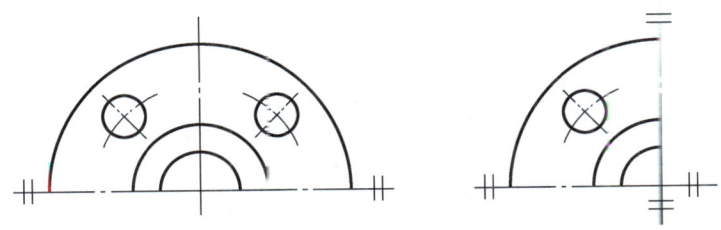

图 6-38　对称机件的简化画法

8. 小结构的画法

在不至于引起误解的情况下，零件图中的小圆角或 45°小倒角允许省略不画，但必须标注尺寸或另加说明，如图 6-39 所示。

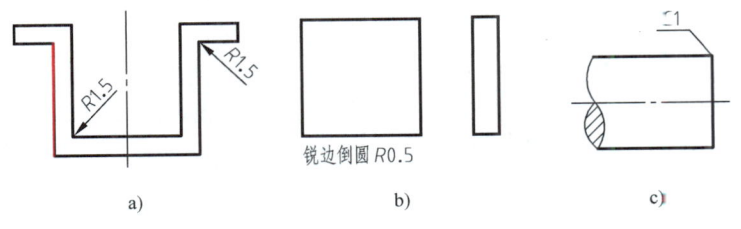

图 6-39　小结构的画法

第五节　表达方法综合应用举例

正确、灵活运用视图、剖视图、断面图、局部放大图和简化画法等各种表达方法，才能将机件的内外结构形状表达清楚。选择机件的表达方案时，应根据机件的结构特点及每种表达方法的特点、使用范围，在完整、清晰地表达机件各部分形状和相对位置的前提下，力求作图简便。

【例 6-1】 识读图 6-40 所示阀体的表达方案，想出空间形状。

1. 视图分析

根据图形的数量、位置及其标注，初步认识机件的复杂程度，阀体的表达方案共有五个图形。主视图 B—B 是采用旋转剖画出的全剖视图，表达阀体的内部结构形状；俯视图 A—A 是采用阶梯剖画出的全剖视图，着重表达左、右管道的相对位置，还表达了下连接板的外形及 4 个 φ5mm 小孔的位置；剖视图 C—C 表达左端管连接板的外形及其上 4 个 φ4mm 孔的大小和相对位置；D 向局部视图相当于俯视图的补充，表达了上连接板的外形及其上 4 个 φ6mm 孔的大小和位置，因右前端横管与正投影面倾斜 45°，所以采用斜剖画出全剖视图 E—E，以表达右连接板的形状。

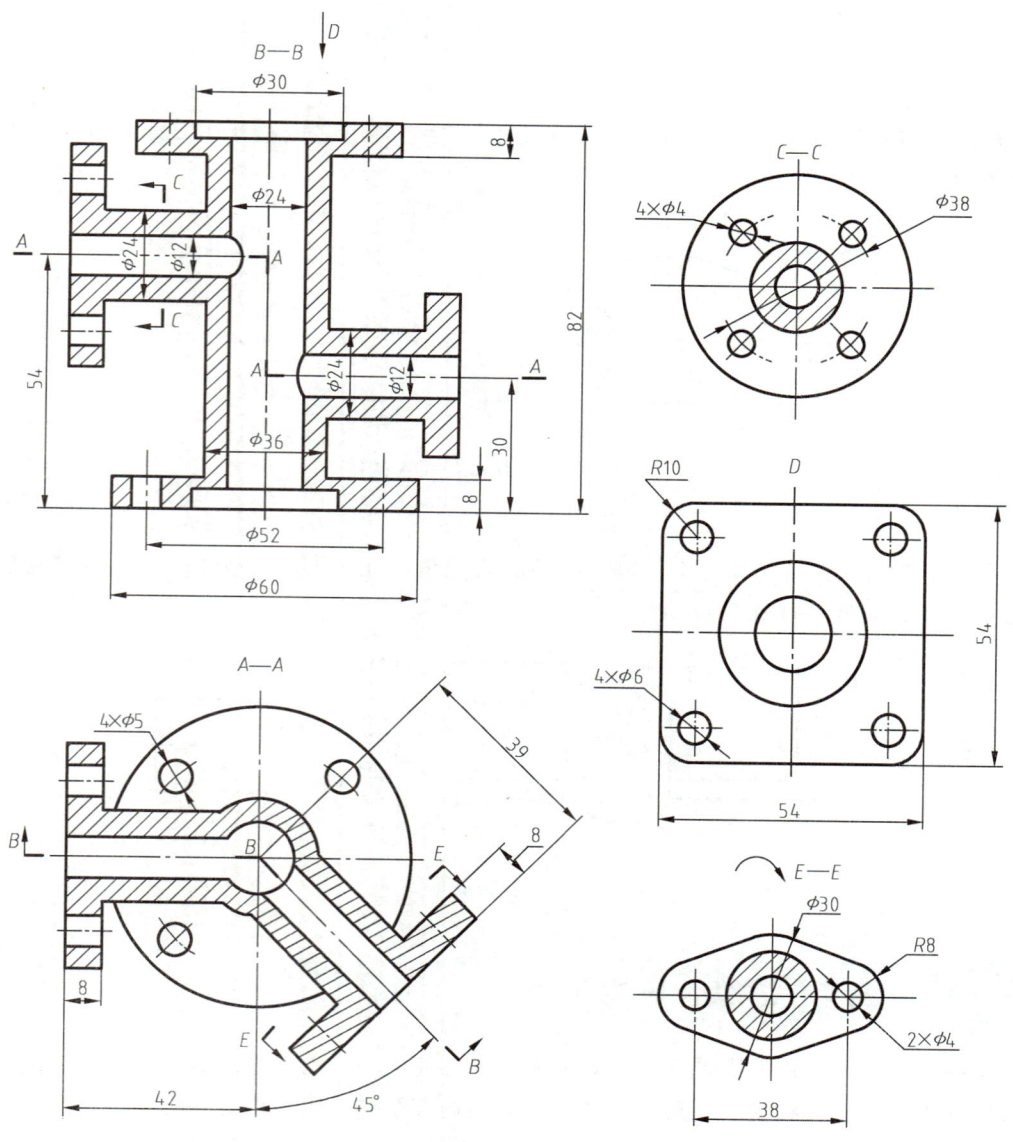

图 6-40 阀体的表达方案

2. 形体分析

阀体的构成大体可分为管体、上连接板、下连接板、左连接板及右连接板五个部分。管体的内外形状通过主、俯视图已表达清楚，它是由中间一个外径为 36mm、内径为 24mm 的竖管，左边一个距底面 54mm、外径为 24mm、内径为 12mm 的横管，右边一个距底面 30mm、外径为 24mm、内径为 12mm、向前方倾斜 45°的横管三部分组合而成。三段管子的内径互相连通，形成有四个通口的管件。阀体的上、下、左、右四块连接板形状大小各异，这可以分别由主视图以外的四个图形看清它们的轮廓，它们的厚度为 8mm。

3. 综合归纳，想出整体

通过分析形体，想象出各部分的空间形状，再按它们之间的相对位置组合起来，便可想象出阀体的整体形状，如图 6-41 所示。

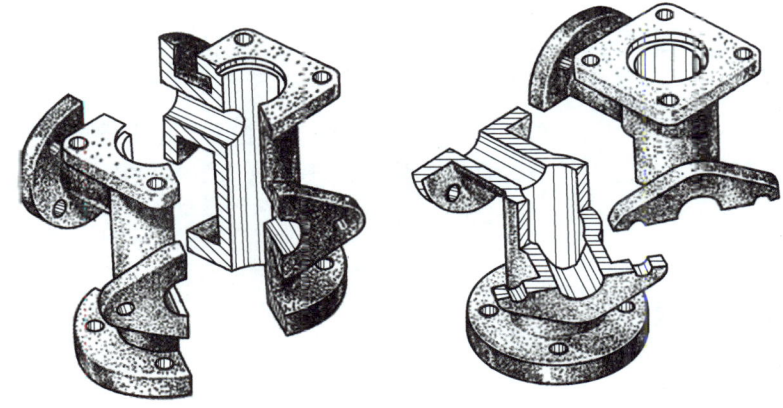

图 6-41　阀体

第七章　标准件与常用件

在机器和部件中，除了一般零件外，还经常用到标准件和常用件。如螺纹连接件（螺栓、螺柱、螺钉、螺母、垫圈等）、键、销和滚动轴承等，它们的结构尺寸都已经标准化，称为标准件。另一些零件，如齿轮、弹簧等，它们的部分结构和参数也已标准化，称为常用件。对上述零、部件，某些结构和形状不必按其真实投影画出，而是根据国家标准规定的画法、代号和标记进行绘图和标注。本章主要介绍标准件和常用件的基本知识、规定画法、代号和标记方法以及有关标准的查用。在本章的学习过程中，应注意培养标准意识，既要遵循国家标准，又要学会使用标准。

第一节　螺纹与螺纹连接件

一、螺纹

在圆柱（或圆锥）表面沿着螺旋线形成的、具有相同剖面的连续的凸起和沟槽，称为螺纹。螺纹分为外螺纹和内螺纹两种，成对使用。加工在圆柱（或圆锥）外表面的螺纹称为外螺纹，加工在圆柱（或圆锥）内表面的螺纹称为内螺纹。图 7-1 所示为在车床上加工螺纹的方法，图 7-2 所示为用钻头和丝锥加工内螺纹的方法。

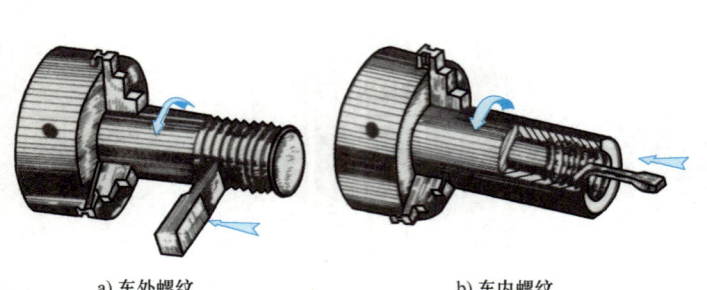

a) 车外螺纹　　b) 车内螺纹

图 7-1　在车床上加工螺纹

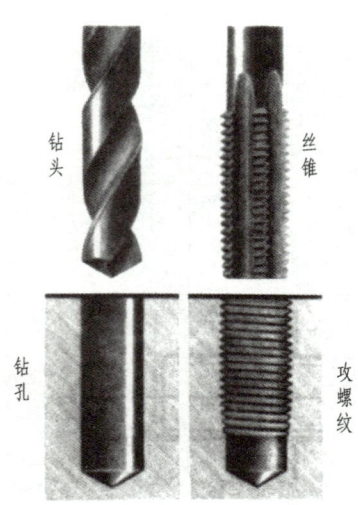

图 7-2　用钻头和丝锥加工内螺纹

1. 螺纹要素

（1）牙型　在通过螺纹轴线的剖面上，螺纹的轮廓形状称为牙型。常见的螺纹牙型有三角形、锯齿形、梯形和矩形等，如图 7-3 所示。

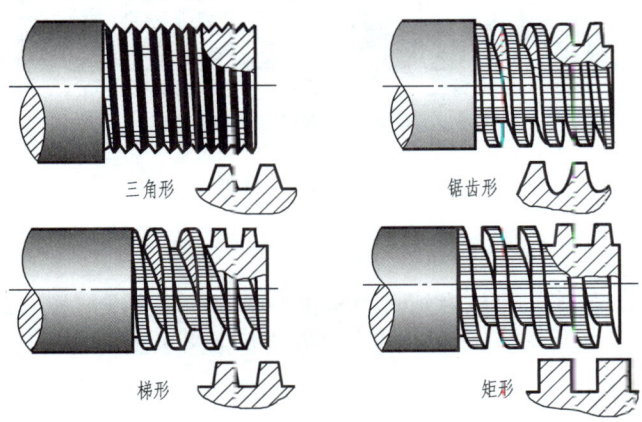

图 7-3　螺纹牙型

（2）螺纹直径　螺纹的直径有大径、小径和中径。直径符号小写字母表示外螺纹，大写字母表示内螺纹，如图 7-4 所示。

1）大径（d、D）：与外螺纹牙顶或内螺纹牙底相重合的假想圆柱的直径。

2）小径（d_1、D_1）：与外螺纹牙底或内螺纹牙顶相重合的假想圆柱的直径。

3）中径（d_2、D_2）：假想有一圆柱，其母线通过牙型上沟槽和凸起宽度相等的地方，该假想圆柱的直径称为中径。

普通螺纹大径的公称尺寸称为公称直径，是代表螺纹尺寸的直径。

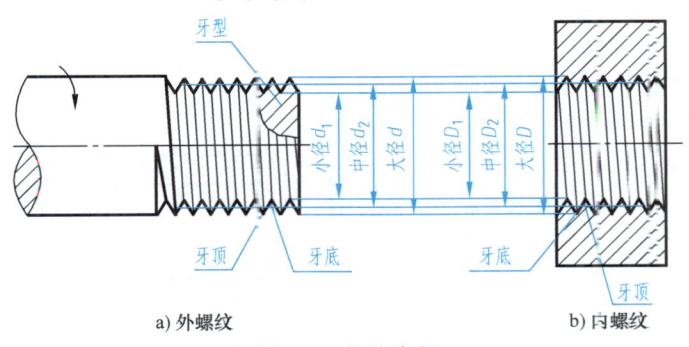

a) 外螺纹　　　　　　b) 内螺纹

图 7-4　螺纹直径

（3）线数　螺纹有单线和多线之分。沿一条螺旋线形成的螺纹，称为单线螺纹。沿两条或两条以上在轴向等距分布的螺旋线形成的螺纹，称为多线螺纹。线数用 n 表示。

（4）螺距与导程　相邻两牙在中径线上对应两点间的轴向距离，称为螺距，用 P 表示。在同一条螺旋线上的相邻两牙在中径线上对应两点的轴向距离，称为导程，用 P_h 表示。线数、螺距与导程的关系如图 7-5 所示，即单线螺纹 $P=P_h$，多线螺纹 $P_h=P\times n$。

（5）旋向　当外螺纹顺时针方向旋入螺孔时，称为右旋螺纹；而逆时针方向旋入螺孔时，称为左旋螺纹。常用右旋螺纹。

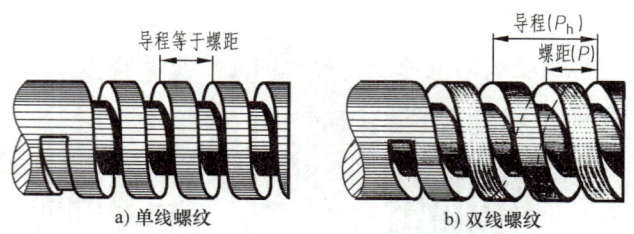

图 7-5　线数、螺距与导程的关系

内、外螺纹是配对使用的。只有牙型、大径、螺距、线数、旋向等要素完全相同的内、外螺纹才能相互旋合。

2. 螺纹的规定画法

螺纹若按真实投影作图，比较麻烦。为简化作图，国家标准对螺纹的画法做了规定。采用规定画法作图并加上螺纹标注（或标记）就能清楚地表示螺纹及其规格。

（1）外螺纹的规定画法　如图 7-6 所示，不论牙型如何，外螺纹的牙顶（大径）用粗实线表示，牙底（小径）用细实线表示（小径近似画成 0.85 倍大径）；在与轴线平行的视图上，表示牙底的细实线画进倒角，螺纹终止线用粗实线表示；在与轴线垂直的视图上，表示牙底的细实线圆只画大约 3/4 圈，且螺杆的倒角省略不画。

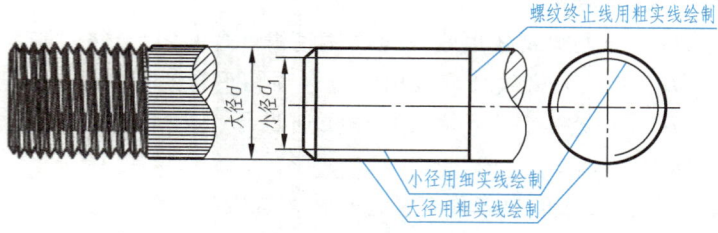

图 7-6　外螺纹的规定画法

外螺纹剖切的画法如图 7-7 所示。

（2）内螺纹的规定画法　如图 7-8 所示，内螺纹通常采用剖视图。内螺纹的牙顶（小径）用粗实线表示，牙底（大径）用细实线表示（小径近似画成 0.85 倍大径），螺纹终止线用粗实线画出。在剖视图中，剖面线应画到表示牙顶的粗实线。

在与轴线垂直的视图上，若螺孔可见，牙顶用粗实线，表示牙底的细实线圆画大约 3/4 圈，且孔口倒角省略不画。

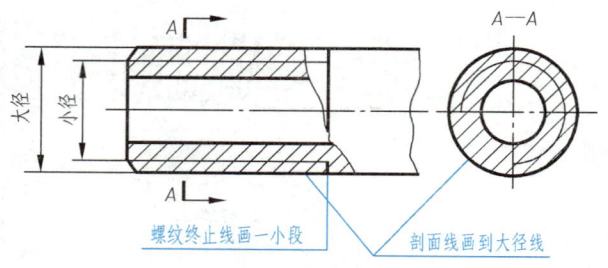

图 7-7　外螺纹剖切的画法

绘制不通孔的内螺纹，应将钻孔的深度和螺纹深度分别画出。孔底由钻头钻成的 120° 的锥面要画出，如图 7-9 所示。

若螺纹采用不剖画法，牙底、牙顶及螺纹终止线均用虚线表示，如图 7-8 所示。

（3）螺纹连接画法　螺纹连接通常采用剖视图。在剖视图中，内、外螺纹旋合部分应按外螺纹的规定画法绘制，其余部分仍按各自的规定画法画出，如图 7-10 和图 7-11 所示。

画图时必须注意：表示内、外螺纹大径的细实线和粗实线，以及表示内、外螺纹小径的

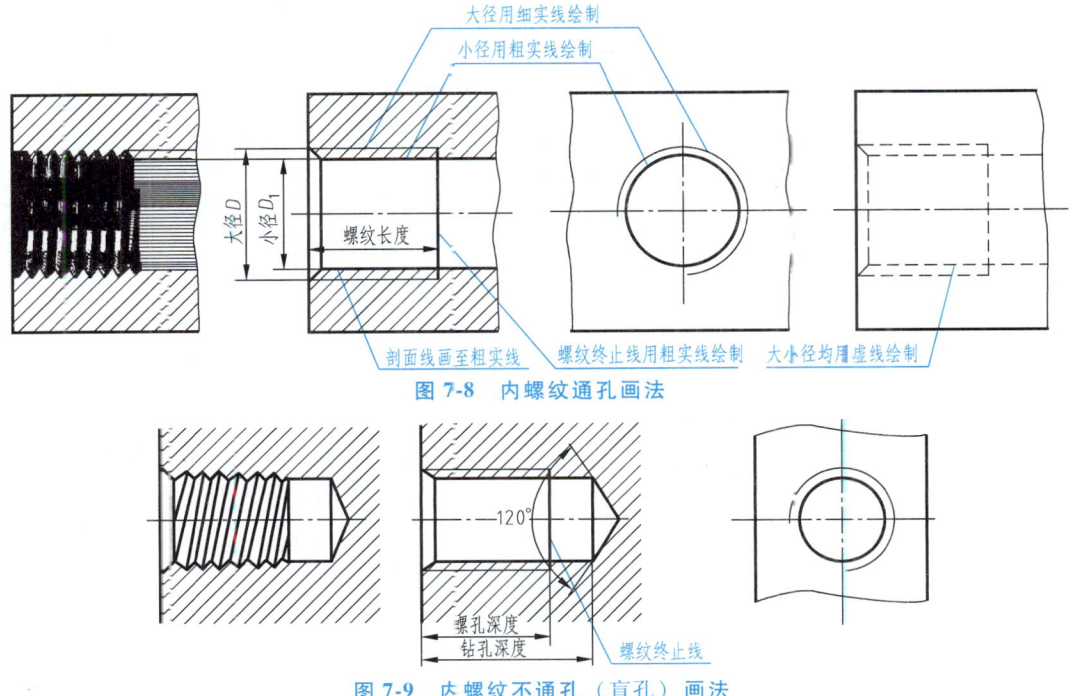

图 7-8 内螺纹通孔画法

图 7-9 内螺纹不通孔（盲孔）画法

粗实线和细实线应分别对齐，这与倒角的大小无关，表示内、外螺纹具有相同的大径和小径。在剖切平面通过螺纹轴线的剖视图中，一般实心螺杆按不剖绘制，如图 7-10a、图 7-11 所示，但是局部剖视要按照剖视绘制，如图 7-12 所示。

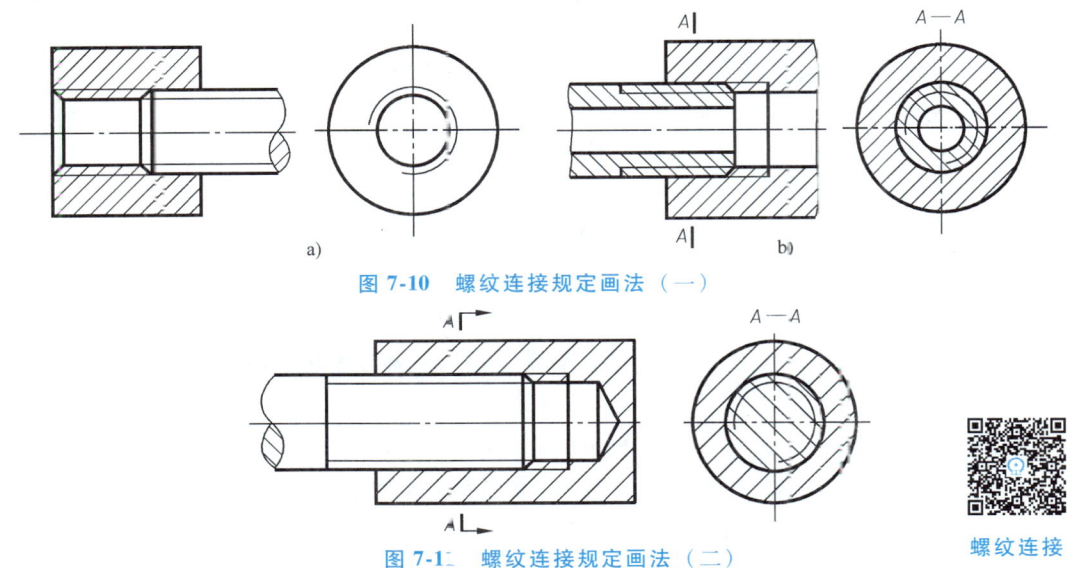

图 7-10 螺纹连接规定画法（一）

图 7-12 螺纹连接规定画法（二）

螺纹连接

（4）螺纹牙型的表示法　螺纹牙型一般不需要在图形中画出，当需要表示螺纹牙型时，可按图 7-12 的形式绘制。

（5）圆锥螺纹的画法　具有圆锥螺纹的零件，其螺纹部分在投影为圆的视图中，只需画出一端螺纹视图，如图 7-13 所示。

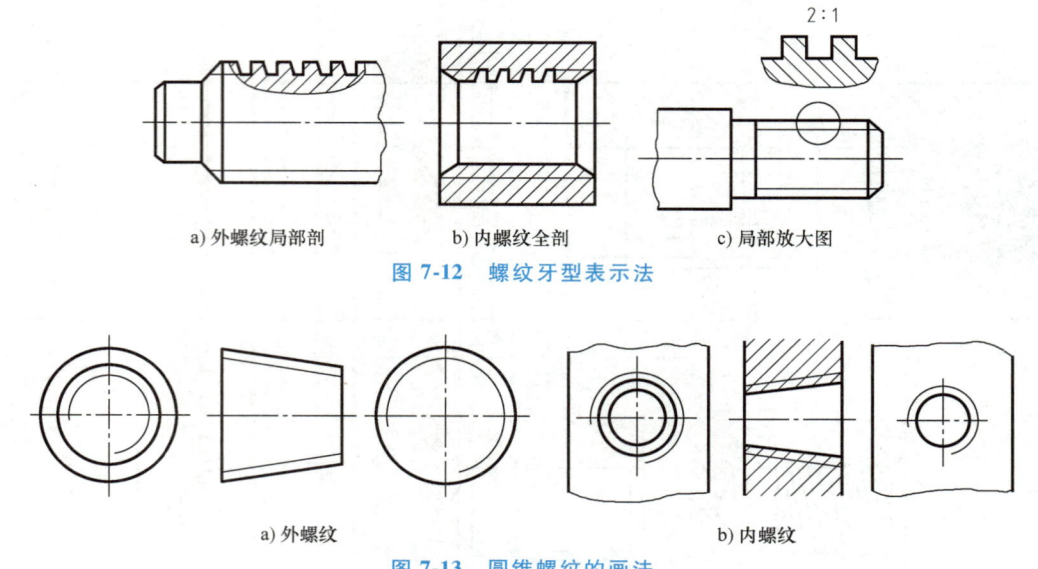

a) 外螺纹局部剖　　　b) 内螺纹全剖　　　c) 局部放大图

图 7-12　螺纹牙型表示法

a) 外螺纹　　　　　　　　　　　　b) 内螺纹

图 7-13　圆锥螺纹的画法

3. 螺纹的分类

螺纹按用途可分为连接螺纹和传动螺纹两类。

（1）连接螺纹　连接螺纹即起连接作用的螺纹，普通螺纹和管螺纹都属于连接螺纹。其中普通螺纹根据螺距的不同有粗牙普通螺纹和细牙普通螺纹两种，牙型为三角形，牙型角为 60°；管螺纹牙型为三角形，牙型角为 55°。管螺纹又分为 55°密封管螺纹和 55°非密封管螺纹两种。用 55°密封管螺纹有圆锥外螺纹、圆锥内螺纹和圆柱内螺纹三种，它们的配合具有一定的密封能力，多用于高温高压系统；55°非密封管螺纹，其内、外螺纹都是圆柱管螺纹，相配合的螺纹副本身没有密封能力，所以多用于润滑管路系统。

（2）传动螺纹　传动螺纹即用于传递运动和动力的螺纹，梯形螺纹和锯齿形螺纹是两种常用的传动螺纹。

4. 螺纹的标记

由于螺纹的规定画法不能清楚地表达螺纹的种类、要素及其要求，因此，国家标准规定标准螺纹用规定的标记进行标记，并标注在螺纹的公称直径上，以区分不同种类的螺纹。

（1）普通螺纹的标记　标记格式为

<u>螺纹特征代号 公称直径×导程 P 螺距</u>-<u>中径公差带代号 顶径公差带代号</u>-旋合长度代号-旋向代号
　　　　（尺寸代号）　　　　　　　　（公差带代号）

普通螺纹特征代号为 M；单线螺纹的尺寸代号为"公称直径×螺距"，公称直径和螺距数值的单位为毫米，普通粗牙螺纹不注螺距，细牙螺纹注螺距；公差带代号包括中径公差带代号和顶径公差带代号，各直径的公差带代号由表示公差等级的数值和表示公差带位置的字母（内螺纹用大写字母，外螺纹用小写字母）组成，二者相同时，可只注一个公差带代号，外螺纹用小写字母表示，内螺纹用大写字母表示；旋合长度分短、中、长三种，代号分别为"S""N""L"，中等旋合长度不标注，在公差带代号后标注，特殊的旋合长度可直接注出长度数值；右旋螺纹不注旋向代号，左旋注"LH"。

标记示例：M20-5g6g-S；M30×2.5-6H-LH。

(2) 管螺纹的标记

1) 55°密封管螺纹的标记格式为

螺纹特征代号　尺寸代号　旋向代号

螺纹特征代号：圆锥内螺纹为"Rc"、圆柱内螺纹为"Rp"、与圆柱内螺纹相配合的圆锥外螺纹为"R_1"、与圆锥内螺纹相配合的圆锥外螺纹为"R_2"；尺寸代号用½、¾、1、⅜等表示，尺寸代号并非是管螺纹的公称直径，而是管子孔径英寸的近似值；右旋不标注，左旋标注"LH"。

标注示例：R_1½LH；Rp¾；Rc⅜。

2) 55°非密封管螺纹的标记格式为

螺纹特征代号　尺寸代号　公差等级代号-旋向代号

55°非密封管螺纹的螺纹特征代号为"G"；公差等级代号对外螺纹分为A、B两级，对内螺纹则不标注；旋向同上所述。

标记示例：G½A；G⅜B-LH。

(3) 梯形螺纹的标记　标记格式为

螺纹特征代号　公称直径×导程P螺距-中径公差带代号-旋合长度代号-旋向代号

梯形螺纹的特征代号为"Tr"，旋向代号和旋合长度代号同上述。

标记示例：Tr40×7-7H-L；Tr40×14P7-7H/7e-L-LH。

(4) 锯齿形螺纹的标记　标记格式为

螺纹特征代号　公称直径×螺距或导程（P螺距）　旋向-中径公差带代号-旋合长度代号

锯齿形螺纹的特征代号为"B"；单线螺纹的尺寸规格用"公称直径×螺距"表示，多线螺纹用"公称直径×导程（P螺距）"表示；右旋螺纹不注，左旋注"LH"；旋合长度代号同上述。

标记示例：B40×7LH-8c。

(5) 螺纹副的标记　内、外螺纹旋合在一起又称为螺纹副，标注时，内、外螺纹的标记用"/"分开，左边表示内螺纹，右边表示外螺纹。

标记示例：M20-6H/6g；G¾/G¾B；Tr48×16P8-7H/7e。

(6) 在图样上的标注方法

1) 标准螺纹的标注：标准螺纹的螺纹代号（或标记）的注法与一般线性尺寸注法相同，但应特别注意，除管螺纹的标注内容必须注写在螺纹大径引出的指引线的水平折线上外，其他的都应注写在大径的尺寸线上，见表7-1。

表7-1　螺纹牙型、代号和标注

螺纹种类		牙型放大图	牙型代号	标注示例
连接螺纹	普通螺纹　粗牙	60°	M	M16-5g6g-S
	普通螺纹　细牙			M16×1　G11 L11

103

(续)

螺纹种类		牙型放大图	牙型代号	标注示例
连接螺纹	管螺纹	55°密封管螺纹 (55°)	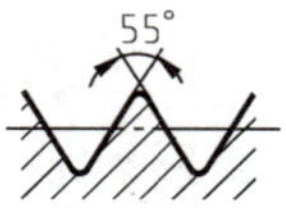 R_1 R_2 Rc Rp	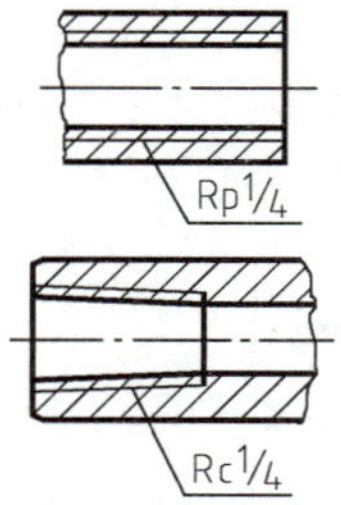 Rp1/4 ; Rc1/4
		55°非密封管螺纹	G	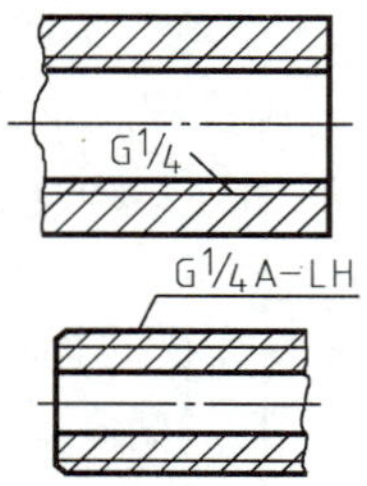 G1/4 ; G1/4A-LH
传动螺纹	梯形螺纹 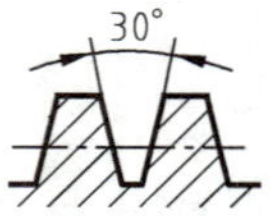 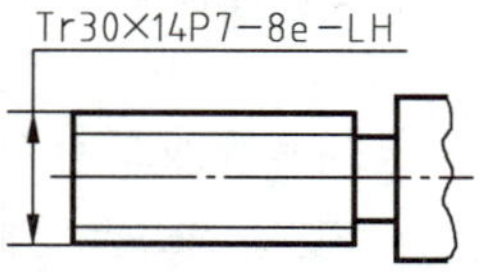	30°	Tr	Tr30×14P7-8e-LH
	锯齿形螺纹 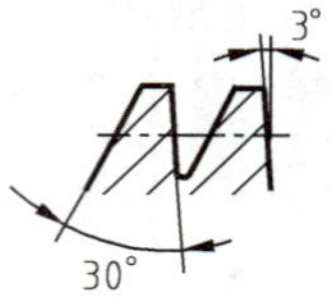 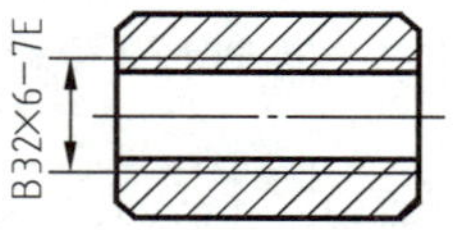	3° / 30°	B	B32×6-7E
	矩形螺纹	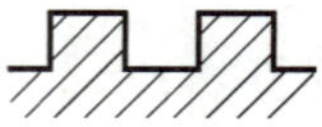	非标准螺纹	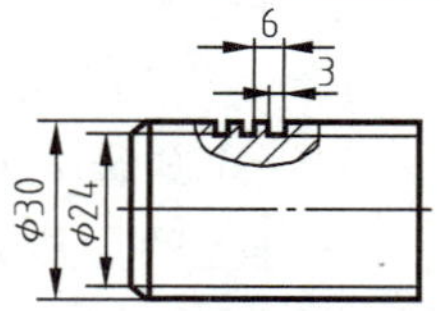 6, 3, ø30, ø24

2) 特殊螺纹与非标准螺纹的标注：特殊螺纹应在螺纹种类代号前加注"特"字。非标准螺纹可按规定画法画出，但必须画出牙型并注出有关螺纹结构的全部尺寸。

二、螺纹连接件

螺纹连接是工程上应用广泛的连接方式。常见的螺纹连接形式有螺栓连接、双头螺柱连接和螺钉连接。

常用的螺纹连接件有螺栓、双头螺柱、螺钉、螺母、垫圈等，如图7-14所示。它们的类型和结构形式多样，但大多已标准化，使用时可从相应的标准中查出所需的结构尺寸。

1. 螺栓连接

螺栓连接适用于被连接件不太厚并且允许钻成通孔的情况。螺栓连接的连接件有螺栓、螺母和垫圈。

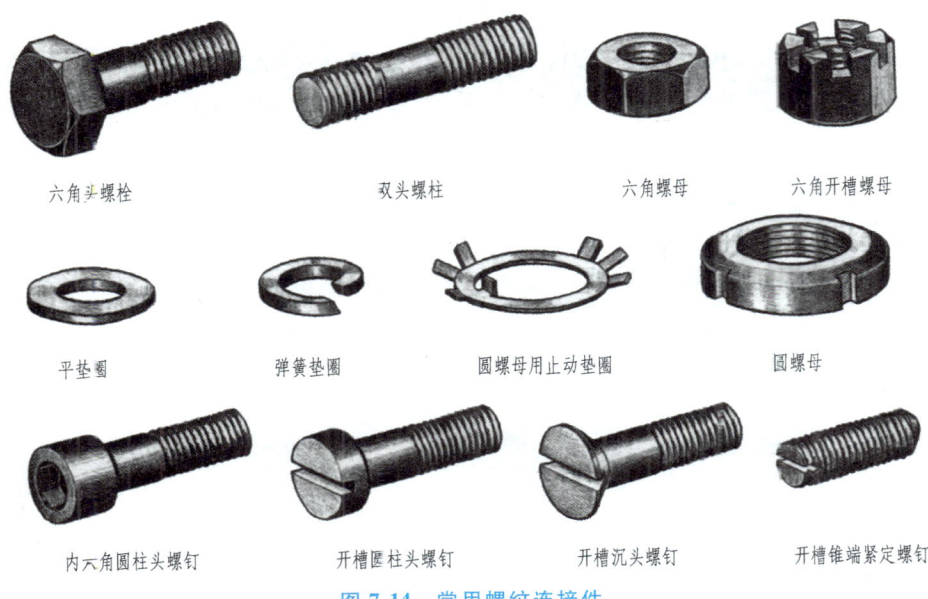

图 7-14 常用螺纹连接件

（1）螺栓　螺栓的规格尺寸是螺纹大径（d）和螺杆长度（L），其规定标记格式为

名称　标准代号　螺纹代号×公称长度

标记示例：螺栓　GB/T 5782　M20×100

螺杆的公称直径不同，其对应各部分的尺寸也不同，其各部分尺寸关系见附录表 B-1、表 B-2。可以查表进行绘图，为了快速画图，习惯上采用比例画法绘图。所谓比例画法，就是以螺纹的公称直径（d、D）为基准，其余各部分结构尺寸均按与公称直径成一定比例关系绘制，如图 7-15 所示。

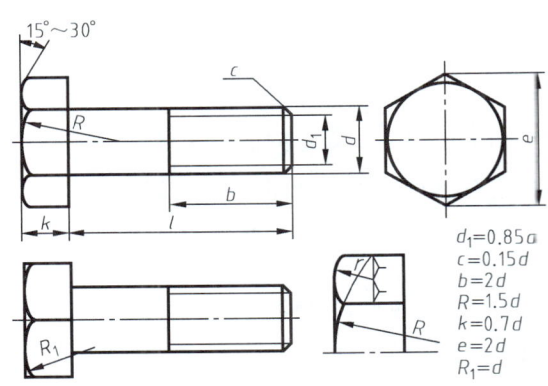

$d_1=0.85d$
$c=0.15d$
$b=2d$
$R=1.5d$
$k=0.7d$
$e=2d$
$R_1=d$

图 7-15　六角头螺栓的比例画法

（2）螺母　螺母的规格尺寸是螺纹大径（D），标记格式为

名称　标准代号　螺纹代号

标记示例：螺母　GB/T 6170　M30

常用的螺母为六角螺母，见附录表 B-3，其比例画法如图 7-16 所示。

（3）垫圈　垫圈的规格尺寸为螺杆公称直径（d），标记格式为

105

名称　标准代号　公称尺寸

标记示例：垫圈　GB/T 97.2　10；垫圈　GB/T 97.1　8 A2。

各部分尺寸见附录表 B-8、表 B-9，其比例画法如图 7-17 所示。

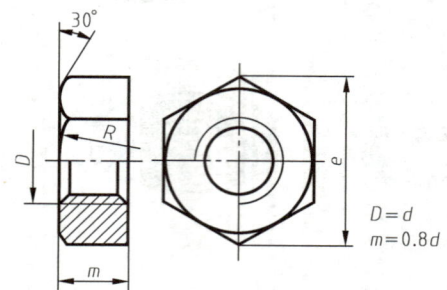

图 7-16　六角螺母的比例画法

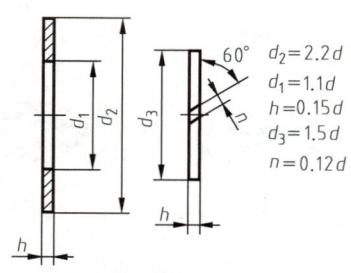

图 7-17　垫圈的比例画法

（4）螺栓连接装配图的画法　螺栓连接时，先将螺栓的杆身穿过两个被连接件中间的通孔，再装上垫圈，最后用螺母拧紧。装配图中，常用比例画法近似画出，画图时应遵循以下规定：

1）相邻零件的表面接触时，画一条粗实线作为分界线，不能画成两条线或加粗。凡不接触的表面，不论间隙多小，都必须画两条线，间隙过小时，应夸大画出，如螺杆和零件孔之间就应画两条线。

2）在剖视图中，相邻两零件的剖面线方向应相反，或者方向相同但间距不同或错开。在同一张图样上，同一零件在各个剖视图中的剖面线方向、间距应一致。

3）当剖切平面通过螺栓、螺母、垫圈等连接件的轴线时，连接件按不剖画出，即只画出其外形。

画图时，首先已知两被连接零件的厚度（t_1、t_2）、各连接件的形式和规格；然后从标准中查出螺母、垫圈的厚度（m、h）；再按下式算出螺栓的参考长度（l'）：

$$l' = t_1 + t_2 + m + h + a$$

式中，a 为螺栓伸出螺母的长度，一般取 $a \approx 0.5d$。

最后从标准中选定与 l' 相近的螺栓公称长度 l。

为作图方便，常以公称直径 d 的比例值画装配图，如图 7-15～图 7-17 所示。图 7-18 所示为螺栓连接的画图步骤。在装配图中，螺栓连接经常采用图 7-19b 所示的简化画法。

2. 双头螺柱连接

双头螺柱的连接件有双头螺柱、螺母和垫圈。

双头螺柱连接用于被连接件之一较厚或不允许钻成通孔的情况。双头螺柱的两端都有螺纹，用来旋入被连接件螺孔的一端，称为旋入端，其长度用 b_m 表示；另一端称为紧固端。旋入端长度只与螺孔的材料有关，不同材料的螺柱对应不同的标准代号，见附录表 B-4，标准规定：

对钢、青铜　　　　　　　　　　$b_m = d$

对铸铁　　　　　　　　　　　　$b_m = 1.25d$

　　　　　　　　　　　　　　　或 $b_m = 1.5d$

对铝合金　　　　　　　　　　　$b_m = 2d$

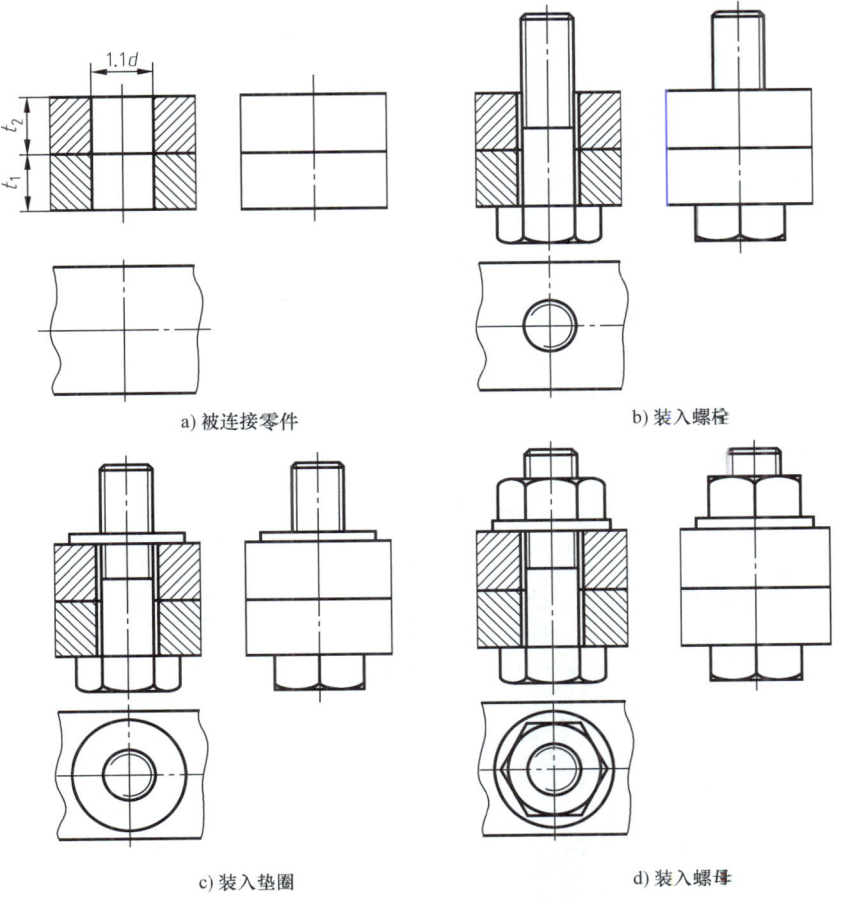

图 7-18 螺栓连接的画图步骤

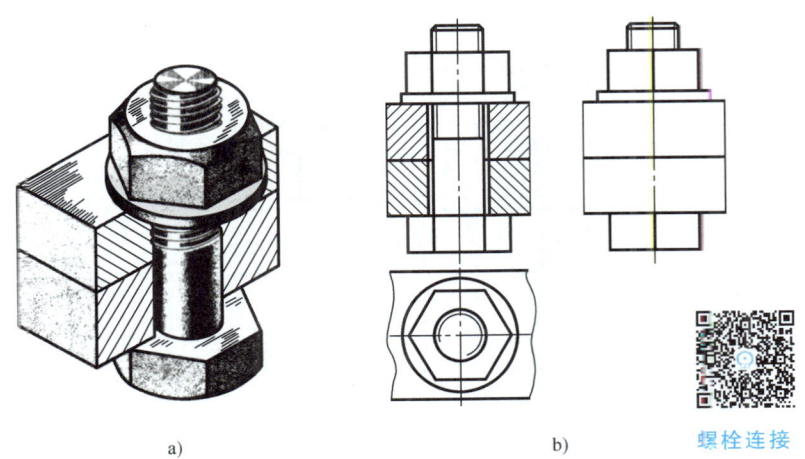

图 7-19 螺栓连接的简化画法

双头螺柱的规格尺寸是螺纹大径（d）和螺柱长度（l），其规定标记为

名称　标准代号　类型　螺纹代号×公称长度

标记示例：螺柱　GB/T 897　M20×50

画图前,根据带有螺孔零件的材料确定旋入端的长度、光孔零件的厚度 t 和螺柱的公称直径 d,查表得到螺母、垫圈的厚度(m、h),计算出双头螺柱的参考长度 l':

$$l' = t+m+h+a$$

式中,a 为螺柱伸出螺母外的长度,一般取 $a \approx 0.5d$。

最后查标准(附录表 B-4)选定与参考长度相近的公称长度 l。

画螺柱连接图时要特别注意以下几点:

1)螺柱旋入端的螺纹终止线要与两零件的结合面平齐,表示旋入端全部拧入,完全拧紧。

2)螺柱连接时经常会用弹簧垫圈,以防松动。画弹簧垫圈时应画两条与水平线成 60° 左上斜的两条平行粗实线(或一条加粗线),如图 7-20b 所示。

3)结合面以上部位的画法与螺栓连接相同。

双头螺柱连接的画法如图 7-20 所示。螺柱连接也经常采用简化画法,如图 7-21 所示,螺杆的倒角也可以不画。

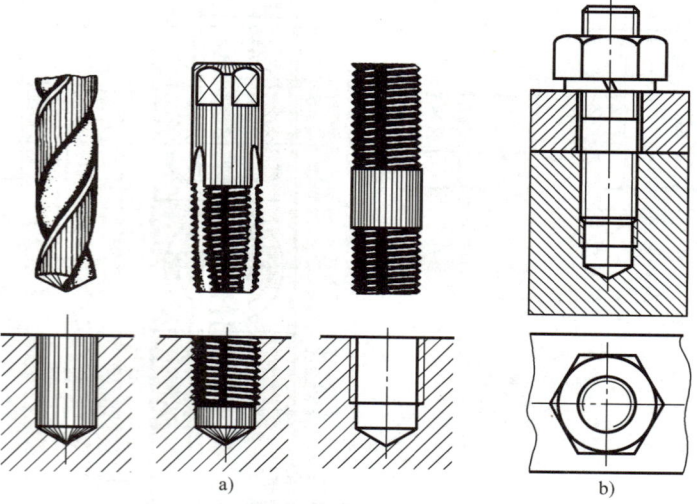

图 7-20 双头螺柱连接的画法

双头螺柱连接

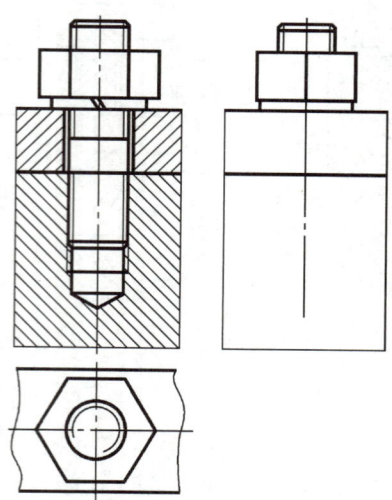

图 7-21 双头螺柱连接的简化画法

3. 螺钉连接

螺钉连接按其用途可分为连接螺钉连接和紧定螺钉连接。连接螺钉与双头螺柱的使用场合有些相似，多用于不需经常拆卸且受力不大的地方。紧定螺钉连接主要用于固定两零件的相对位置。

（1）连接螺钉　连接螺钉的被连接件一般是较厚的零件加工出螺孔，较薄的零件加工出通孔（通孔直径稍大于螺钉杆的直径），不用螺母，直接将螺钉穿过通孔旋入螺孔中。绘图时旋入螺孔端与螺柱连接相似，穿过通孔端与螺栓连接相似。

常见的连接螺钉按钉头形状可分为开槽盘头螺钉、开槽沉头螺钉和内六角圆柱头螺钉等，见附录表 B-5～表 B-7。

画螺钉连接图时要注意以下几点：

1）螺纹终止线应高于两零件的结合面，表示螺钉有拧紧余地，以保证连接紧固。

2）薄零件通孔与螺钉杆部有间隙，分别要画两条轮廓线。

3）螺钉头部的视图中，螺钉头部开槽的投影一般画成与水平线成 45°，孔口倒角可以省略不画。

连接螺钉连接的画法如图 7-22 所示。

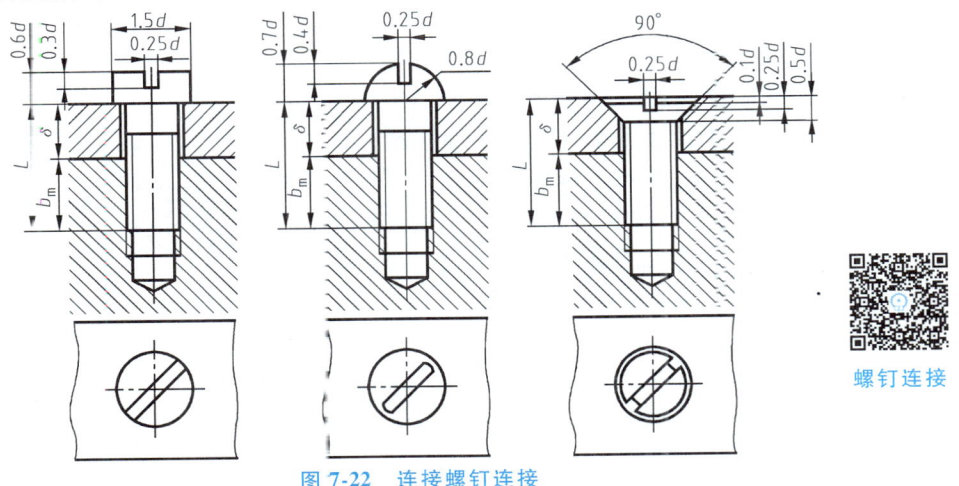

图 7-22　连接螺钉连接

（2）紧定螺钉　紧定螺钉按其前端的形状可分为锥端、平端和长圆柱端紧定螺钉，见附录表 B-6。紧定螺钉连接的画法如图 7-23 所示。

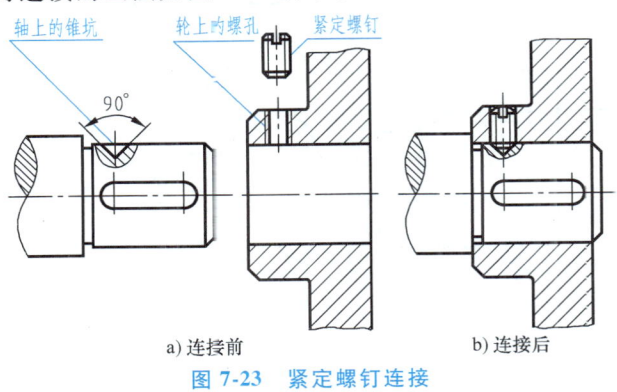

a) 连接前　　b) 连接后

图 7-23　紧定螺钉连接

第二节 键连接、花键和销连接

一、键连接

1. 常用键的分类及其标记

键连接是一种可拆连接，用于连接轴和轴上的传动件（齿轮、带轮等），使轴和传动件不产生相对转动，保证两者同步旋转，传递力矩和旋转运动。

常用的键有普通平键、半圆键和钩头型楔键等，如图 7-24 所示。

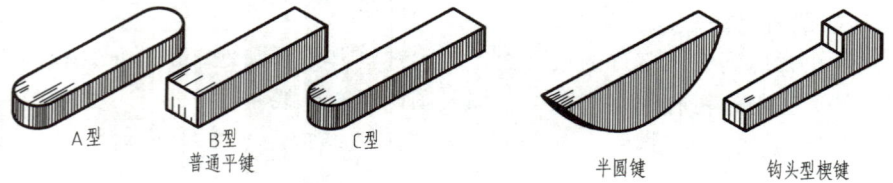

图 7-24 常用键

键的标记见附录表 B-13～表 B-15。

2. 键连接的画法及尺寸标注

（1）普通平键连接 普通平键的两侧面是工作面，键的侧面、底面与键槽的侧面及轴的键槽底面接触，只画一条粗实线；而键的顶面与轮毂上键槽的底面有间隙，要画两条线；剖切平面通过轴线和键的对称平面作纵向剖切时，键按不剖绘制。图 7-25 所示为普通平键连接，图 7-26 所示为普通平键连接的画法。

图 7-25 普通平键连接

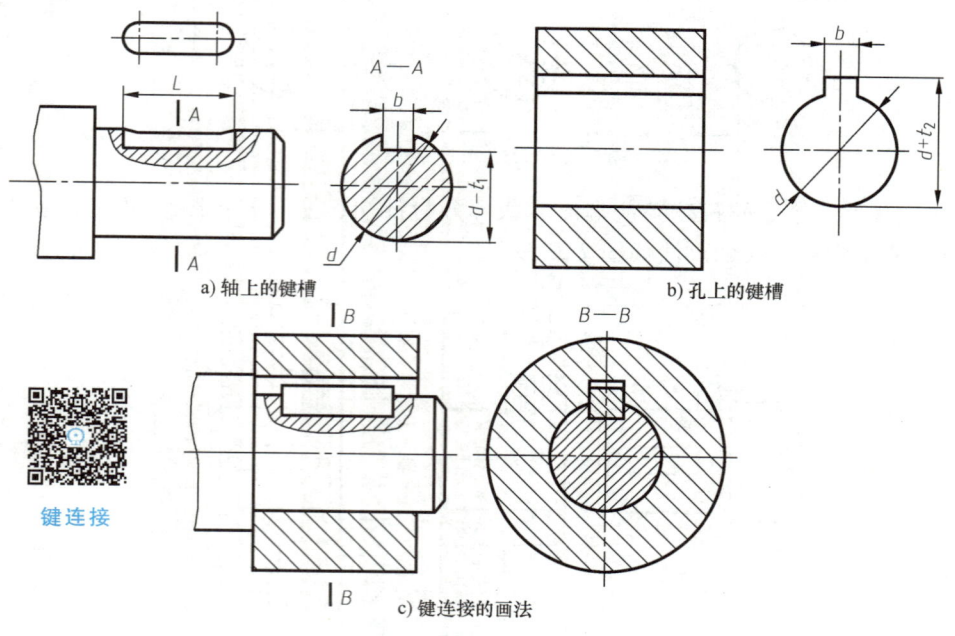

a) 轴上的键槽　　b) 孔上的键槽

键连接

c) 键连接的画法

图 7-26 普通平键连接的画法

（2）半圆键连接　半圆键连接常用于载荷不大的传动轴上，其工作原理和画法与普通平键连接相似，如图7-27所示。

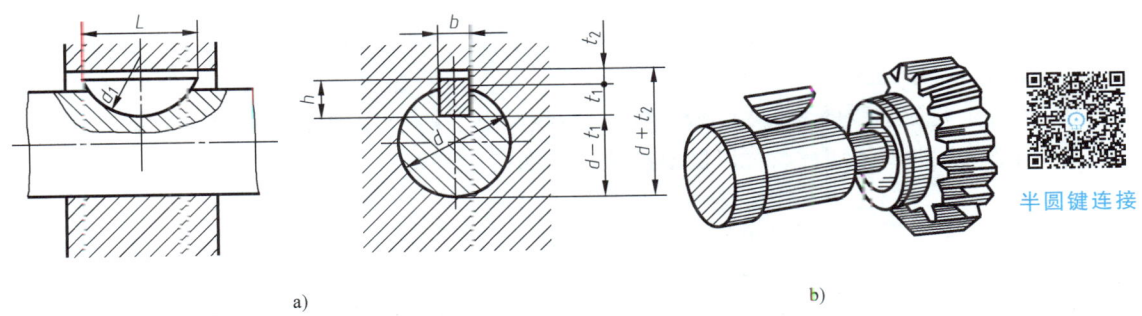

图7-27　半圆键连接

（3）钩头型楔键连接　钩头型楔键连接是将键嵌入键槽内，靠键的上、下面将轴和轮连接在一起，键的侧面为非工作面，绘图时顶面、侧面均不留间隙，其连接如图7-28所示。

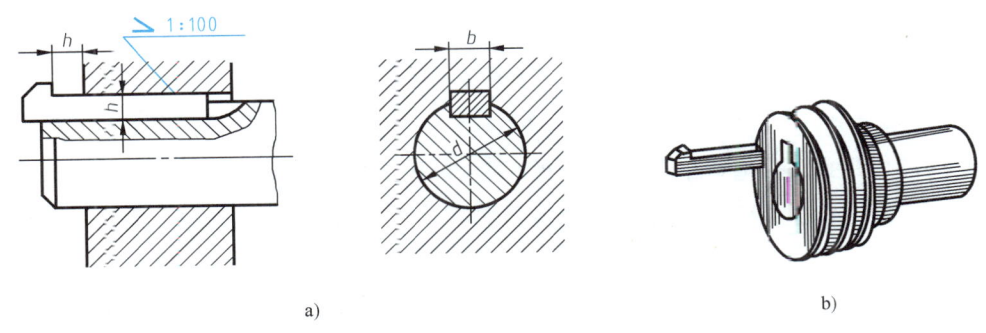

图7-28　钩头型楔键连接

二、花键

当传递的载荷较大时，需采用花键连接，在轴上加工的花键称为外花键，该轴称为花键轴；在孔内加工的花键称为内花键，该孔称为花键孔。花键的齿形有矩形、三角形、渐开线形等，常见的是矩形。花键如图7-29所示。

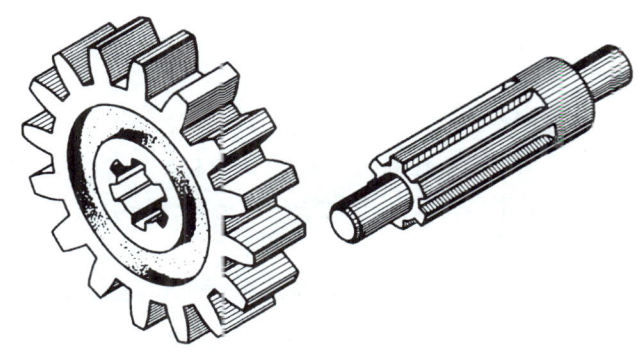

图7-29　花键

1. 外花键的画法

如图7-30所示，在与轴线平行的视图中，大径用粗实线绘制，小径用细实线绘制，细实线通过倒角画到轴端，花键的尾部用细实线画成与轴线成30°的斜线，花键工作长度的终止端和尾部末端分别用两条与轴线垂直的细实线绘制，当采用剖视图时齿按照不剖画出，此时小径也用粗实线绘制。

在垂直于花键轴线的视图中，大径用粗实线绘制，小径用细实线绘制，倒角圆省略不画，如图7-30a所示。剖视图可以画出部分或全部齿形，如图7-30b所示。

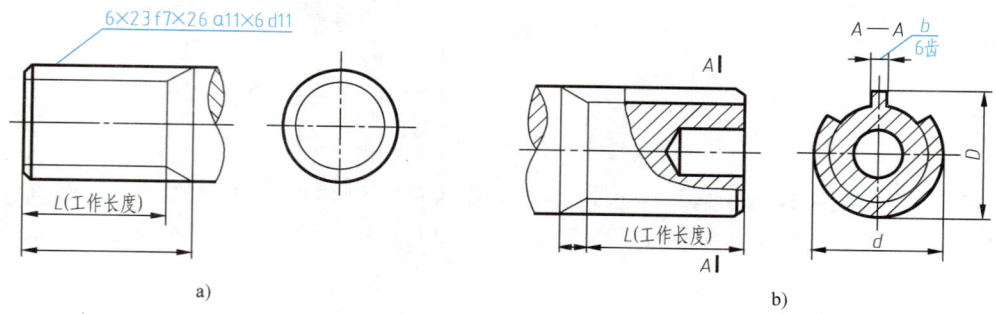

图7-30 外花键的画法和标注

2. 内花键的画法

如图7-31所示，在平行于花键轴线的剖视图中，齿按不剖绘制，且大、小径都用粗实线画出。在端视图中，大径用细实线圆绘制，小径用粗实线圆绘制，通常只画出部分齿形。

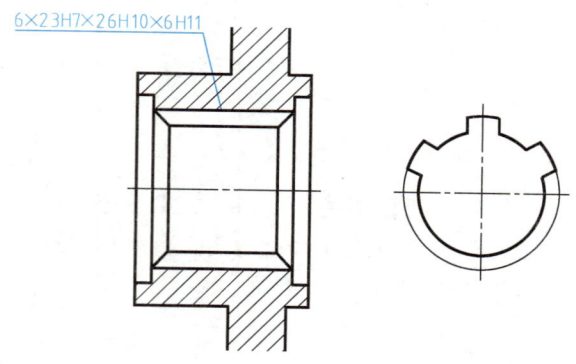

图7-31 内花键的画法和标注

3. 矩形花键的标注

花键的标注可采用一般尺寸标注法和代号标注法两种：一般尺寸标注法应注出齿数N、大径D、小径d、键宽b、工作长度L；采用代号标注法时，指引线用细实线从大径引出，如图7-30~图7-32所示，标记形式为：

齿数×小径　小径公差带代号×大径　大径公差带代号×键宽　键宽公差带代号

其中内花键公差带代号用大写字母表示，外花键公差带代号用小写字母表示。

例：花键$N=6$，$d=23H7/f7$，$D=26H10/a11$，$b=6H11/d10$ 的标记如下：

内花键：6×23H7×26H10×6H11
外花键：6×23f7×26a11×6d11
花键副：6×23H7/f7×26H10/a11×6H11/d11

4. 矩形花键连接的画法

和螺纹连接画法相似，花键连接的画法为：连接部分按外花键画出，其余部分按各自的规定绘制，如图7-32所示。

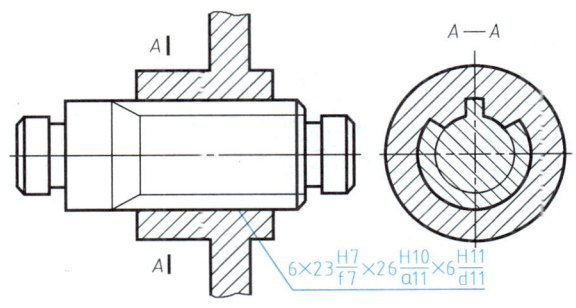

图7-32 花键连接画法及标注

三、销连接

销在机器中主要起连接和定位作用。常用的有圆柱销、圆锥销和开口销。销是标准件，可在国家标准中查到它们的形式和尺寸。

1. 销及其标记

销的规格、尺寸都可以从标准中查出，圆柱销和圆锥销的规格尺寸均为直径 d 和长度 l，销及其标记见附录表B-10~表B-12。

2. 销连接的画法

圆柱销和圆锥销连接，要求被连接件先装在一起，再加工销孔，并在零件图上加以注明。销连接的画法如图7-33所示。

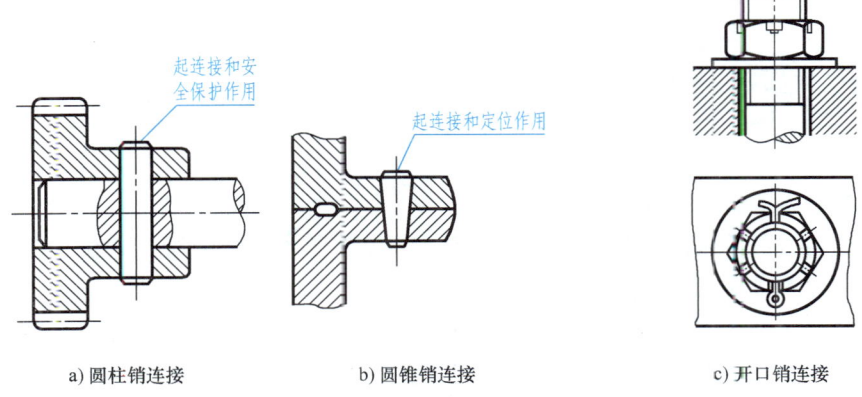

a) 圆柱销连接　　b) 圆锥销连接　　c) 开口销连接

图7-33 销连接的画法

第三节 齿轮

齿轮是广泛用于机器或部件中的传动零件,它不仅可以用来传递动力,还能改变转速和旋转方向。常用的齿轮按两轴的相互位置不同分为如下三种类型,如图 7-34 所示。

a) 圆柱齿轮　　　　　b) 锥齿轮　　　　　c) 蜗轮与蜗杆

图 7-34　常见的齿轮传动种类

1) 圆柱齿轮:用于平行两轴间的传动。
2) 锥齿轮:用于相交两轴间的传动。
3) 蜗轮与蜗杆:用于交叉两轴间的传动。

一、直齿圆柱齿轮

齿轮上每一个用于啮合的凸起部分,称为轮齿。圆柱齿轮的轮齿有直齿、斜齿、人字齿等,如图 7-35 所示。直齿圆柱齿轮是齿轮中常用的一种。

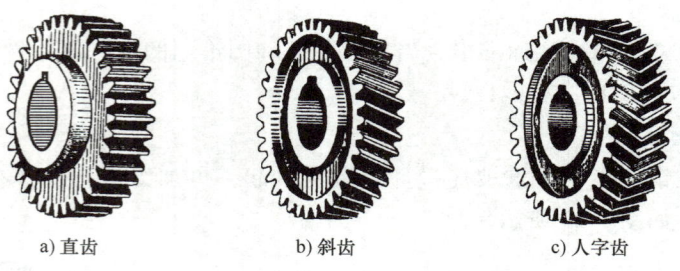

a) 直齿　　　　　b) 斜齿　　　　　c) 人字齿

图 7-35　圆柱齿轮

1. 直齿圆柱齿轮各部分名称及代号(见图 7-36)

齿数 z:齿轮上轮齿的个数。
齿顶圆直径 d_a:齿顶圆柱面的直径。
齿根圆直径 d_f:齿根圆柱面的直径。
分度圆直径 d:齿轮设计和加工时计算尺寸的基准圆称为分度圆,它位于齿顶圆和齿根圆之间,是一个约定的假想圆。
节圆直径 d':连心线 O_1O_2 上两相切的圆称为节圆。
齿距 p:分度圆上相邻两齿廓对应点之间的弧长。
齿厚 s:一个轮齿齿廓间在分度圆上的弧长。
槽宽 e:一个齿槽齿廓间在分度圆上的弧长,标准齿轮中,$s=e=p/2$,$p=s+e$。

齿顶高 h_a：分度圆到齿顶圆之间的径向距离。

齿根高 h_f：分度圆到齿根圆之间的径向距离。

齿高 h：齿顶圆到齿根圆之间的径向距离。

齿宽 b：沿齿轮轴线方向的轮齿宽度。

压力角（齿形角）α：齿轮在分度圆上的啮合点 P 点的齿廓公法线与两节圆的公切线所夹的锐角。标准齿轮的压力角规定为 $20°$。

2. 直齿圆柱齿轮的基本参数与齿轮各部分的尺寸关系

（1）模数 m　由于分度圆周长 $\pi d = pz$，所以 $d = \dfrac{p}{\pi}z$，令 $m = \dfrac{p}{\pi}$，则

$$d = mz$$

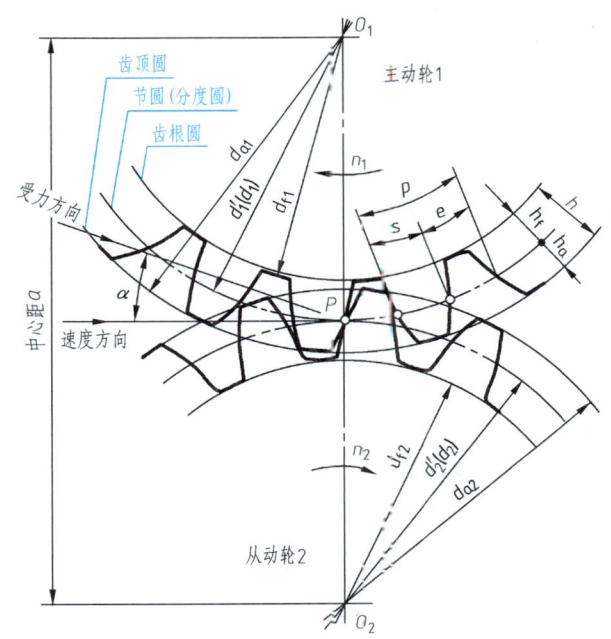

图 7-36　直齿圆柱齿轮各部分名称

式中，m 为齿轮的模数（mm）。

模数是设计、制造齿轮的重要参数，齿数一定时，模数越大，轮齿的尺寸越大，承载能力越强。为了便于制造，减少加工齿轮刀具的数量，国家标准对齿轮的模数做了统一规定。

（2）标准直齿圆柱齿轮各部分的尺寸关系　见表 7-2。

表 7-2　标准直齿圆柱齿轮各部分的尺寸关系

序号	名称	符号	计算公式
1	齿顶高	h_a	$h_a = m$
2	齿根高	h_f	$h_f = 1.25m$
3	齿高	h	$h = h_a + h_f = 2.25m$
4	分度圆直径	d	$d = zm$
5	齿顶圆直径	d_a	$d_a = (z+2)m$
6	齿根圆直径	d_f	$d_f = (z-2.5)m$
7	中心距	a	$a = m(z_1 + z_2)/2$
8	齿距	p	$p = \pi m$

3. 直齿圆柱齿轮的画法

（1）单个直齿圆柱齿轮的画法　在端面视图中，齿顶圆用粗实线绘制，齿根圆用细实线绘制或省略不画，分度圆用细点画线画出，如图 7-37a 所示。

另一个视图一般画成全剖视图，齿顶线和齿根线规定用粗实线画出，分度线用细点画线画出，如图 7-38b 所示。若不剖切，齿根线可以省略不画，轮齿按不剖处理。轮齿为斜齿、人字齿时，如图 7-37c、d 所示。

（2）直齿圆柱齿轮啮合的画法　在端面视图中，齿顶圆用粗实线绘制，啮

单个齿轮的画法

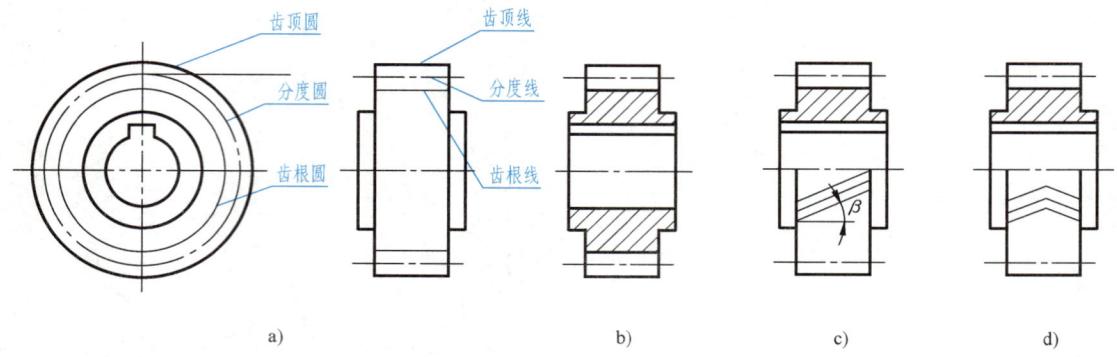

图 7-37 单个直齿圆柱齿轮的规定画法

合区内可以不画,相切的两个分度圆必须用细点画线画出,齿根圆省略不画。

在另一个视图中,当采用剖视图时,在啮合区域,分度线必须画出,两条齿根线必须用粗实线画出,齿顶线有一条为粗实线,另一条被遮挡,应画成虚线,齿顶线和齿根线之间的距离为 0.25m。若不剖时,在啮合区,齿顶线不画,只用一条粗实线表示分度线,如图 7-38 所示。

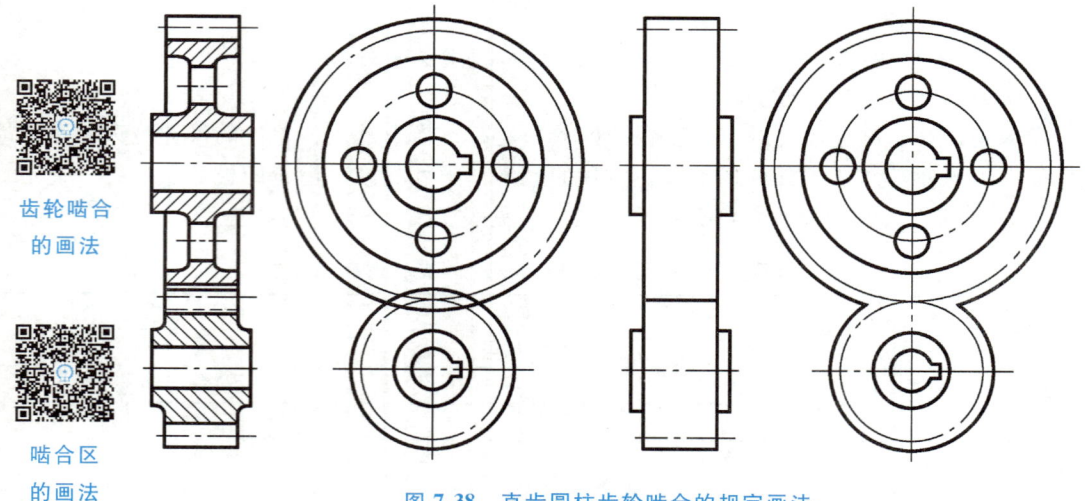

图 7-38 直齿圆柱齿轮啮合的规定画法

(3) 直齿圆柱齿轮零件图 在零件图中,只能表示出分度圆、齿顶圆、齿宽等部分尺寸,其他参数如模数、齿数、压力角、精度等在图形上反映不出来,所以一般都在零件图的右上角用表格说明,如图 7-39 所示。

二、斜齿圆柱齿轮

斜齿圆柱齿轮的画法和直齿圆柱齿轮相同,不同之处是要用三条与轮齿方向相同的细实线表示倾斜角的方向。

1. 单个斜齿圆柱齿轮的画法

在非圆视图中,一般画成半剖或局部剖视图,在未剖的部分用细实线画出倾斜方向,如图 7-37c 所示。

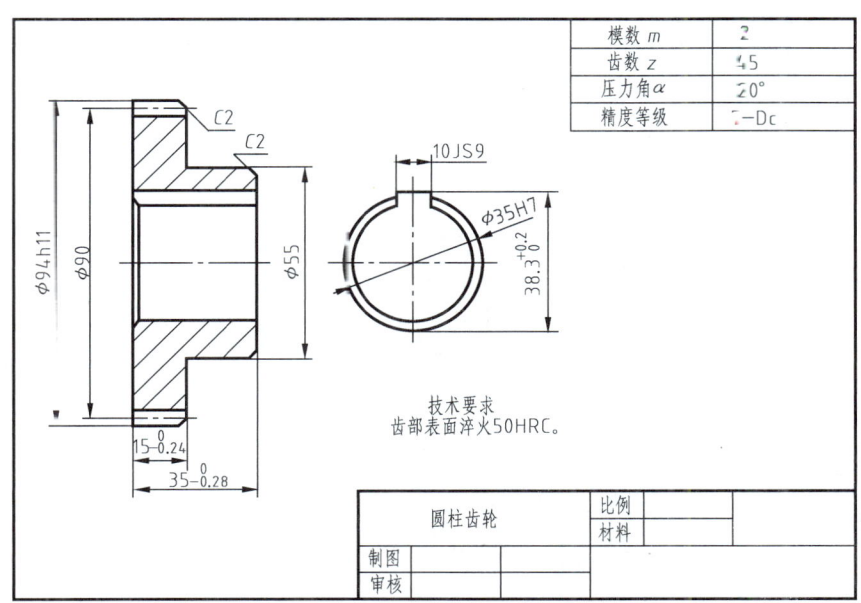

图 7-39 直齿圆柱齿轮零件图

2. 斜齿圆柱齿轮的啮合画法

啮合区的画法与直齿圆柱齿轮相同，对于斜齿的表示，应在非圆视图中，在两个齿轮上画出方向相反的细实线（相互啮合的斜齿轮，其轮齿的旋向应相反），如图 7-40 所示。

三、直齿锥齿轮

1. 单个直齿锥齿轮的画法

如图 7-41 所示，在投影为非圆的视图中，画法与圆柱齿轮类似，常用剖视，轮齿按不剖处理，用粗实线画出齿顶线和齿根线，用点画线画出分度线。在投影为圆的视图中，轮齿部分用粗实线画出大端和小端的齿顶圆，用点画线画出大端的分度圆，大、小端齿根圆和小端分度圆均不画出。

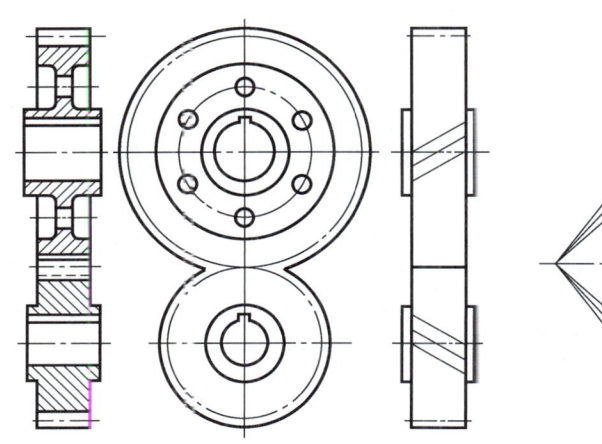

图 7-40 斜齿圆柱齿轮的啮合画法

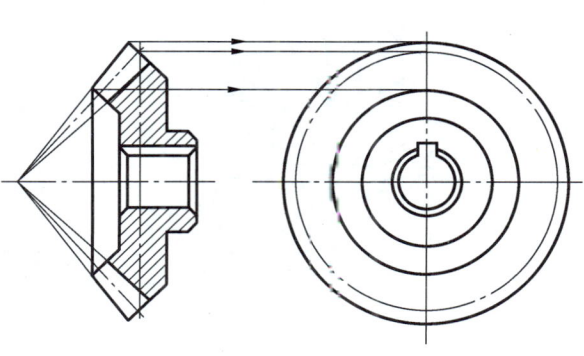

图 7-41 直齿锥齿轮的规定画法

除了上述规定画法外,齿轮其余部分均按投影原理画出。

2. 直齿锥齿轮的啮合画法

如图 7-42 所示,啮合的直齿锥齿轮主视图一般采用全剖视图,啮合区的画法与圆柱齿轮相同。应注意在反映大齿轮为圆的视图上,大齿轮大端节圆和小齿轮大端节圆相切。

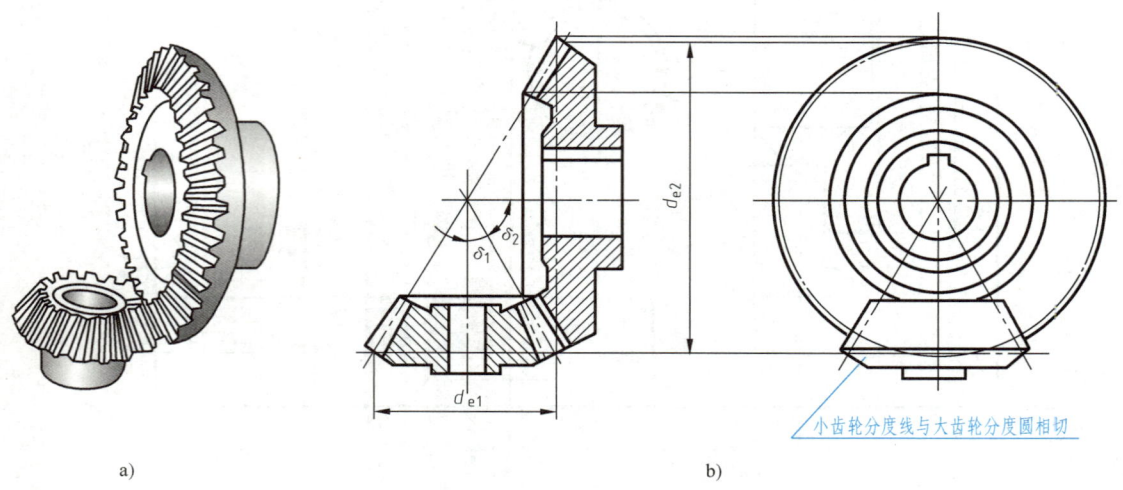

图 7-42 直齿锥齿轮的啮合画法

四、蜗轮和蜗杆

蜗轮和蜗杆一般用于两轴垂直交错之间的传动。在传动中,蜗杆为主动件,蜗轮为从动件,如图 7-43a 所示。蜗轮与蜗杆啮合的规定画法如图 7-43b 所示。在蜗杆投影为圆的剖视图中,蜗轮被遮挡的部分可省略不画;在蜗轮投影为圆的视图中,蜗轮分度圆与蜗杆节线相切,蜗轮外圆与蜗杆齿顶线相交。

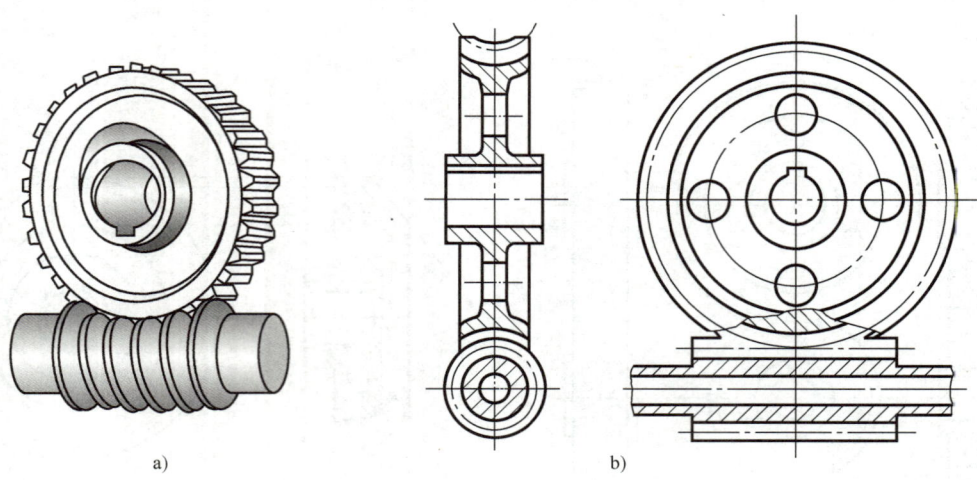

图 7-43 蜗轮和蜗杆的啮合画法

五、齿轮齿条

齿轮齿条啮合的画法如图 7-44 所示，可以把齿条看成一个直径无穷大的齿轮，因此，齿条的齿顶圆、分度圆、齿根圆的齿廓都是直线。画法与两圆柱齿轮啮合的画法相同。

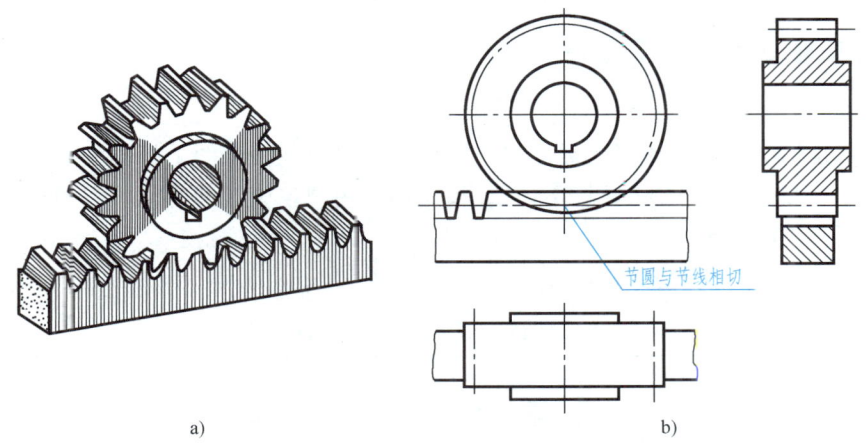

图 7-44 齿轮齿条啮合的画法

第四节 滚动轴承

在机器中，滚动轴承是用来支承轴的标准部件。它可以大大减小轴与孔相对旋转时的摩擦力，具有机械效率高、结构紧凑等特点，因此广泛应用在各类机器中。

一、滚动轴承的结构和类型

1. 滚动轴承的结构

滚动轴承类型很多，但其结构大体相同，一般由外圈、内圈、滚动体（球，滚子）和保持架等零件组成，如图 7-45 所示。

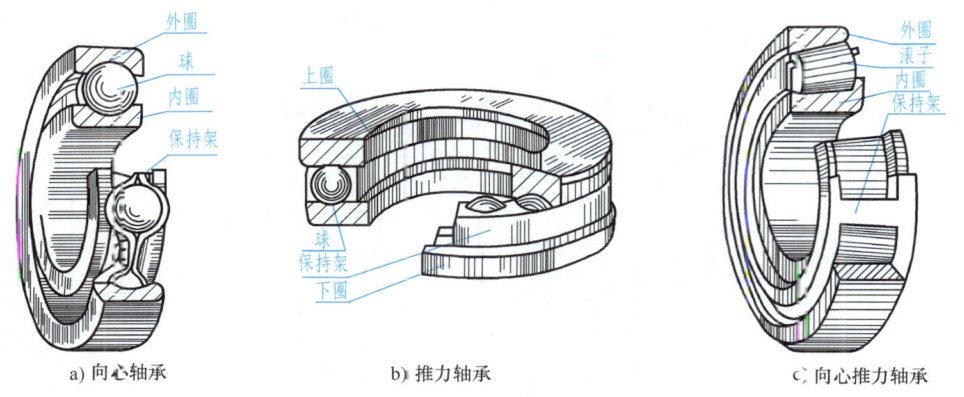

图 7-45 滚动轴承

2. 滚动轴承的类型

滚动轴承按承受载荷的方向可分为以下三种。

（1）向心轴承　主要承受径向载荷，如深沟球轴承，如图 7-45a 所示。

（2）推力轴承　只承受轴向载荷，如推力球轴承，如图 7-45b 所示。

（3）向心推力轴承　能同时承受径向和轴向载荷，如圆锥滚子轴承，如图 7-45c 所示。

二、滚动轴承的画法及标注

1. 滚动轴承的画法

滚动轴承是标准部件，所以无需画出其零件图，只要在装配图上根据外径 D、内径 d 和宽度 B 等几个主要尺寸（见附录表 B-16），按比例采用规定画法和特征画法即可，同一图样中一般只采用其中的一种画法。

规定画法和特征画法的各部分尺寸比例见表 7-3。

表 7-3　滚动轴承的规定画法和特征画法

名称和标准号	查表主要依据	画法		
		规定画法	特征画法	装配画法
深沟球轴承 GB/T 276—2013	D d B	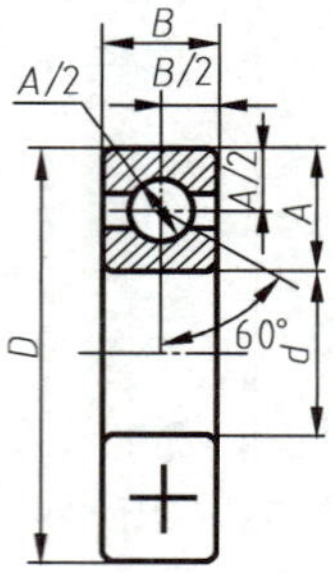	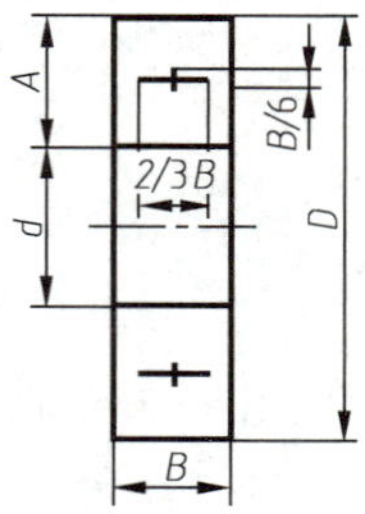	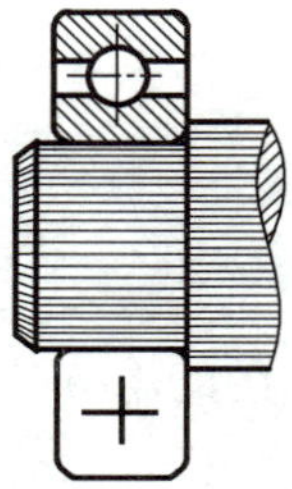
圆锥滚子轴承 GB/T 297—2015	D d B T C	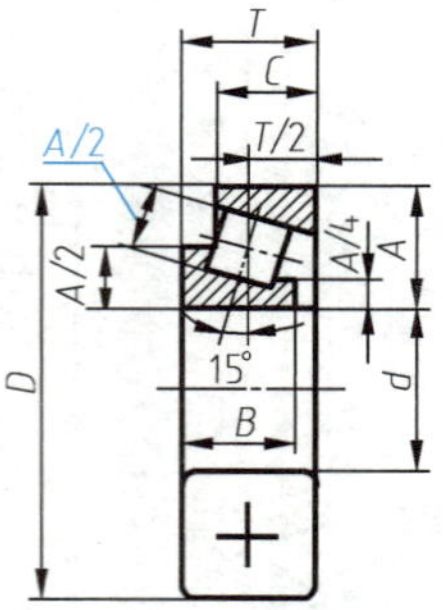	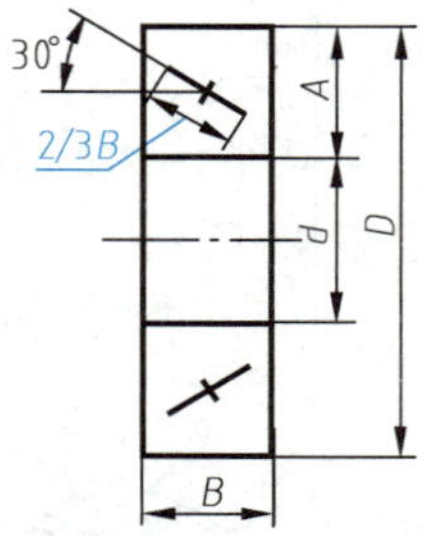	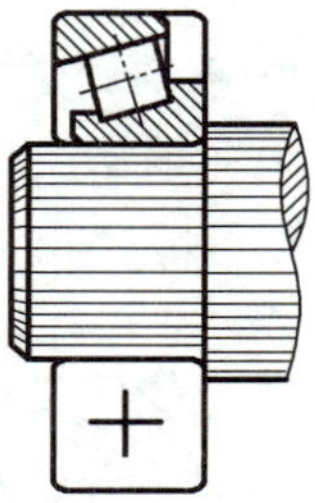
推力球轴承 GB/T 301—2015	D d T	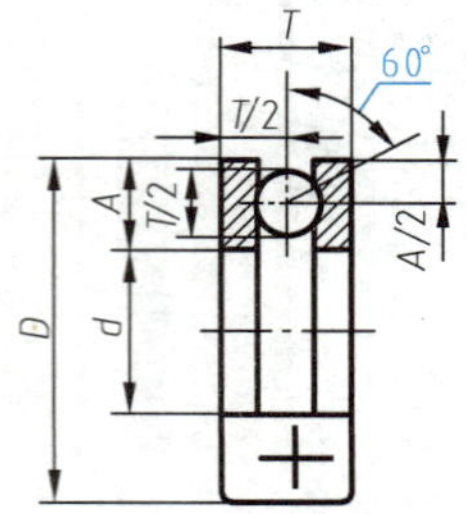	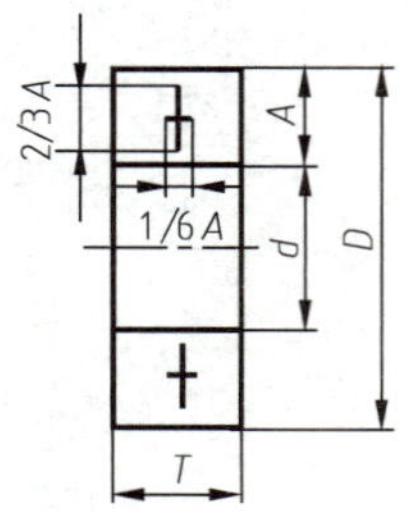	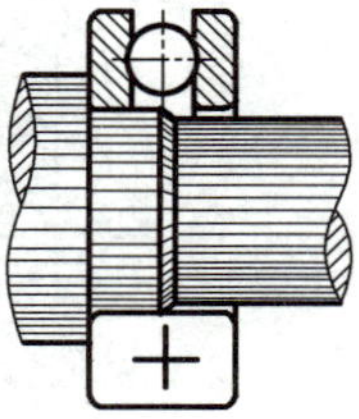

2. 滚动轴承的标注

滚动轴承的种类很多，又是标准部件，为了便于选择和使用，滚动轴承的结构、尺寸、公差等级等特征采用标准规定的代号来标注。

滚动轴承的代号由前置代号、基本代号和后置代号构成，其排列为

前置代号　基本代号　后置代号

（1）基本代号　基本代号表示轴承的基本类型、结构和尺寸，是滚动轴承代号的基础，由轴承类型代号、尺寸系列代号和内径代号组成。

1）轴承类型代号用数字或字母表示，见表7-4。

表 7-4　滚动轴承类型代号

代号	轴承类型	代号	轴承类型
0	双列角接触球轴承	6	深沟球轴承
1	调心球轴承	7	角接触球轴承
2	调心滚子轴承和推力调心滚子轴承	8	推力圆柱滚子轴承
3	圆锥滚子轴承	N	圆柱滚子轴承 双列或多列用字母 NN 表示
4	双列深沟球轴承	U	外球面球轴承
5	推力球轴承	QJ	四点接触球轴承

2）尺寸系列代号由轴承的宽（高）度系列代号和直径系列代号组成，用两位阿拉伯数字表示，是指同一内径的轴承具有不同的外径和宽度，因而有不同的承载能力，2、3、4分别为轻窄、中窄、重窄系列，具体代号需查阅相关标准。

3）内径代号表示轴承的公称内径，一般用两个阿拉伯数字表示。代号数字为00、01、02、03时，分别表示轴承内径 $d=10$mm、12mm、15mm、17mm；代号数字为04～96时，轴承内径 $d=$ 代号数字×5mm；轴承公称内径为1～9、大于或等于500以及22、28、32时，用公称内径毫米数直接表示，但应与尺寸系列代号之间用"/"隔开。

轴承基本代号举例：

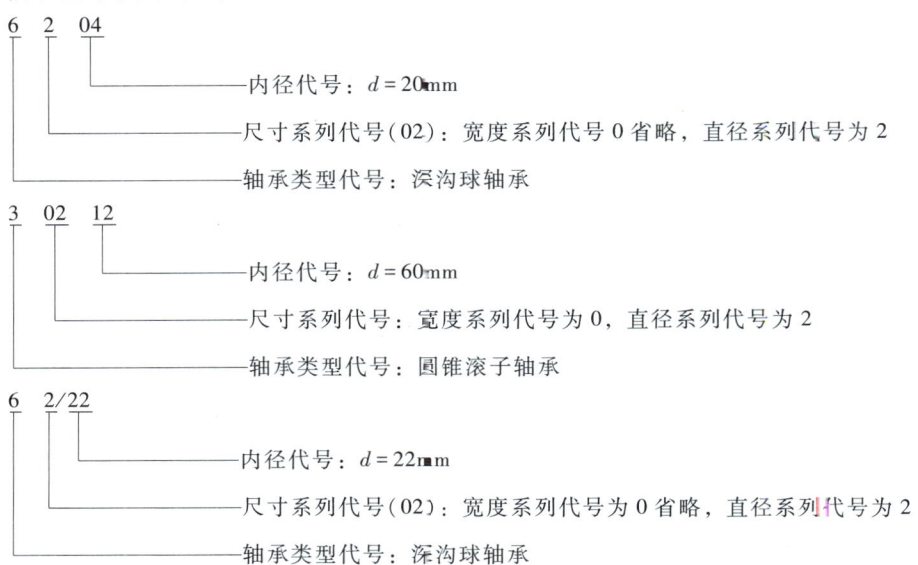

(2) 前置、后置代号　前置、后置代号是轴承在结构形状、尺寸、公差技术要求等有改变时，在其基本代号左、右添加的补充代号，前置代号用字母表示，后置代号用字母或字母加数字表示。

例：L　　N 207

L 是前置代号；N 207 是基本代号，其中：N 为类型代号，（0）2 为尺寸系列代号，07 为内径代号。

轴承代号中数字、字母的含义可查阅 GB/T 272—2017。

第五节　弹簧

弹簧是用途广泛的常用零件，主要用于减振、夹紧、测力和储存能量等方面。弹簧的特点是在其弹性限度内，去掉外力后能立即恢复原状。常见弹簧如图 7-46 所示。本节主要介绍普通圆柱螺旋压缩弹簧的画法和尺寸计算。

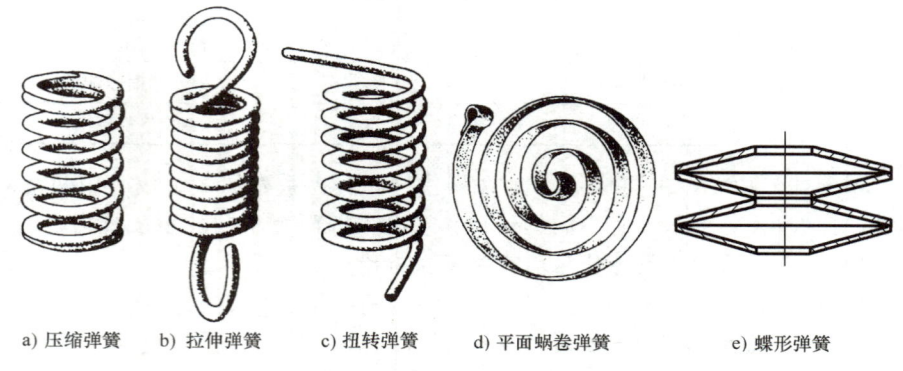

a) 压缩弹簧　　b) 拉伸弹簧　　c) 扭转弹簧　　d) 平面蜗卷弹簧　　e) 蝶形弹簧

图 7-46　常见弹簧

一、圆柱螺旋压缩弹簧的各部分名称及尺寸计算

圆柱螺旋压缩弹簧的参数如图 7-47 所示。

(1) 弹簧丝直径 d

(2) 弹簧直径

1) 弹簧外径 D：弹簧的最大直径。

2) 弹簧内径 D_1：弹簧的最小直径。

3) 弹簧中径 D_2：弹簧的规格直径，$D_2 = (D+D_1)/2$。

(3) 节距 t　除支承圈外，相邻两圈沿轴向的距离。

(4) 有效圈数、支承圈数和总圈数

1) 有效圈数 n：弹簧受力时实际起作用的圈数。

2) 支承圈数 n_2：为了使弹簧工作时受力均匀，保证轴线垂直于支承端面，通常两端并紧并磨平，这部分圈数仅起支承作用，所以称为支承圈。支承圈数有 1.5 圈、2 圈和 2.5 圈三种，其中 2.5 圈用得较多。

3) 总圈数 n_1：有效圈数和支承圈数之和。$n_1 = n + n_2$。

(5) 自由高度 H_0　弹簧不受外力时的高度或长度，$H_0 = nt+(n_2-0.5)d$。

(6) 弹簧展开长度 L　制造时弹簧簧丝的长度。

(7) 旋向　弹簧的螺旋方向分为右旋和左旋两种，大多是右旋，其旋向判别方法与螺纹的相同。

二、圆柱螺旋压缩弹簧的规定画法

圆柱螺旋压缩弹簧可画成剖视图、视图或示意图，如图 7-48 所示。

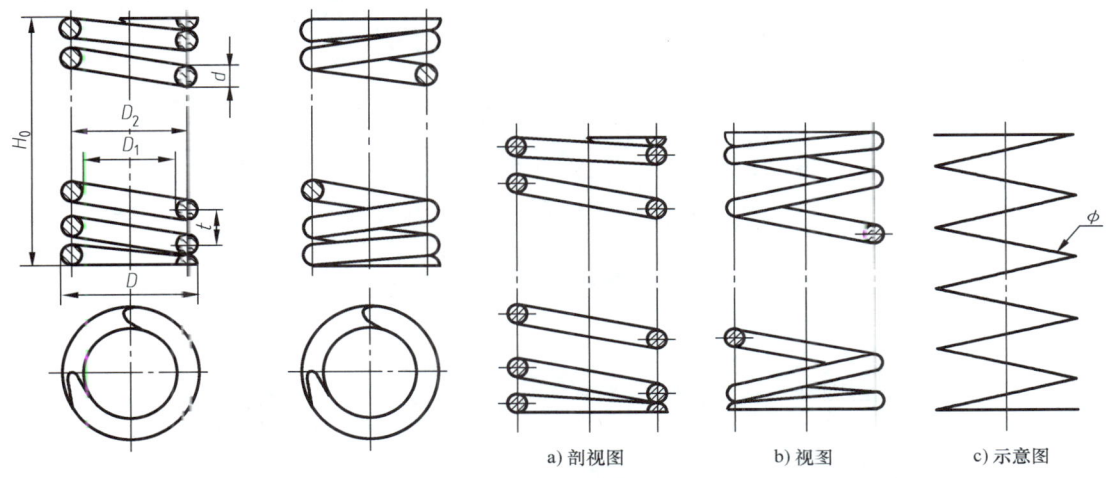

图 7-47　圆柱螺旋压缩弹簧的参数　　　图 7-48　圆柱螺旋压缩弹簧的表达方法

1. 单个弹簧的规定画法

1) 圆柱螺旋压缩弹簧在平行于轴线的投影面上的图形，其各圈的外形轮廓应画成直线。

2) 有效圈数在四圈以上的圆柱螺旋压缩弹簧，可以每端只画两圈（支承圈除外），中间各圈可以省略不画，只画出通过簧丝剖面中心的两条点画线，且可以适当缩短图形长度。

3) 圆柱螺旋压缩弹簧均可画成右旋，但左旋弹簧不论画成左旋或右旋，一律要注写旋向"左"字。

4) 圆柱螺旋压缩弹簧如要求两端并紧且磨平时，不论支承圈是多少，均按 2.5 圈绘制，必要时也可按支承圈的实际结构绘制。

圆柱螺旋压缩弹簧的画图步骤如图 7-49 所示。

2. 弹簧在装配图中的规定画法

1) 在装配图中，弹簧被看作是实心物体，当中间采用省略画法后，弹簧后面被遮挡的零件轮廓不必画出，如图 7-50a 所示。

2) 如果是剖面，可以涂黑表示，如图 7-50b 所示；当弹簧丝直径在图上≤2mm 时，可采用示意画法，如图 7-50c 所示。

三、圆柱螺旋压缩弹簧的标记

圆柱螺旋压缩弹簧的标记由名称、形式、尺寸、标准编号、材料牌号以及表面处理组成。

例如 YA 型螺旋压缩弹簧，材料直径为 1.2mm，弹簧中径为 8mm，自由高度为 40mm，刚度、外径、自由高度的精度为 2 级，左旋，其标记为

YA1.2×8×40-2 左 GB/T 2089

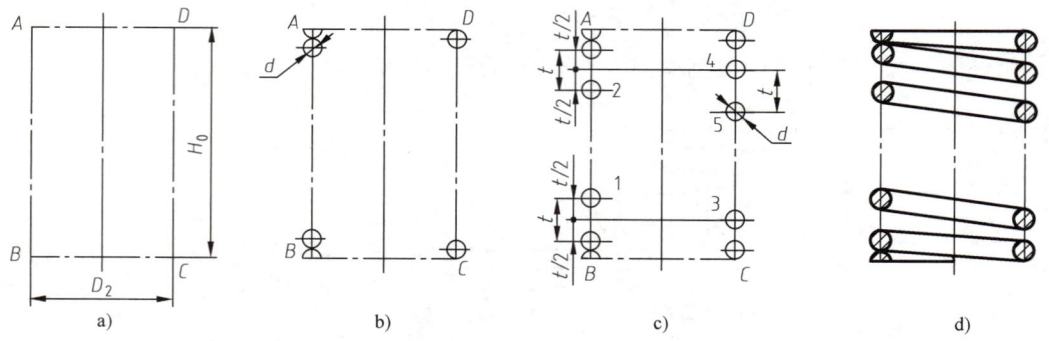

图 7-49　圆柱螺旋压缩弹簧的画图步骤

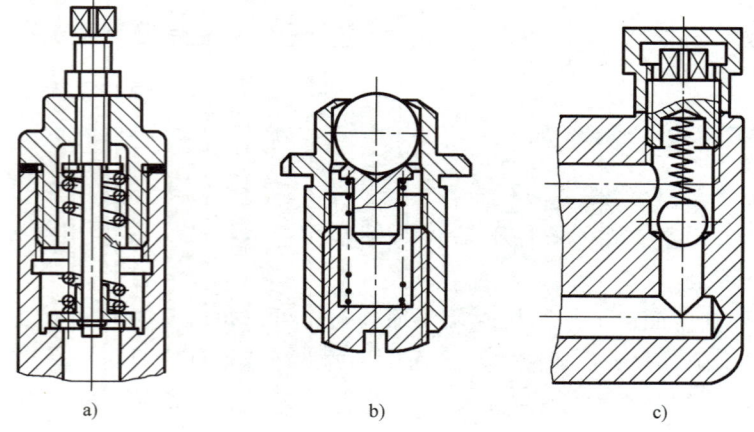

图 7-50　弹簧在装配图中的规定画法

第八章 零件图

> 任何一台机器或部件都是由多种零件按照一定的装配关系和技术要求装配而成的,组成机器的最小单位称为零件,表达零件结构形状、尺寸大小、加工和检验等方面技术要求的图样称为零件图。本章主要学习零件图的画法。在本章的学习过程中,应注意培养严谨细致、精益求精的工作态度;并注意零件设计和加工要达到精度要求,同时要有成本意识。

第一节 概述

一、零件图的作用

零件图反映设计者的意图,表达机器或部件对零件的要求、结构和制造的可能性与合理性,是工厂制造和检验零件的技术依据,是设计部门提交给生产部门的重要技术资料。因此,零件图的阅读和绘制是学生必须掌握的重要技能之一。

二、零件图的内容

要看懂一张零件图,不仅要看懂零件的视图,想象出零件的形状,还要分析零件的结构、尺寸和技术要求等内容。图 8-1a、b 所示为滑动轴承装配图和轴测分解图。滑动轴承是支承轴转动的一个部件,由一些常用件(螺栓、螺母)和一般零件(轴承座、轴承盖等)装配而成。图 8-1c 所示为滑动轴承中轴承座的零件图。由图可见,一张完整的零件图包括以下内容。

1. 标题栏

标题栏画在图框的右下角,用于填写零件的名称、材料、比例、制图和审核人员的姓名、日期等。

2. 一组图形

选用一组适当的视图、剖视图、断面图等,将零件的内、外形状正确、完整、清晰地表达出来。图 8-1c 所示的零件图,画出了半剖的主视图和左视图及一个未剖的俯视图,将轴承座的内、外结构形状准确地表示出来。

3. 完整的尺寸

正确、完整、清晰、合理地标注零件在制造和检验时所需的全部尺寸,如图 8-1c 所示。

4. 技术要求

用国家标准规定的符号、代号、标记和文字说明零件制造和检验过程中所应达到的各项技术指标和质量要求,如表面粗糙度、尺寸公差、几何公差、热处理、表面处理等,如图8-1中 Ra6.3 和 φ60H8、图 8-57 中 ◎ φ0.01 B 和调质 220~250HBW 等。

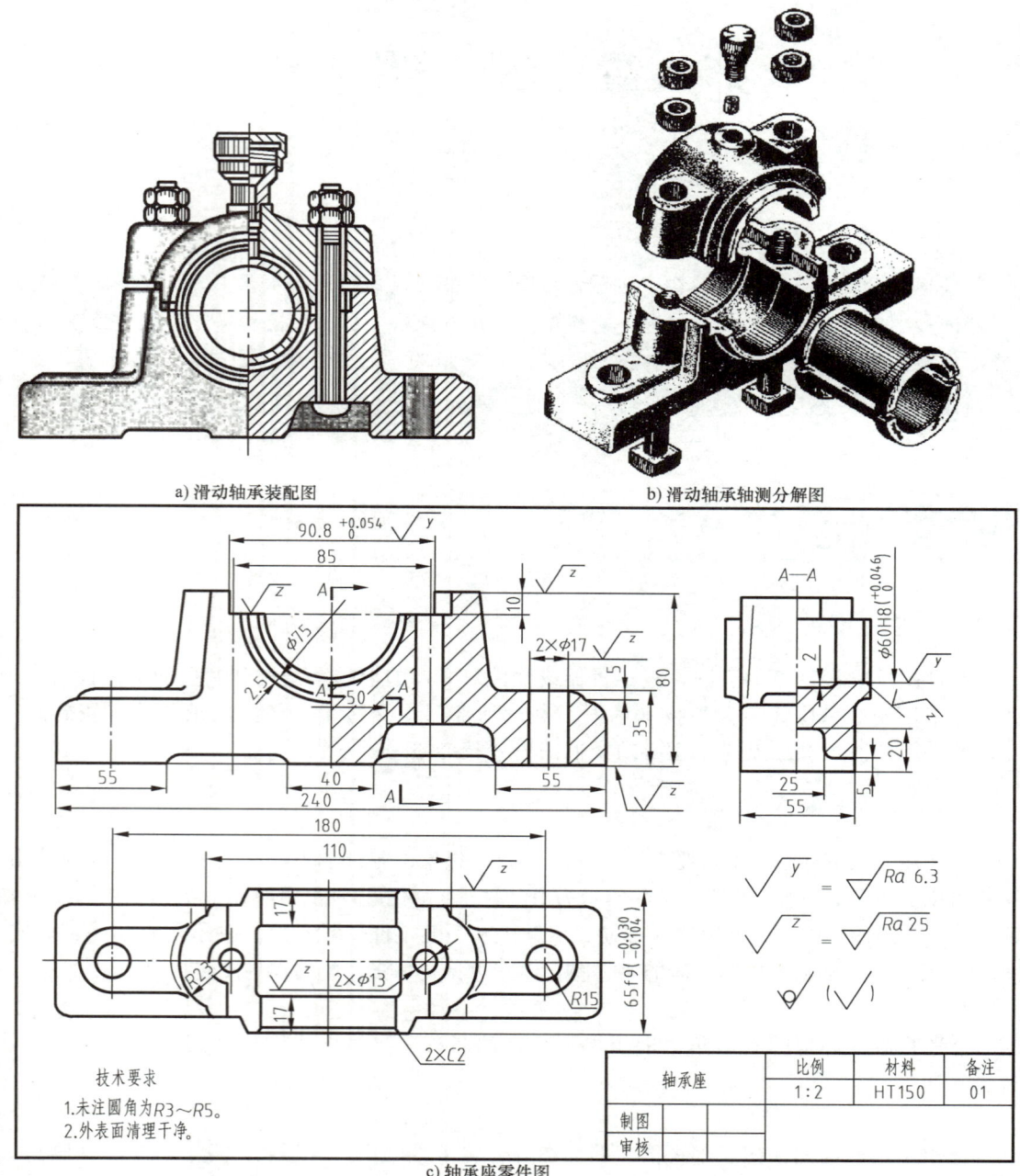

图 8-1 滑动轴承

第二节　零件图的视图选择原则

零件图应把零件的结构形状表达清楚,为了满足要求,首先要对零件的结构、形状、特点进行分析，了解零件在机器或部件中的位置、作用及加工方法，综合分析后选择合适的表达方法，并在零件表达清楚的前提下，尽量减少视图数量。

选择视图的内容包括：主视图的选择、视图数量的选择和表达方法的选择。

一、主视图的选择

主视图是一组图形的核心，主视图选择恰当与否将直接影响到其他视图位置和数量的选择，关系到画图、看图是否方便等问题，所以，主视图的选择一定要慎重。选择主视图时，应考虑下列原则。

1. 加工位置（装夹位置）原则

对于以同轴回转体为主要结构的零件（如轴、套、轮和盘类零件），其大部分工序是在车床、磨床上进行加工，为了在加工时便于看图，这类零件的主视图应将其轴线水平放置，如图 8-2 所示。

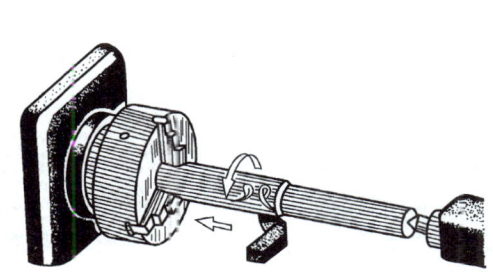
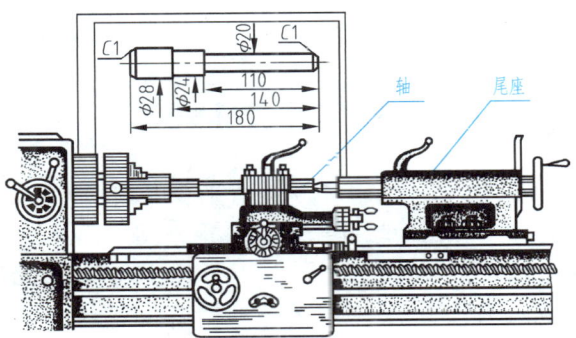

图 8-2 轴类零件的加工位置

2. 工作位置原则

有些零件加工面多，加工时要频繁地更换装夹位置。所以，该类零件的主视图应尽量符合零件在机器或部件中的工作位置，即按零件的工作位置放置，这样便于想象出零件的工作情况，也便于根据图样进行装配图的绘制。钩、支座、箱体类零件多按工作位置放置，如图 8-3 所示的吊钩，其主视图就是根据反映其工作位置并尽量多地反映其形状特征的原则选定的。

3. 形状特征原则

主视图的投影方向应能反映零件较突出的形状特征。如图 8-4 所示的轴承盖，A 向作为主视图更能反映零件的结构形状特征。

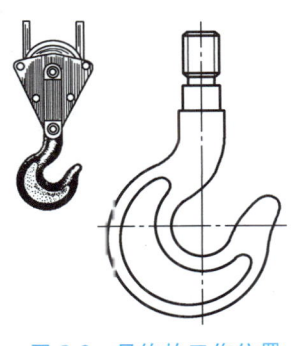
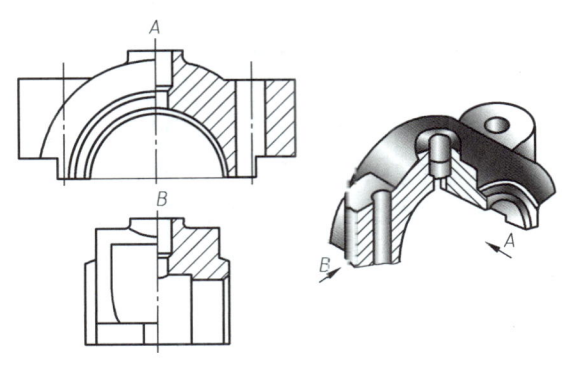

图 8-3 吊钩的工作位置　　　　　图 8-4 轴承盖的主视图选择

因此，主视图选择的原则是首先考虑能反映零件的形状特征，在反映形状特征的前提下，考虑零件的安放位置，即零件的工作位置和加工位置。零件的工作位置和加工位置能够统一更好，若不能将二者统一，则应根据零件的具体情况，按工作位置或加工位置来画主视图。

二、视图数量的选择

主视图确定后，应视零件的复杂程度，分析还有哪些结构未表达完整，将主视图未表达清楚的部位用其他视图进行表达，并使每个视图都有表达的重点。在能够完整、清晰、正确地表达零件形状和结构的前提下采用尽量少的视图，力求制图简便。

三、表达方法的选择

零件的表达方法包括视图、剖视图、断面图、局部放大图、简化画法和其他规定画法等。为了完整、清晰地表达一个具体零件，需要认真选择（见第六章）。

第三节　零件图的尺寸标注

零件图是制造、检验零件的重要技术文件，图形只表达零件的形状，而零件的大小则完全由图上标注的尺寸来确定。零件图中的尺寸，不但要按前面的要求标注正确、完整、清晰，而且必须符合生产实际，即标注合理。所谓合理，是指所标注的尺寸既符合设计要求，又满足工艺要求，便于零件的加工、测量和检验。本节将重点介绍标注尺寸的合理性问题。

一、尺寸基准的选择

标注尺寸的起点，称为尺寸基准。通常选择零件上的一些几何元素——面（如底面、对称面、端面等）和线（如回转体的轴线）作为尺寸基准。

选择尺寸基准的目的，一是为了确定零件在机器中的位置或零件上几何元素的位置，以符合设计要求；二是为了在制作零件时，确定测量尺寸的起点位置，便于加工和测量，以符合工艺要求。因此，根据基准作用的不同，可把基准分为两类：设计基准和工艺基准。

1. 设计基准

设计时根据零件在机器中的位置和作用所选定的基准为设计基准。如图8-5所示，轴承座的底面为安装面，轴承孔的中心高应根据这一平面来确定，因此底面是高度方向的设计基准；轴承座的左右和前后对称面是长度和宽度方向的主要基准。设计基准通常是主要基准。

2. 工艺基准

工艺基准为方便零件加工和测量而选定的基准。零件上有些结构若以设计基准为起点标注尺寸，可能不便于加工和测量，此时必须增加一些辅助基准作为标注这些尺寸的起点，如图8-5中螺纹孔M10-7H的深度，若以底面为基准标注尺寸十分不便，而以轴承的顶面为基准标注其深度尺寸，则便于控制加工和测量，这时，顶面就是螺孔深度的工艺基准，也是高度方向的辅助基准。

提示： 选择基准时，应尽可能使工艺基准与设计基准重合，当不能重合时，所注尺寸应在保证设计要求的前提下满足工艺要求。

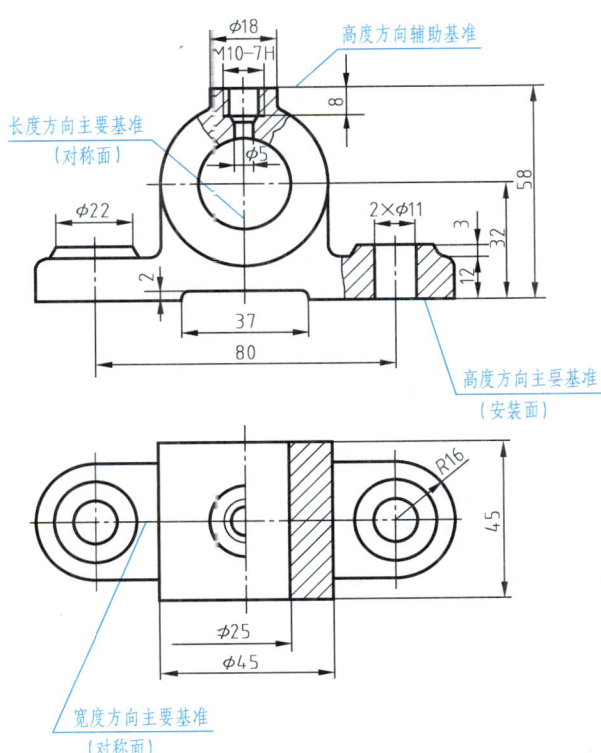

尺寸基准

图 8-5　尺寸基准的选择

二、标注尺寸的一般原则

1. 标注尺寸要符合设计要求和工艺要求

如图 8-5 中的轴承孔中心高的标注 32 和轴承油杯螺纹孔的尺寸标注 8。

2. 重要尺寸直接标注

零件之间的配合尺寸、确定零件在机器部件上位置的尺寸、反映零件在机器中性能规格的尺寸等均属重要尺寸，如图 8-6a 所示支座的轴孔直径 φ、中心高 a 及两安装孔的中心距

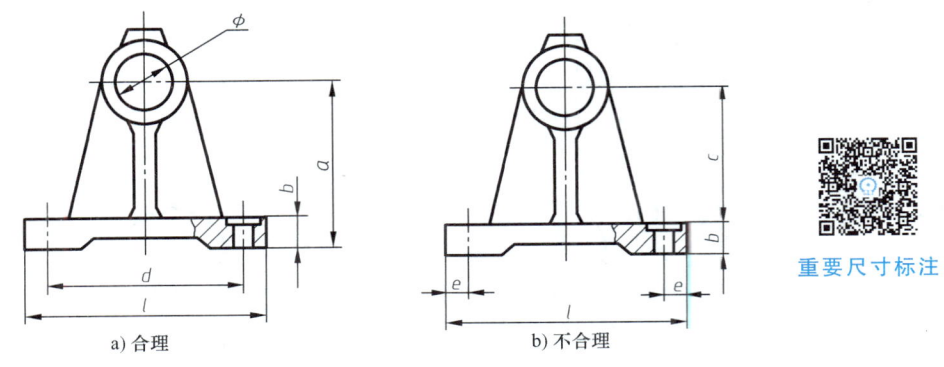

重要尺寸标注

图 8-6　重要尺寸直接标注

离 d。如按照图 8-6b 所示进行尺寸标注，则容易造成累计误差。

3. 避免标注成封闭尺寸链

封闭尺寸链是指尺寸线首尾相接，串联成一个封闭环形的一组尺寸。标注尺寸时应避免形成封闭尺寸链，可以选择一个不重要的尺寸不予标注，使尺寸链留有开环，如图 8-7a 所示。L 是总长，是 A、B、C 三个尺寸之和，且有一定精度要求，若是封闭的尺寸链，那么，A、B、C 三个尺寸的加工误差积累到 L 上，难以保证 L 的尺寸精度要求，如图 8-7b 所示。将不重要的尺寸不予标注，留有开环，可以把所有尺寸误差累积到这一段，这样就保证了重要尺寸的精度要求。

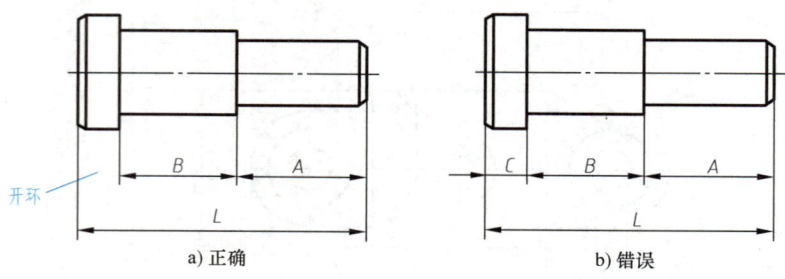

图 8-7　避免标注成封闭尺寸链

4. 按加工要求标注尺寸

为使不同工种的工人看图方便，应将零件上的加工面尺寸与非加工面尺寸尽量分别注在图形的两边（见图 8-8）。对同一工种的加工尺寸，要适当集中标注（图 8-9 中的铣削尺寸注在上面，车削尺寸注下面），以便加工时查找。

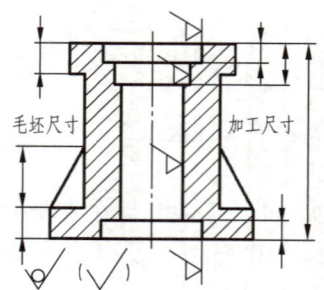

图 8-8　加工面与非加工面的尺寸注法

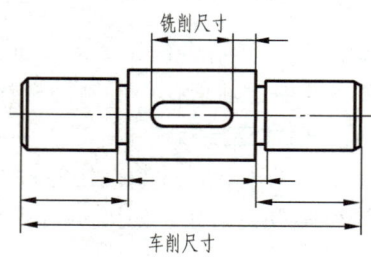

图 8-9　同工种加工的尺寸注法

5. 按测量要求标注尺寸

对所注尺寸，要考虑零件在加工过程中测量方便，如图 8-10 所示。

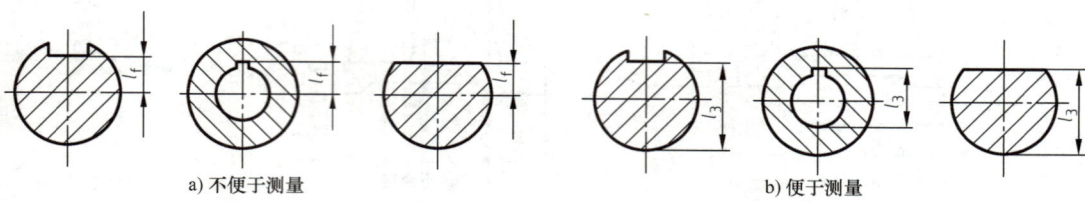

图 8-10　按测量要求标注尺寸

6. 零件上常见孔的尺寸注法

光孔、锪孔、沉孔和螺纹孔是零件上常见的结构，它们的尺寸注法分为普通注法和旁注法，见表 8-1。

表 8-1 零件上常见孔的尺寸注法

类型	普通注法	旁注法		说明
光孔	4×φ4，C1，深10	4×φ4▼10，C1	4×φ4▼10，C1	"▼"为孔深符号 "C"为45°倒角符号
光孔	4×φ4H7，钻深12，铰深10	4×φ4H7▼10，▼12	4×φ4H7▼10，▼12	钻孔深度为12，精加工（铰孔）深度为10mm，"H7"表示孔的精度要求
光孔	该孔无普通注法。注意：φ4是指与其相配的圆锥销的公称直径（小端直径）	锥销孔φ4 配作	锥销孔φ4 配作	"配作"指该孔与相邻零件的同位锥销孔一起加工
锪孔	φ13，4×φ6.6	4×φ6.6，⌴φ13	4×φ6.6，⌴φ13	"⌴"为锪平、沉孔符号。锪孔通常只需锪出圆平面即可，因此深度一般不注
柱形沉孔	φ11，6.8，4×φ6.6	4×φ6.6，⌴φ11 6.8	4×φ6.6，⌴φ11 6.8	该孔为安装内六角圆柱头螺钉所用，承装头部的孔深应注出
锥形沉孔	90°，φ13，6×φ6.6	6×φ6.6，∨φ13×90°	6×φ6.6，∨φ13×90°	"∨"为埋头孔符号。该孔为安装开槽沉头螺钉所用

（续）

类型	普通注法	旁注法			说明
螺纹孔	3×M6-7H 2×C1	3×M6-7H 2×C1		3×M6-7H 2×C1	"2×C1"表示两端倒角均为C1
	3×M6 EQS	3×M6▼10 孔▼12 EQS		3×M6▼10 孔▼12 EQS	"EQS"为均匀分布孔的缩写词

第四节 零件上常见的工艺结构

零件在生产制造的过程中必须满足生产工艺的要求，才能确保零件的制造质量达到零件所需要的技术要求，若不能满足，则该零件难以保证质量要求。所以，零件的结构形状，除了应满足使用要求外，还应满足生产工艺的要求，具有合理的工艺结构。下面将零件上常见的工艺结构做简单介绍。

一、铸造工艺结构

1. 起模斜度

在铸造零件毛坯时，为了能将木模顺利地从砂型中提取出来，常在铸件的内外壁上沿着起模方向设计出斜度，这个斜度称为起模斜度，如图8-11a所示。起模斜度一般为（1∶20）~（1∶10），也可以用角度表示（木模造型取1°~3°）。起模斜度在制作木模时应予考虑，在视图上可不注出。如有特殊要求，可在技术要求中说明。

2. 铸造圆角

为了便于起模和避免砂型尖角在浇注时（见图8-11a、b）发生落砂，以及防止铸件两表面的尖角处出现裂纹、缩孔，往往将铸件各表面相交处做成圆角，如图8-11c所示。在零件图上，该圆角一般应画出并标注圆角半径。当圆角半径相同（或多数相同）时，也可将其半径尺寸在技术要求中统一注写，如图8-11d所示。

3. 铸件壁厚

铸件壁厚应尽量均匀或采用逐渐过渡的结构，如图8-11d所示。否则，在壁厚处极易形成缩孔或在壁厚突变处产生裂纹，如图8-11e所示。

4. 过渡线

由于有铸造圆角，铸件表面的交线变得不够明显，若不画出这些线，零件的结构则显得含糊不清，为了便于看图及区分不同表面，图样中仍需按没有圆角时交线的位置，画出这些不太明显的线，此线称为过渡线，其投影用细实线表示，只是在其端点处不宜与轮廓线相连，如图8-12所示。

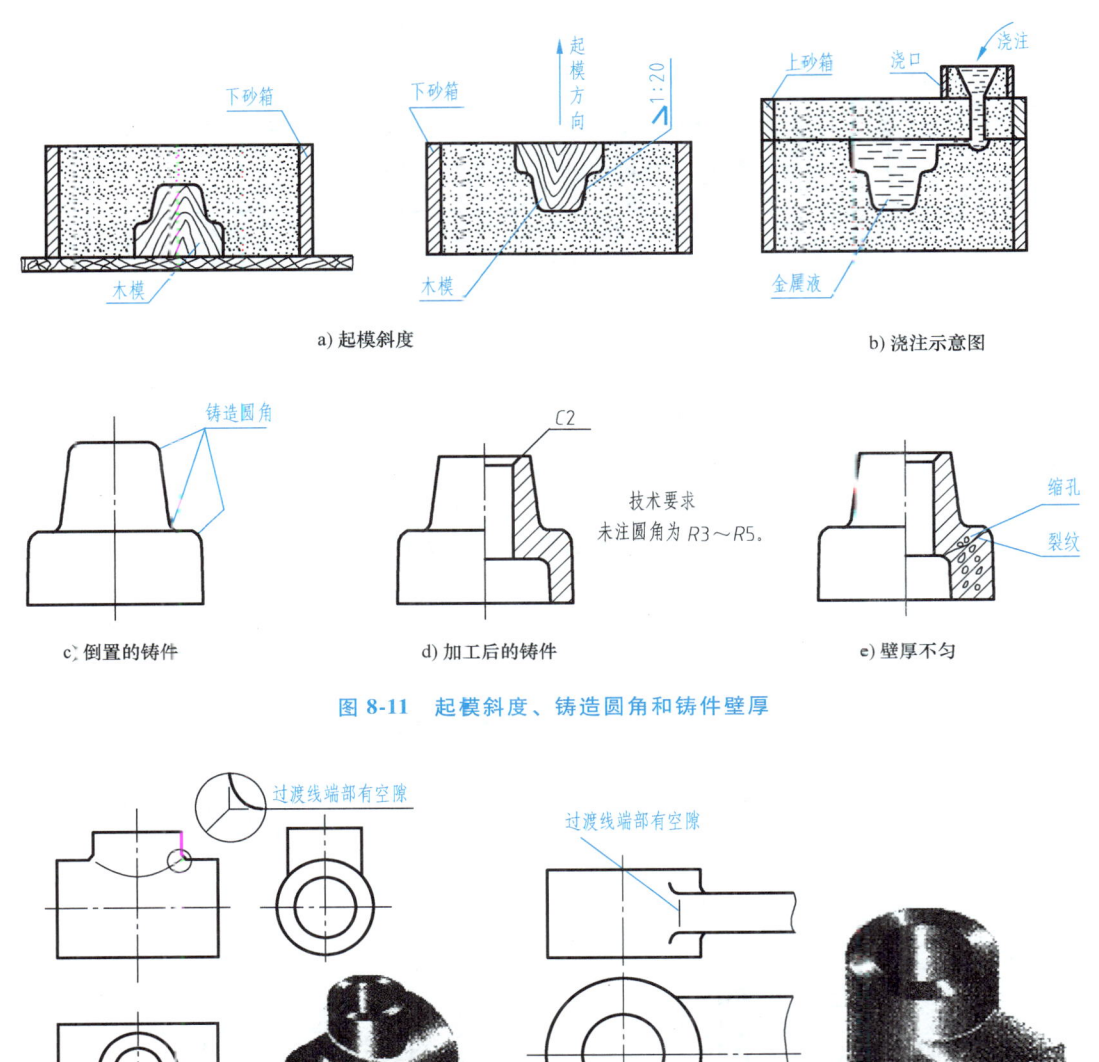

图 8-11 起模斜度、铸造圆角和铸件壁厚

图 8-12 过渡线的画法

在生产实际中，对于一般铸、锻件表面的过渡线画法要求并不高，只要求在图样上将组成机件的各个几何体的形状、大小和相对位置清楚地表示出来即可，因为过渡线会在生产过程中自然形成。

二、机械加工工艺结构

1. 倒角和倒圆

为了去除飞边、锐边和便于装配，在轴和孔的端部（或零件的面与面的相交处），一般都加工出倒角；为了避免应力集中产生裂纹，在轴肩处往往加工成圆角的过渡形式，此圆角称为倒圆。倒角和倒圆的尺寸可在相应标准中查出,其尺寸注法如图 8-13 所示。

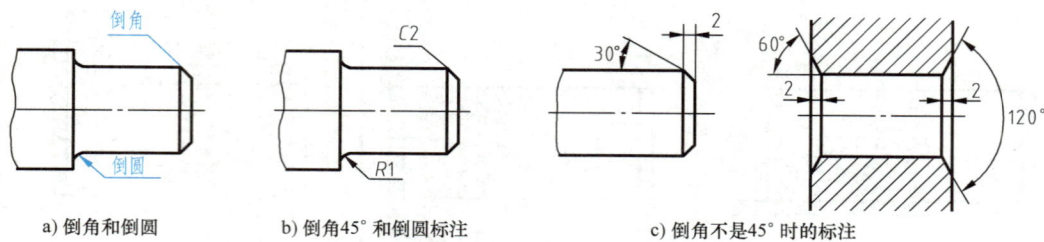

a) 倒角和倒圆　　　　b) 倒角45°和倒圆标注　　　　c) 倒角不是45°时的标注

图 8-13　倒角与倒圆的画法及其标注

2. 退刀槽和砂轮越程槽

在车削螺纹或磨削轴表面时,为了便于退出刀具或使砂轮可稍微越过加工面,常在被加工面的轴肩处预先车出退刀槽或砂轮越程槽,如图 8-14 所示。其具体结构和尺寸需根据轴径(或孔径)查阅标准得到。其尺寸可按"槽宽×槽深"或"槽宽×直径"的形式注出。当槽的结构比较复杂时,可画出局部放大图标注尺寸。退刀槽和砂轮越程槽的三种常见的标注方法如图 8-15 所示。

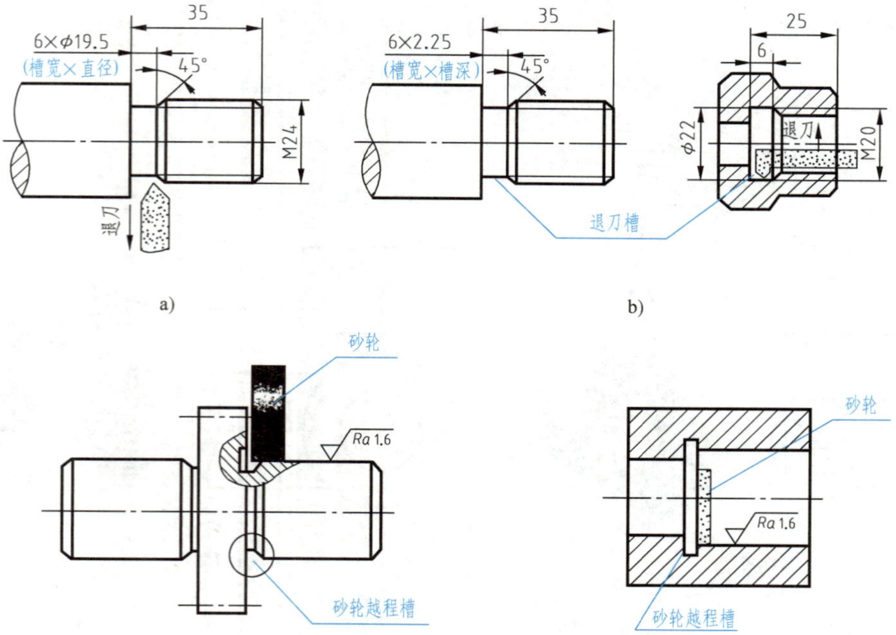

图 8-14　退刀槽和砂轮越程槽

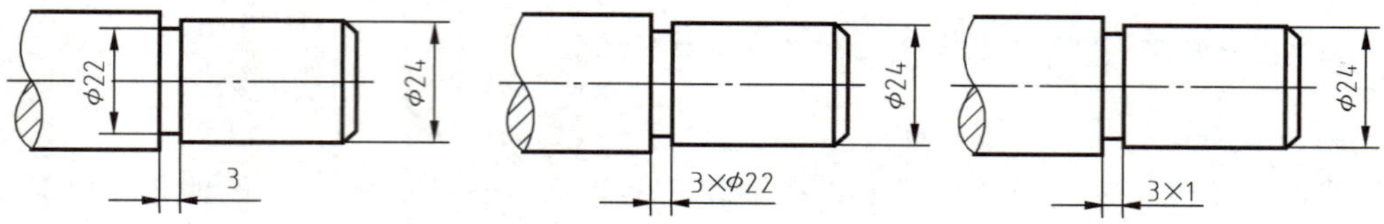

图 8-15　退刀槽和砂轮越程槽的尺寸标注

3. 凸台和凹坑

为了使零件表面接触良好和减少加工面积，常在铸件的接触部位铸出凸台、凹坑、凹槽或凹腔等结构，其常见形式如图 8-16 和图 8-17 所示。

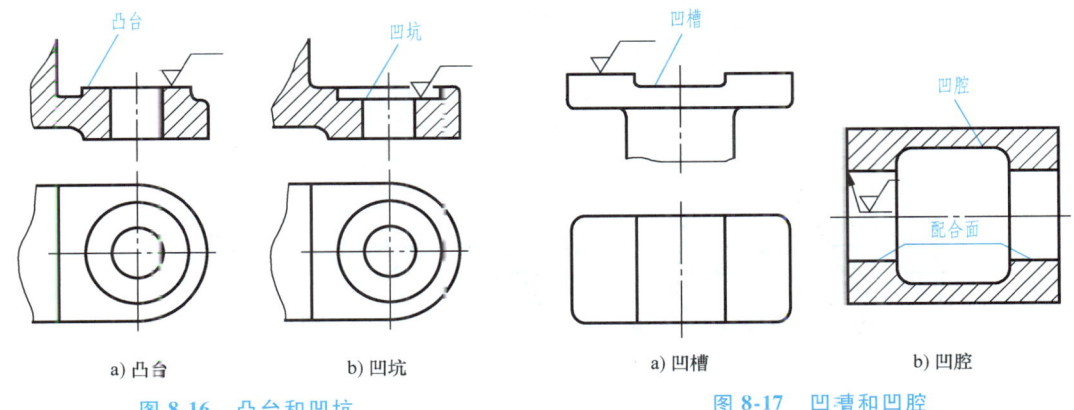

图 8-16　凸台和凹坑　　　　　　　　图 8-17　凹槽和凹腔

4. 钻孔结构

钻孔时，钻头的轴线应与被加工表面垂直，否则会使钻头弯曲，甚至折断，如图 8-18a 所示。因此，当零件表面倾斜时，可设置凸台或凹坑，如图 8-18b、c 所示。钻头单边受力也容易折断。因此，对于钻头钻透处的结构，也要设置凸台使孔完整，如图 8-18d 所示。

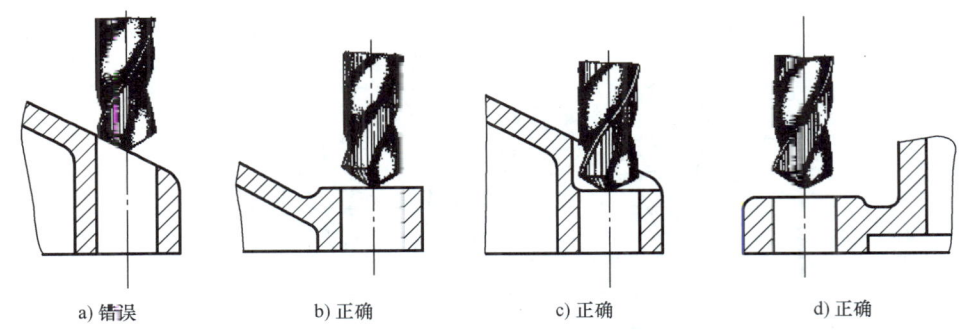

图 8-18　钻孔结构

第五节　零件图的技术要求——表面结构的表示法

所谓表面结构，就是指零件表面的几何形貌，它是表面粗糙度、表面波纹度、表面纹理、表面缺陷和表面几何形状的总称。本节只介绍我国目前应用最广的表面粗糙度在图样上的表示法及其符号、代号的标注与识读方法。

一、表面粗糙度的评定参数及数值

表面粗糙度参数是评定表面结构要求时普遍采用的主要参数。此参数既能满足常用表面的功能要求，也为检测提供了方便。

1. 轮廓算术平均偏差（Ra）

轮廓算术平均偏差（Ra）指在一个取样长度 L 内轮廓偏距（表面轮廓线上任一点到基准线的距离）绝对值的算术平均值，如图 8-19 所示，其值为

$$Ra = \frac{|Z_1| + |Z_2| + |Z_3| + \cdots + |Z_n|}{n}$$

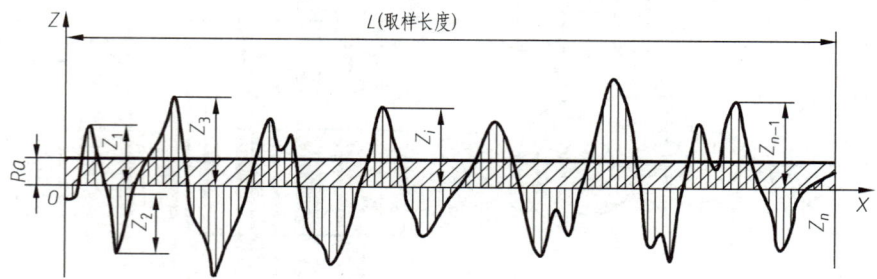

图 8-19 轮廓算术平均偏差（Ra）

Ra 的单位是 μm，数值越大，零件表面越粗糙；Ra 的数值越小，零件表面越光滑，但加工成本也越高。因此，在满足使用要求的前提下，应尽量选用较大的 Ra 值，以降低成本。

2. 轮廓最大高度（Rz）

轮廓最大高度（Rz）指在一个取样长度 L 内最大轮廓峰高与最大轮廓谷深之和，如图 8-20 所示。

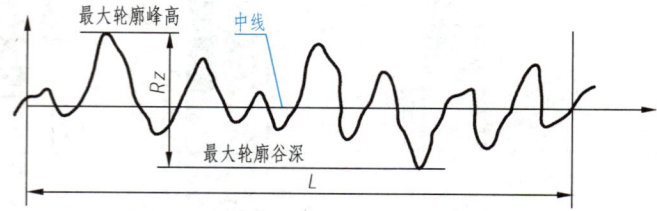

图 8-20 轮廓最大高度（Rz）

由于 Rz 的测量只取两个点，所以不能充分反映轮廓高度特性，故较少采用。评定参数 Ra、Rz 的数值见表 8-2。

表 8-2 Ra、Rz 的数值　　　　　　　　　　　　　　（单位：μm）

Ra	Rz	Ra	Rz
0.012		6.3	6.3
0.025	0.025	12.5	12.5
0.05	0.05	25	25
0.1	0.1	50	50
0.2	0.2	100	100
0.4	0.4		200
0.8	0.8		400
1.6	1.6		800
3.2	3.2		1600

二、表面粗糙度符号和代号

1. 表面结构的图形符号

在图样中，对表面结构的要求可用几种不同的图形符号表示。标注时，图形符号应附加对表面结构的补充要求。在特殊情况下，图形符号也可以在图样中单独使用，以表达特殊意义。各种图形符号及其含义见表 8-3。

表 8-3 表面结构的图形符号及其含义（GB/T 131—2006）

符号名称	符号	含义及说明
基本图形符号	∨	基本图形符号，简称基本符号，表示对表面结构有要求的符号。基本符号仅用于简化代号的标注，当通过一个注释解释时可单独使用，没有补充说明时不能单独使用
扩展图形符号	∨ (加短横)	要求去除材料的图形符号，简称扩展符号 在基本符号上加一短横，表示指定表面是用去除材料的方法获得，如通过机械加工（车、铣、钻、磨、剪切、抛光、腐蚀、电火花加工、气割等）获得的表面
	∨ (加圆圈)	不允许去除材料的图形符号，简称扩展符号 在基本符号上加一个圆圈，表示指定表面是用不去除材料的方法获得，如铸、锻等。也可用于表示保持上道工序形成的表面，不管这种状况是通过去除材料或不去除材料形成的
完整图形符号	（三个符号）	完整图形符号，简称完整符号 在上述所示的图形符号的长边上加一横线，用于对表面结构有补充要求的标注。左、中、右符号分别用于"允许任何工艺""去除材料""不去除材料"方法获得的表面的标注
工件轮廓各表面的图形符号	（三个符号带圆圈）	当在图样某个视图上构成封闭轮廓的各表面有相同的表面结构要求时，应在完整符号上加一圆圈

2. 表面结构的图形代号

在表面结构的图形符号上，注有表面粗糙度的参数和数值及有关规定，则称为表面粗糙度代号。各种图形符号的画法（含代号的注写）如图 8-21 所示。

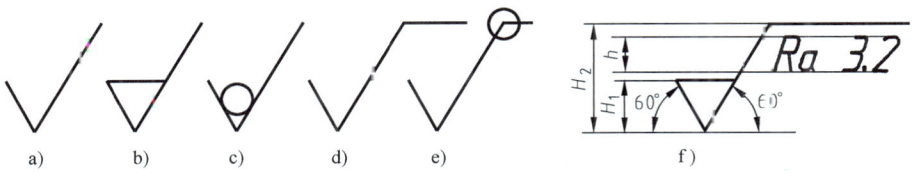

图 8-21 图形符号的画法及代号的注写方法

三、表面结构要求的标注

1. 表面结构符号、代号的标注方法

1) 同一图样中,零件的每一表面一般只标注一次,并尽可能注在相应的尺寸及其公差的同一视图上。除非另有说明,所标注的表面结构要求是对完工零件的要求。

2) 表面结构要求可标注在轮廓线上,其符号应从材料外指向并接触表面,如图 8-22 所示。必要时,表面结构符号也可以用带箭头或黑点的指引线引出标注(见图 8-23、图 8-24)。

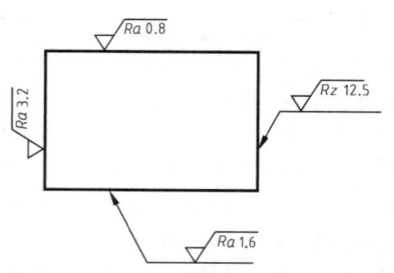

图 8-22 表面结构要求的注写方向　　图 8-23 表面结构要求在轮廓线上的标注

3) 在不致引起误解时,表面结构要求可以标注在给出的尺寸线上,如图 8-25 所示。

4) 表面结构要求可标注在几何公差框格的上方,如图 8-26a、b 所示。

5) 圆柱和棱柱表面的表面结构要求只标注一次,如图 8-27 所示。如果每个圆柱和棱柱表面有不同的表面结构要求,则应分别单独标注,如图 8-28 所示。

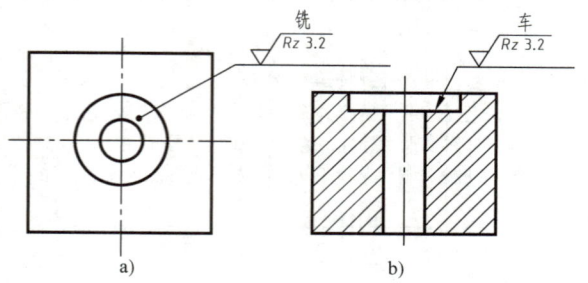

图 8-24 用指引线引出标注表面结构要求

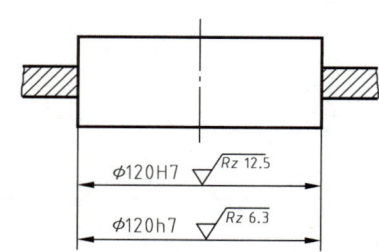

图 8-25 表面结构要求标注在尺寸线上

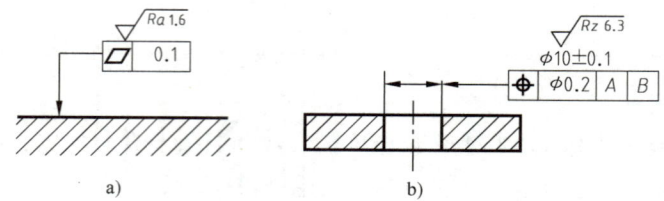

图 8-26 表面结构要求标注在几何公差框格的上方

2. 表面结构要求的简化注法

(1) 有相同表面结构要求的简化注法

1) 如果工件的全部表面的结构要求都相同,则可将其结构要求统一标注在图样的标题栏附近。

第八章 零件图

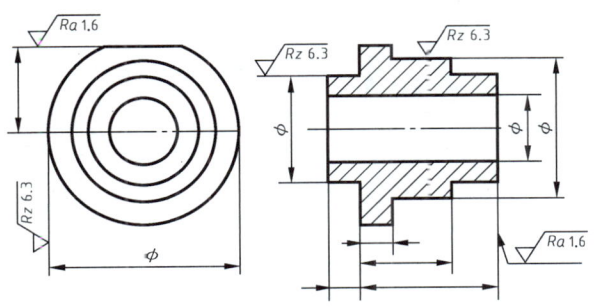

图 8-27 表面结构要求标注在圆柱
特征的延长线上

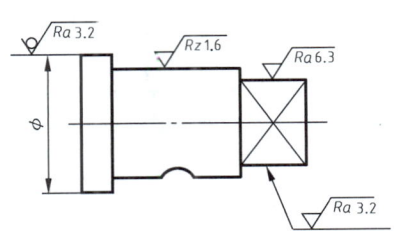

图 8-28 圆柱和棱柱表面结构
要求的注法

2）如果在工件的多数表面有相同的表面结构要求，则可将其统一标注在图样的标题栏附近，而表面结构要求的符号后面应在圆括号内给出无任何其他标注的基本符号，如图 8-29 所示，或在圆括号内给出不同的表面结构要求。

（2）多个表面有共同要求的注法 当多个表面具有相同的表面结构要求或空间有限时可以采用简化注法，如图 8-30 所示。

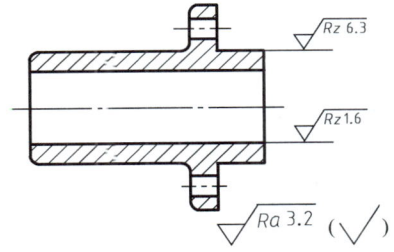

图 8-29 大多数表面有相同表面结构

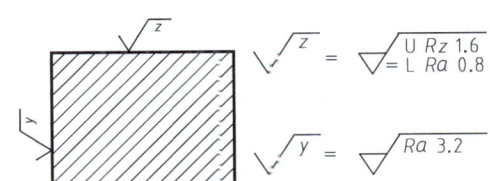

图 8-30 在图纸空间有限时的简化注法

3. 常用零件表面结构要求的注法

1）零件上连续表面及重复要素（孔、槽、齿等）的表面（见图 8-31）和用细实线连接的不连续的同一表面（见图 8-32），其表面粗糙度符号、代号只标注一次。

2）螺纹的工作表面没有画出牙形时，其表面粗糙度代号可按图 8-33 所示的形式标注。

3）键槽和倒角的表面粗糙度的注法如图 8-34 所示。

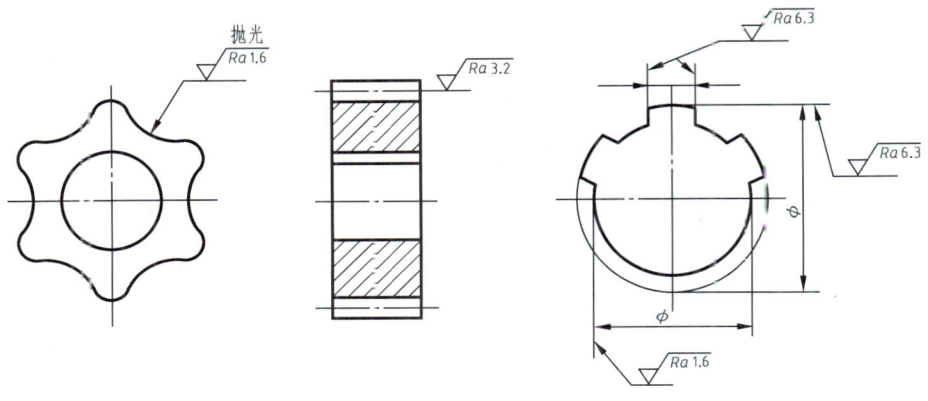

图 8-31 连续表面及重复要素的表面粗糙度的注法

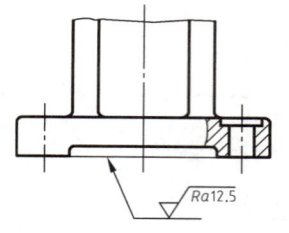

图 8-32 不连续同一表面的注法

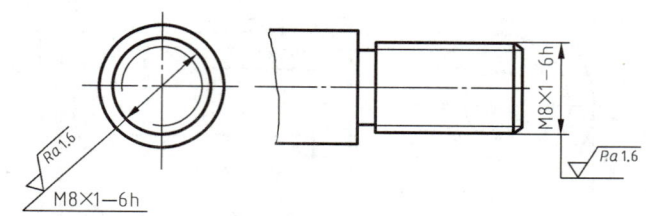

图 8-33 螺纹工作表面表面粗糙度的注法

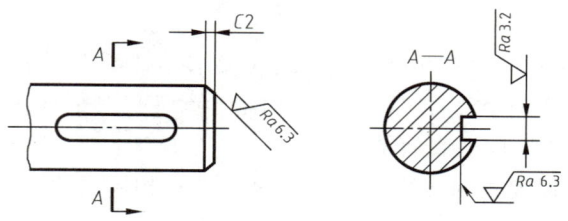

图 8-34 键槽和倒角的表面粗糙度的注法

第六节　零件图的技术要求——极限与配合

在大批量的生产中，为了提高效率，相同的零件必须具有互换性。零件具有互换性，必然要求零件尺寸的精度，但并不是要求将零件的尺寸都准确地制成一个指定的尺寸，而只是将其限定在一个合理的范围内，以满足不同的使用要求，由此就形成了"极限与配合"。

一、基本概念

尺寸及公差概念如图 8-35 所示。

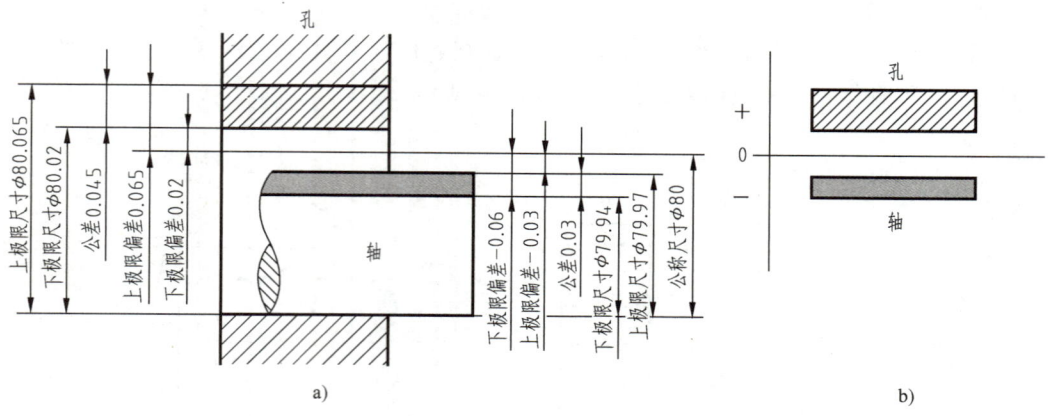

图 8-35 尺寸及公差概念

1. 公称尺寸

公称尺寸指设计时确定的尺寸，如图 8-35a 中的"$\phi 80$"。

2. 极限尺寸

极限尺寸指允许尺寸变化的两个界限值。

（1）上极限尺寸　上极限尺寸指零件实际尺寸所允许的最大值。

（2）下极限尺寸　下极限尺寸指零件实际尺寸所允许的最小值。

如图 8-35a 所示，孔、轴的极限尺寸分别为：孔的上极限尺寸为 80.065mm；孔的下极限尺寸为 80.02mm；轴的上极限尺寸为 79.97mm；轴的下极限尺寸为 79.94mm。

3. 极限偏差

极限偏差指极限尺寸减其公称尺寸所得的代数差。

（1）上极限偏差　上极限尺寸减其公称尺寸所得的代数差，称为上极限偏差。

（2）下极限偏差　下极限尺寸减其公称尺寸所得的代数差，称为下极限偏差。

如图 8-35a 中孔、轴的极限偏差可分别计算如下：

孔的上极限偏差（ES）= 80.065mm－80mm = +0.065mm

轴的上极限偏差（es）= 79.97mm－80mm = －0.03mm

孔的下极限偏差（EI）= 80.02mm－80mm = +0.02mm

轴的下极限偏差（ei）= 79.94mm－80mm = －0.06mm

4. 尺寸公差（简称公差）

上极限尺寸减下极限尺寸之差，或上极限偏差减下极限偏差之差，称为公差。它是尺寸允许的变动量，是没有符号的绝对值。

图 8-35 中孔、轴的公差可分别计算如下：

孔的公差 = 上极限尺寸－下极限尺寸 = 80.065mm－80.02mm = 0.045mm

或孔的公差 = 上极限偏差－下极限偏差 = 0.065mm－0.02mm = 0.045mm

轴的公差 = 上极限尺寸－下极限尺寸 = 79.97mm－79.94mm = 0.03mm

或轴的公差 = 上极限偏差－下极限偏差 = －0.03mm－(－0.06)mm = 0.03mm

由此可知，公差用于限制尺寸误差，是尺寸精度的一种度量。公差越小，尺寸的精度越高，实际尺寸的允许变动量就越小；反之，公差越大，尺寸的精度越低。

5. 公差带

由代表上极限偏差和下极限偏差或上极限尺寸和下极限尺寸的两条直线所限定的一个区域，称为公差带。在分析公差时，为了形象地表示公称尺寸、偏差和公差的关系，常画出公差带图。为了简便，不画出孔和轴，而只画出放大的孔和轴的公差带来分析问题，图 8-35b 就是图 8-35a 的公差带图。

二、标准公差与基本偏差

公差带由公差带大小和公差带位置这两个要素组成。公差带大小由标准公差确定，公差带位置由基本偏差确定。

1. 标准公差

在极限与配合制中，标准公差是国家标准规定的确定公差带大小的任一公差，用符号"IT"表示，阿拉伯数字表示其公差等级。

标准公差等级分为 IT01、IT0、IT1…IT18，共 20 级。从 IT01 至 IT18 等级依次降低，而相应的标准公差数值依次增大。公称尺寸至 500mm 的标准公差的数值见附录表 B-16。

2. 基本偏差

在极限与配合制中，确定公差带相对公称尺寸位置的那个极限偏差称为基本偏差。它可以是上极限偏差或下极限偏差，一般为靠近公称尺寸的那个偏差。当公差带位于公称尺寸上方时，基本偏差为下极限偏差；当公差带位于公称尺寸下方时，基本偏差为上极限偏差。

国家标准对孔和轴各规定了 28 个基本偏差。基本偏差代号用拉丁字母表示，大写字母表示孔，小写字母表示轴。基本偏差系列示意图如图 8-36 所示。

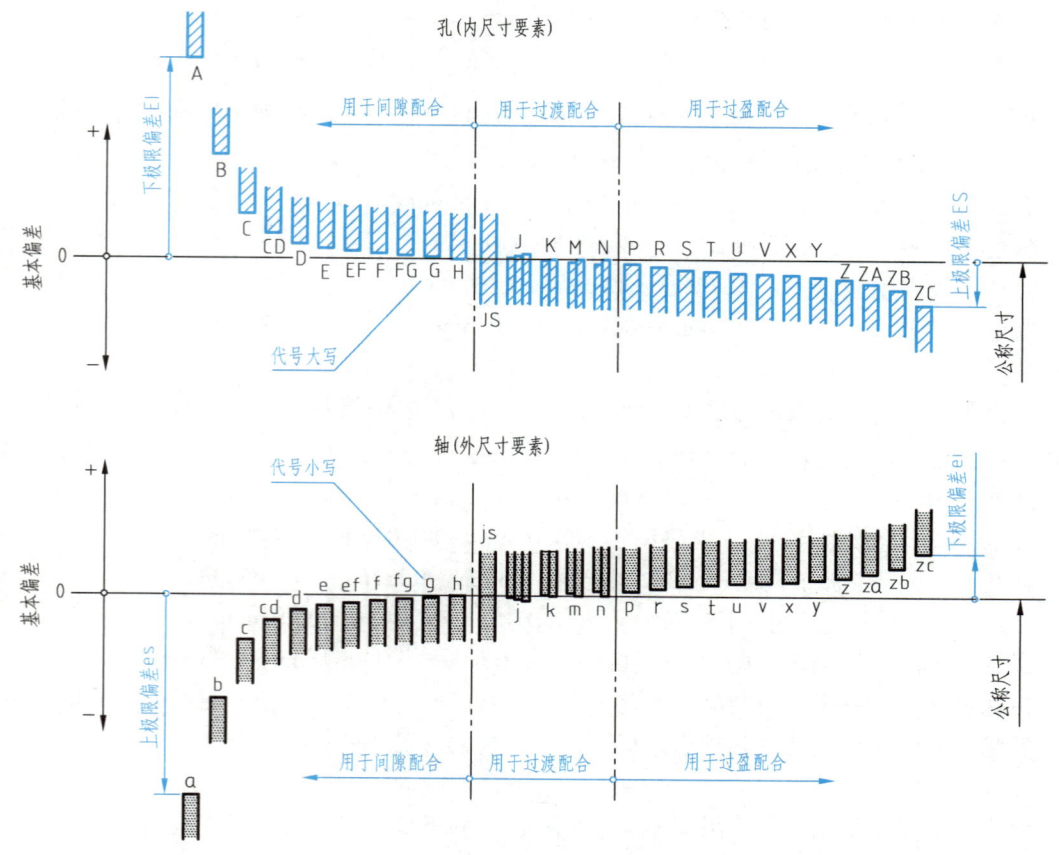

图 8-36 基本偏差系列示意图

3. 公差带代号

孔、轴公差带代号由基本偏差代号和公差等级代号组成。

例如 $\phi 80H8$，表示公称尺寸为 $\phi 80$；孔公差带代号为 H8，其中 H 为孔基本偏差代号，8 为公差等级代号。

再如 $\phi 80g7$，表示公称尺寸为 $\phi 80$；轴公差带代号为 g7，其中 g 为轴基本偏差代号，7 为公差等级代号。

三、配合

公称尺寸相同的、相互结合的孔和轴公差带之间的关系，称为配合。

1. 配合的类型

根据使用要求不同，配合的松紧程度也不同。配合的类型共有三种。

（1）间隙配合　具有间隙（包括最小间隙等于零）的配合称为间隙配合，如图 8-37 所示。此时，孔的公差带在轴的公差带之上。间隙配合主要用于孔、轴间需要产生相对运动或者经常拆卸的连接。

配合

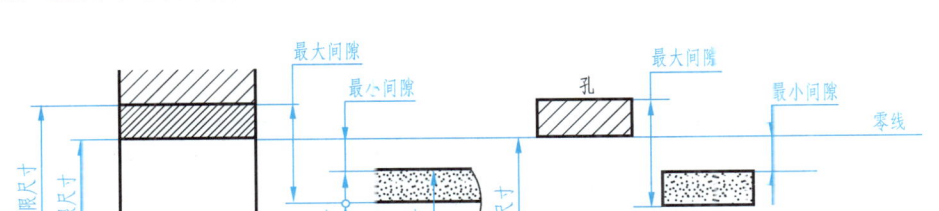

图 8-37　间隙配合

（2）过盈配合　具有过盈（包括最小过盈等于零）的配合称为过盈配合，如图 8-38 所示。此时，孔的公差带在轴的公差带之下。过盈配合主要用于孔、轴间不允许产生相对运动的紧固连接。

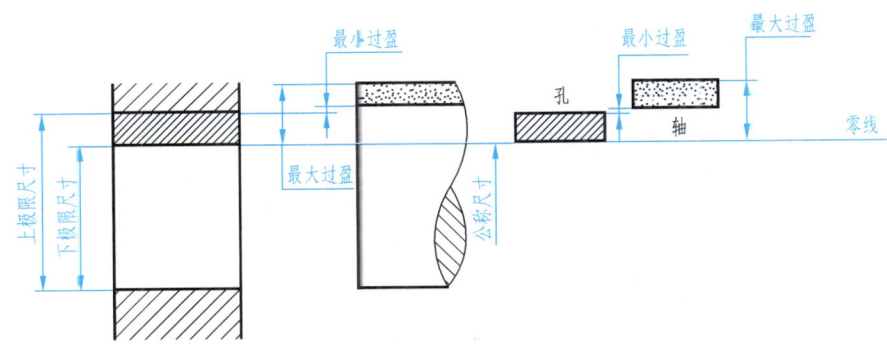

图 8-38　过盈配合

（3）过渡配合　可能具有间隙或过盈的配合称为过渡配合，如图 8-39 和图 8-40 所示。此时，孔的公差带与轴的公差带相互交叠。过渡配合主要用于孔、轴间的定位连接。

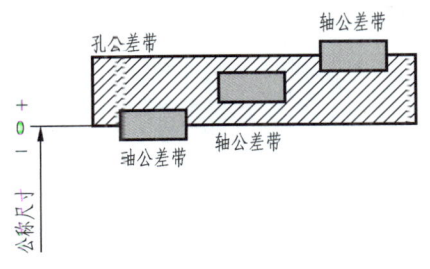

图 8-39　过渡配合公差带图解

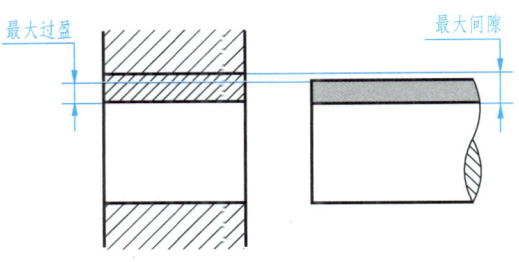

图 8-40　过渡配合的最大间隙和最大过盈

2. 配合制

国家标准中规定，配合制分为两种，即基孔制和基轴制。

（1）基孔制配合　基本偏差为一定的孔的公差带，与不同基本偏差的轴的公差带形成各种配合（间隙、过渡或过盈）的一种制度，称为基孔制。在基孔制配合中，选作基准的孔称为基准孔，基准孔的下极限偏差为零，上极限偏差为正值。基准孔的基本偏差代号为"H"。基孔制配合如图 8-41 所示。

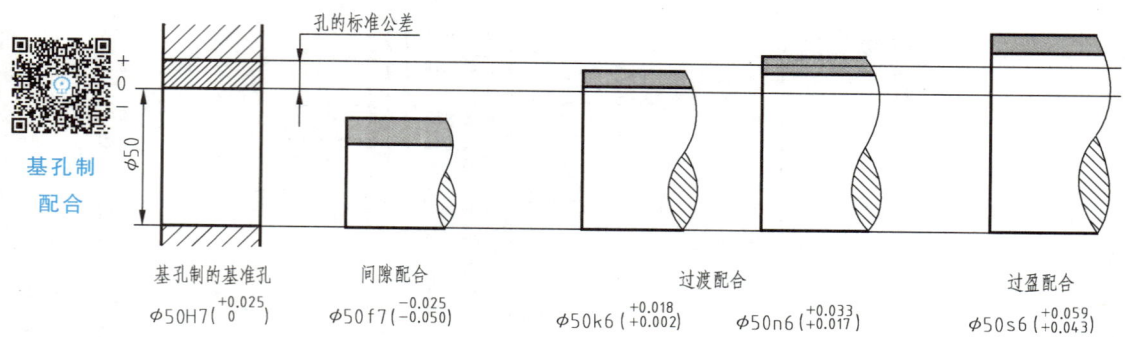

图 8-41　基孔制配合

（2）基轴制配合　基本偏差为一定的轴的公差带，与不同基本偏差的孔的公差带形成各种配合（间隙、过渡或过盈）的一种制度，称为基轴制。在基轴制配合中，选作基准的轴称为基准轴，基准轴的上极限偏差为零，下极限偏差为负值。基准轴的基本偏差代号为"h"。基轴制配合如图 8-42 所示。

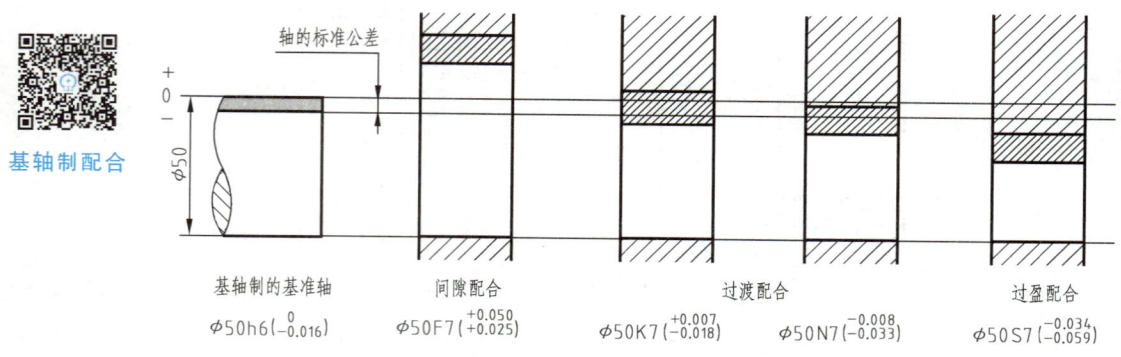

图 8-42　基轴制配合

关于基准制的选择，国家标准明确规定，一般情况下应优先采用基孔制配合。

四、极限与配合的标注（GB/T 4458.5—2003）

1. 在零件图上的标注

1）用于大批量生产的零件图，可只注公差带代号，如图 8-43a 所示。

2）用于中小批量生产的零件图，一般可只注出极限偏差，如图 8-43b 所示。

3）如需要同时注出公差带代号和对应的极限偏差值时，则其极限偏差值应加上圆括号，如图 8-43c 所示。

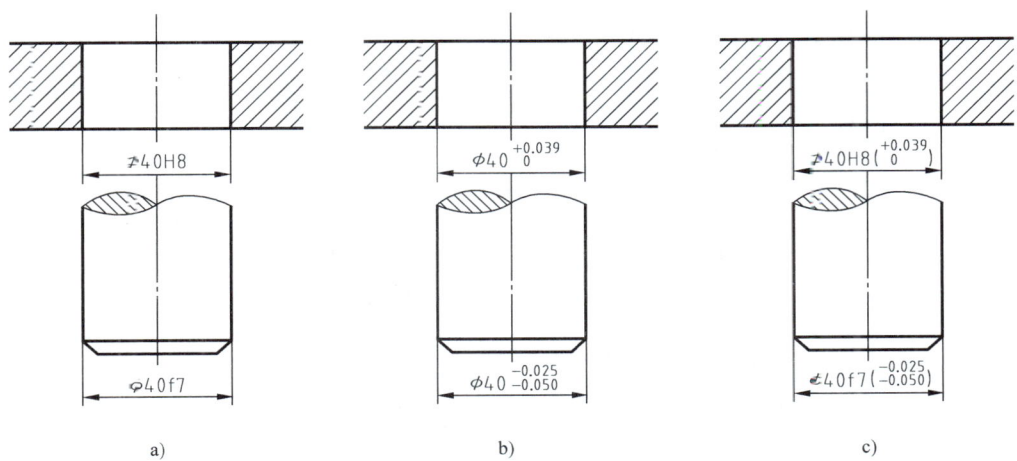

图 8-43 公差带代号、极限偏差在零件图上标注的三种形式

2. 在装配图上的标注

在装配图上标注极限与配合时，其代号必须在公称尺寸的右边，用分数形式注出，分子为孔的公差带代号，分母为轴的公差带代号。其注写形式有两种，如图 8-44 所示。

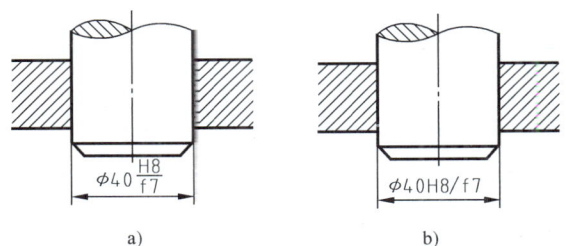

图 8-44 配合代号在装配图上的标注

第七节 零件图的技术要求——几何公差

一、几何公差概述

在生产实际中，经过加工的零件，不但会产生尺寸误差，而且会产生形状误差和位置误差。例如，图 8-45a 所示为一理想形状的销轴，而加工后的实际形状则是轴线变弯了，如图 8-45b 所示，因而产生了直线度误差。又如，图 8-46a 所示为一四棱柱，而加工后的实际位置却是上表面倾斜了，如图 8-46b 所示，因而产生了平行度误差。

图 8-45 形状误差   图 8-46 位置误差

如果零件存在严重的形状误差和位置误差,将对其装配造成困难,影响机器的质量,因此,对于精度要求较高的零件,除给出尺寸公差外,还应根据设计要求,合理地确定出形状误差和位置误差的最大允许值,如图8-47a中的 ─ φ0.08 (即销轴轴线必须位于直径为公差值 φ0.08 的圆柱面内,如图8-47b所示)。

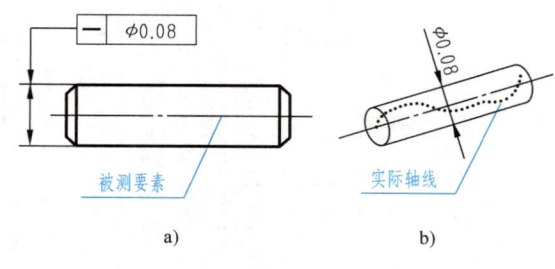

图 8-47 直线度公差

国家标准规定了一项保证零件加工质量的技术指标——几何公差。

二、几何公差的项目及符号

国家标准(GB/T 1182—2018)中规定了19项几何公差,见表8-4。

表 8-4 几何公差的项目及符号

公差类型	几何特征	符　号	有无基准
形状公差	直线度	─	无
	平面度	▱	无
	圆度	○	无
	圆柱度	⌭	无
	线轮廓度	⌒	无
	面轮廓度	⌓	无
方向公差	平行度	∥	有
	垂直度	⊥	有
	倾斜度	∠	有
	线轮廓度	⌒	有
	面轮廓度	⌓	有

(续)

公差类型	几何特征	符号	有无基准
位置公差	位置度	⊕	有或无
	同心度 (用于中心点)	◎	有
	同轴度 (用于轴线)	◎	有
	对称度	═	有
	线轮廓度	⌒	有
	面轮廓度	⌒	有
跳动公差	圆跳动	↗	有
	全跳动	⌶	有

三、几何公差的标注

1. 公差框格

在图样中，几何公差应以框格的形式进行标注，其标注内容及框格的绘制规定如图 8-48 所示。

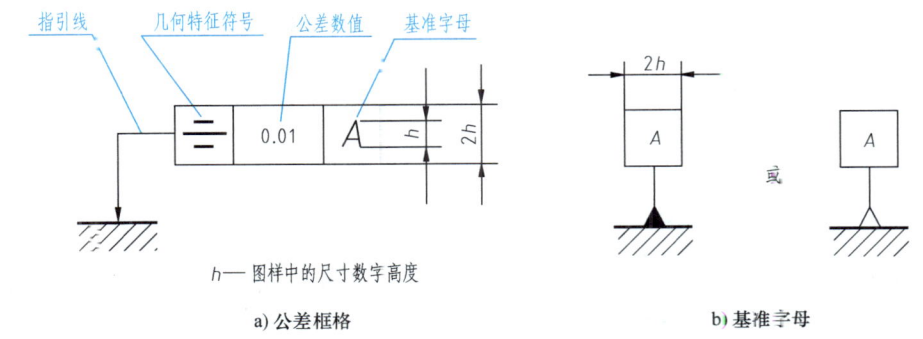

h— 图样中的尺寸数字高度

a) 公差框格　　　　　　　　b) 基准字母

图 8-48　公差框格标注内容及框格的绘制规定

2. 被测要素

用带箭头的指引线将公差框格与被测要素相连，按以下几种方式标注：

1) 当公差涉及轮廓线或轮廓面时（见图 8-49），箭头指向被测要素的轮廓线或其延长线上（但必须与尺寸线明显错开）；箭头也可指向引出线的水平线，引出线引自被测表面（见图 8-50）。

2) 当公差涉及要素的轴线、中心平面或中心点时，箭头应位于相应尺寸线的延长线上（见图 8-51）。

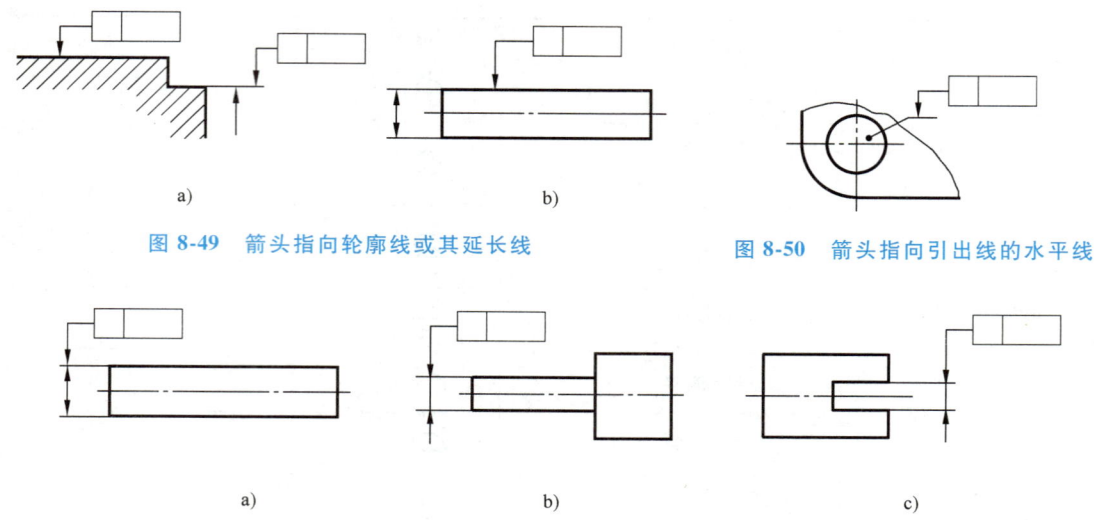

图 8-49 箭头指向轮廓线或其延长线

图 8-50 箭头指向引出线的水平线

图 8-51 箭头位于相应尺寸线的延长线上

3. 基准

带基准字母的基准三角形应按以下规定放置：

1）当基准要素是轮廓线或轮廓面时，基准三角形放置在要素的轮廓线上或它的延长线上，但应与尺寸线明显地错开，如图 8-52 所示。基准三角形还可置于该轮廓面引出线的水平线上，如图 8-53 所示。

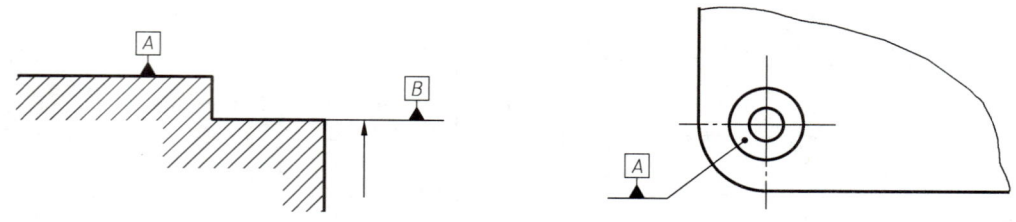

图 8-52 基准三角形与尺寸线错开

图 8-53 基准三角形置于轮廓面引出线的水平线上

2）当基准要素是尺寸要素确定的轴线、中心平面或中心点时，则基准三角形应放置在该尺寸线的延长线上，如图 8-54 所示。如尺寸线处没有足够的位置标注基准要素和尺寸的两个尺寸箭头，则其中一个箭头可用基准三角形代替，如图 8-54b、c 所示。

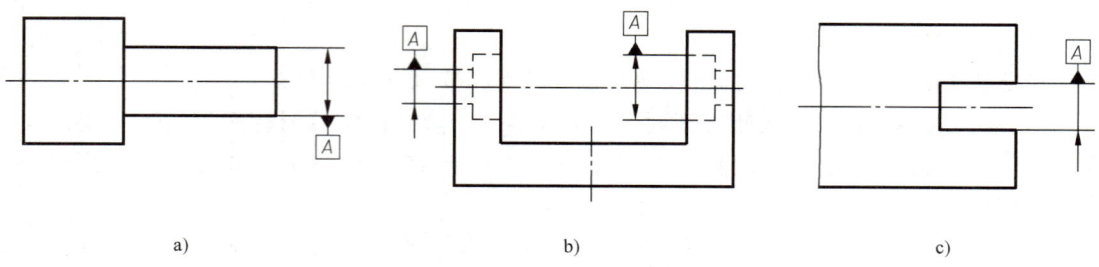

图 8-54 基准三角形放置在尺寸线的延长线上

表 8-5 为常见几何公差的标注及公差带的定义。

表 8-5　几何公差标注及公差带定义

名称	标注示例	公差带定义
直线度	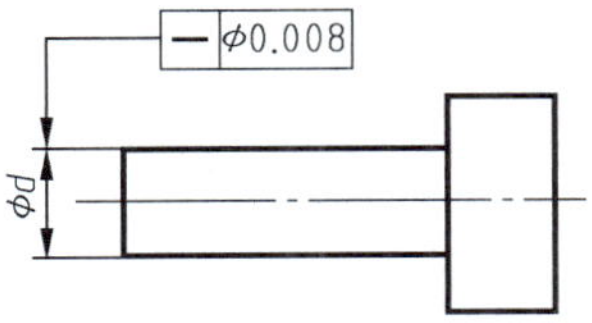 — $\phi0.008$	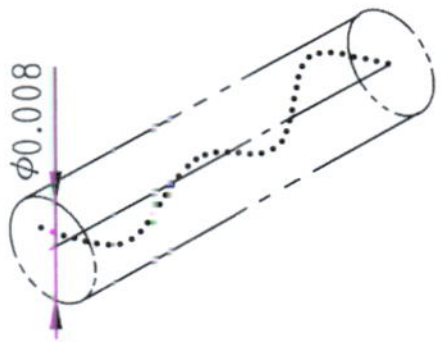 $\phi0.008$
平面度	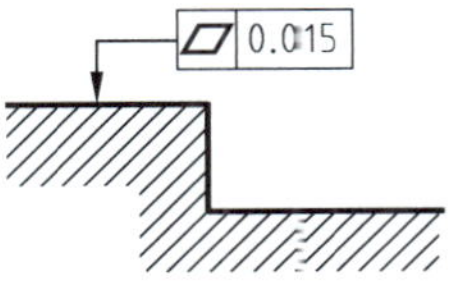 ▱ 0.015	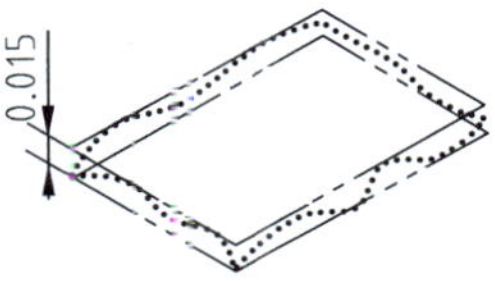 0.015
圆度	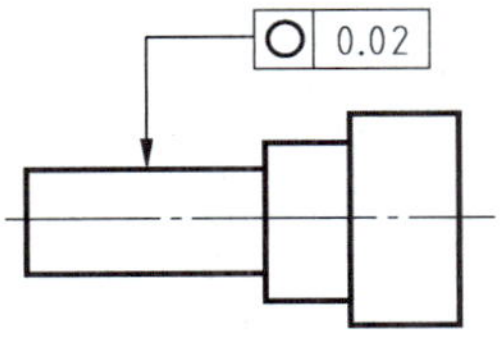 ○ 0.02	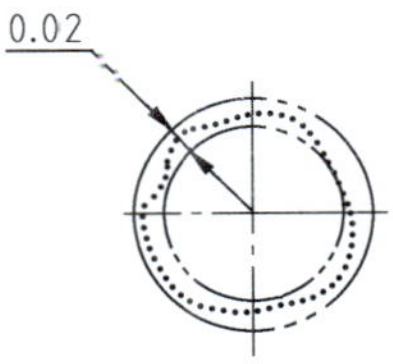 0.02
圆柱度	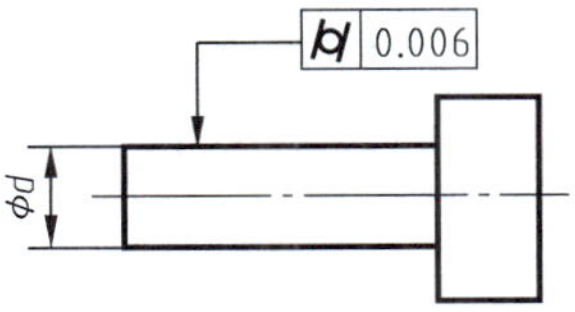 ⌭ 0.006	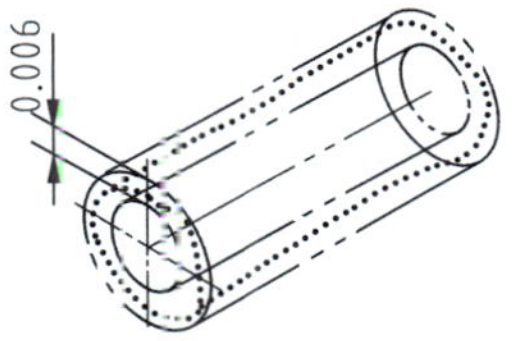 0.006
平行度	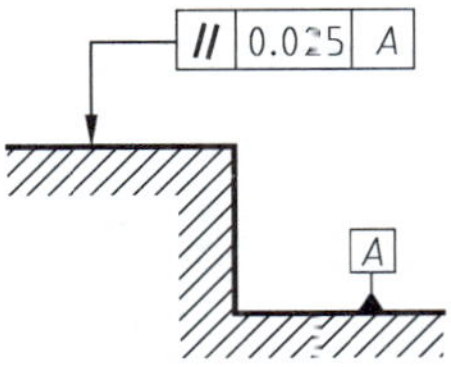 ∥ 0.025 A	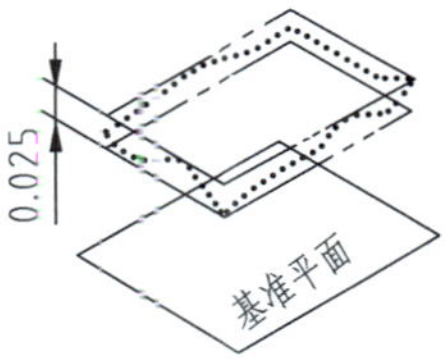 0.025　基准平面
垂直度	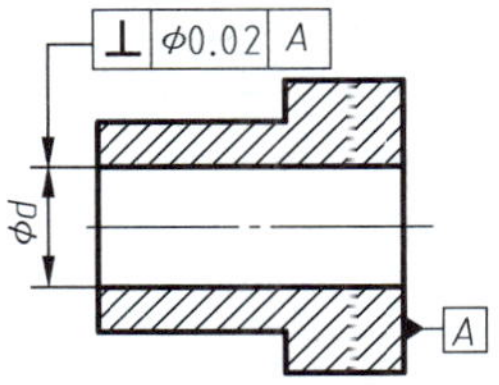 ⊥ $\phi0.02$ A	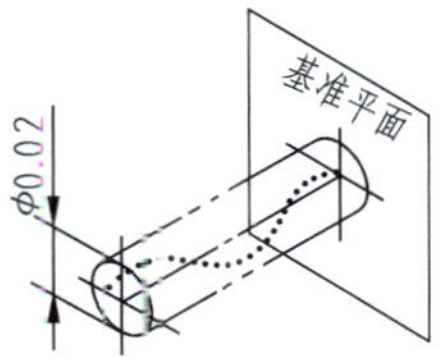 $\phi0.02$　基准平面
对称度	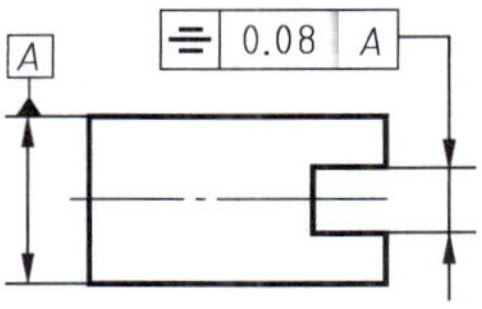 ≡ 0.08 A	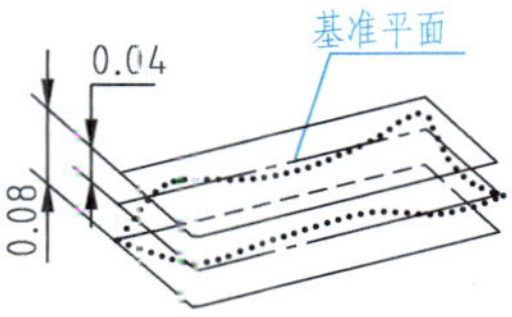 0.04　0.08　基准平面

149

(续)

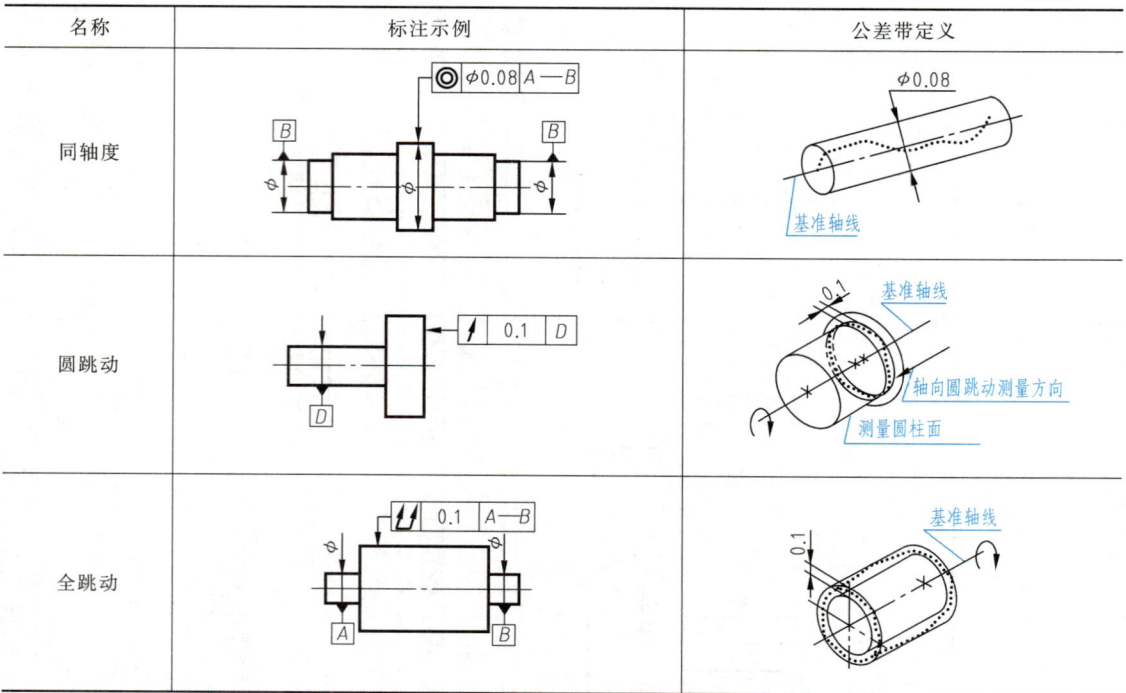

四、几何公差的识读

【例 8-1】 识读图 8-55 所注的各项几何公差,并解释其含义。

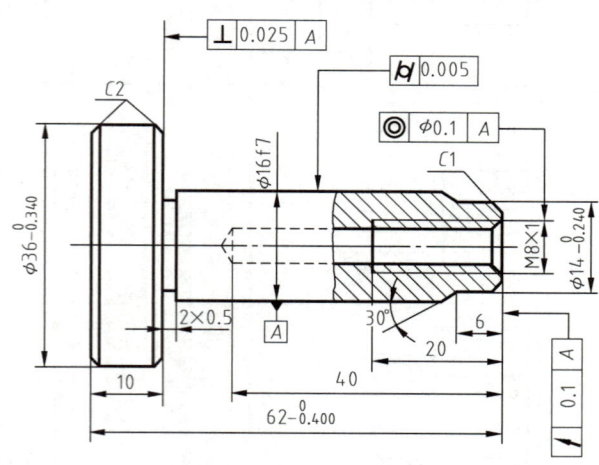

图 8-55 几何公差综合标注示例

$\boxed{\diagup\ 0.005}$ 表示 ϕ16f7 圆柱面的圆柱度公差为 0.005mm。

$\boxed{\odot\ \phi0.1\ A}$ 表示 M8×1 的孔轴线对 ϕ16f7 圆柱轴线的同轴度公差为 ϕ0.1mm。

$\boxed{\nearrow\ 0.1\ A}$ 表示 $\phi14_{-0.240}^{\ 0}$ 的右端面对 ϕ16f7 圆柱轴线的端面圆跳动公差为 0.1mm。

$\boxed{\perp\ 0.025\ A}$ 表示 $\phi36_{-0.340}^{\ 0}$ 的右端面对 ϕ16f7 圆柱轴线的垂直度公差为 0.025mm。

第八节　看零件图

要看懂一张零件图，不仅要看懂零件的视图，想象出零件的形状，还要分析零件的结构、尺寸和技术要求等内容。

一、看图的方法

看零件图的基本方法仍然是形体分析法和线面分析法。

对于较复杂的零件图，由于其视图、尺寸数量及各种代号都较多，初学者看图时往往不知从哪看起，甚至会产生畏惧心理。其实，就图形而言，看多个视图与看三视图的道理一样。视图数量多，主要是因为组成零件的形体较多，所以将表示每个形体的三视图组合起来，加之它们之间有些重叠的部位，图形就显得繁杂了。实际上，对每一个基本形体来说，仍然是只用2~3个视图就可以确定它的形状。所以看图时，只要善于运用形体分析法，按组成部分"分块"看，就可将复杂的问题分解成几个简单的问题处理了。

二、看图的步骤

1. 看标题栏

了解零件的名称、材料、绘图比例等，为联想零件在机器中的作用、制造要求以及结构形状等提供线索。

2. 视图分析

先根据视图的配置和有关标注，判断出视图的名称和剖切位置，明确它们之间的投影关系，进而抓住图形特征，分部分想形状，综合起来想整体。

3. 尺寸分析

先分析长、宽、高三方向的尺寸基准，再找出各部分的定位尺寸和定形尺寸，搞清楚哪些是主要尺寸。

4. 分析技术要求

根据表面粗糙度、尺寸公差、几何公差以及其他技术要求，弄清楚哪些是要求加工的表面以及精度的高低等。

5. 综合归纳

将识读零件图所得到的全部信息加以综合归纳，对所示零件的结构、尺寸及技术要求都有一个完整的认识，这样才算真正将图看懂。

看图时，上述的每一步骤都不要孤立地进行，应视具体情况灵活运用。此外，看图时还应参考有关的技术资料和相关的装配图或同类产品的零件图，这对看图是很有好处的。

三、典型零件的结构特点及表达方法

零件的结构形状虽然千差万别，但根据它们在机器或部件中的作用，仍可以大体将其分为轴套类、轮盘类、叉架类和箱体类共四类典型零件。图8-56所示是铣刀头的轴测图，下面以铣刀头中的几个零件为例，分别介绍不同种类零件的结构特点及其视图选择。

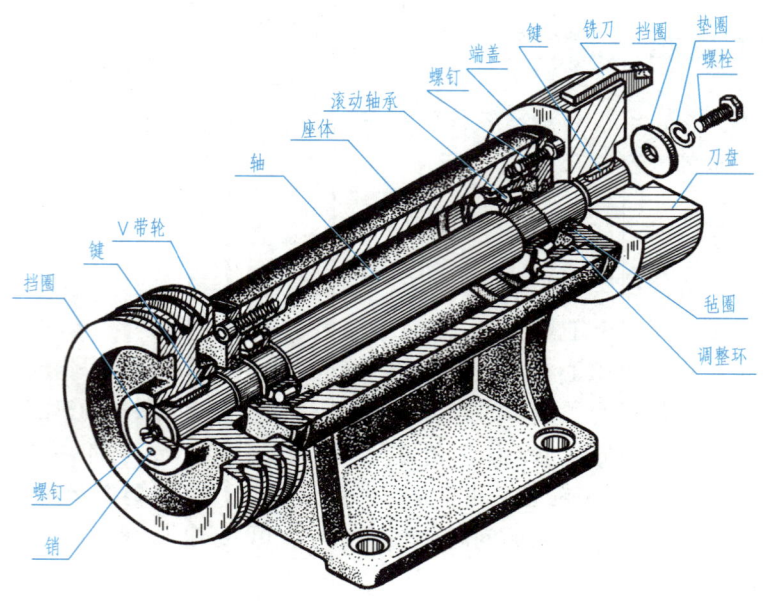

图 8-56 铣刀头轴测图

1. 轴套类零件

【例 8-2】 读铣刀头中阶梯轴的零件图，如图 8-57 所示。

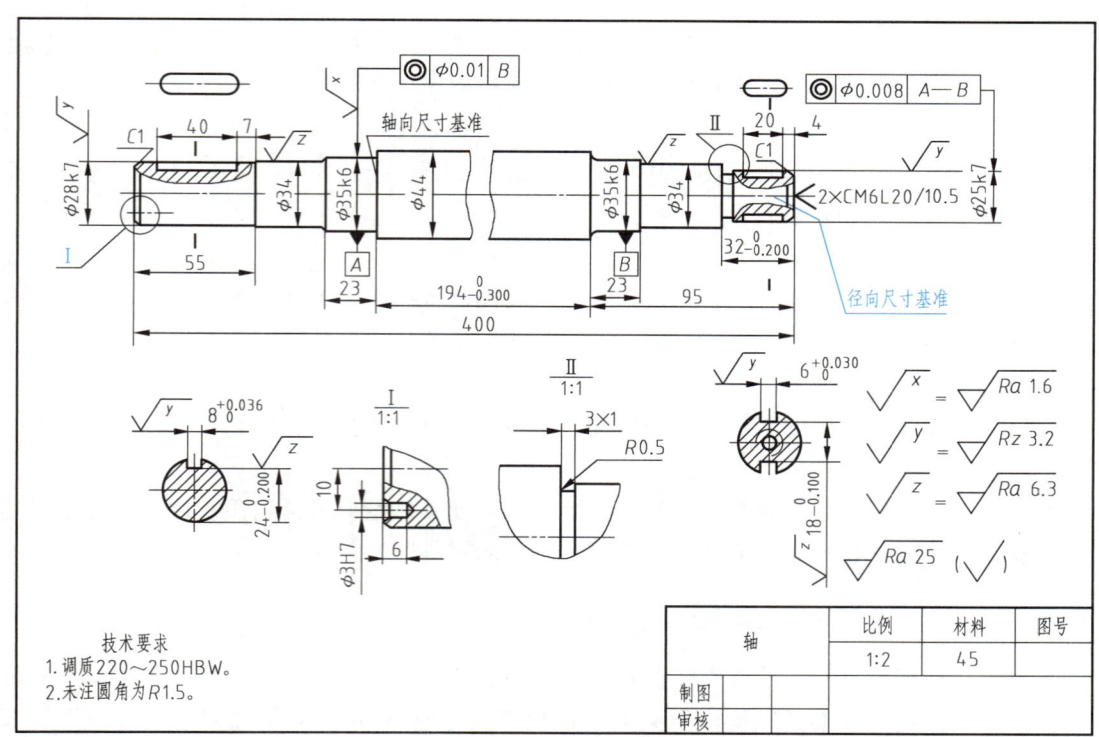

图 8-57 铣刀头中阶梯轴的零件图

（1）看标题栏　看标题栏可知零件名称、画图比例和零件材料。轴套类零件包括轴、螺杆、阀杆和空心套等。轴类零件在机器中主要起支承和传递动力的作用。套的主要作用是支承和保护转动零件，或用来保护与其外壁相配合的表面。

（2）视图分析　轴类零件多在车床和磨床上加工。为了加工时看图方便，轴类零件的主视图按其加工位置选择，一般将轴线水平放置，用一个基本视图来表达轴的主体结构。这样，既能清楚地反映出阶梯轴的各段形状及相对位置，也能反映出各局部结构的轴向位置。

轴上的局部结构，一般采用局部视图、局部剖视图、断面图、局部放大图来表达。如图 8-57 所示，用局部剖视图、移出断面图和局部视图来表达左、右两端键槽的形状、位置和深度（右侧断面图中的螺孔为 C 型中心孔上的结构，其表示法可以查阅相关国家标准），用局部放大图表达砂轮越程槽和销孔的结构。此外，对形状简单且较长的轴段，采用折断画法。

（3）尺寸分析　轴类零件的主视图一般按照加工位置放置，其径向尺寸基准一般为轴线，轴向尺寸基准一般为左右端面或者其中某一个重要端面，如图 8-57 所示。

（4）技术要求　轴跟带轮、滚动轴承、刀盘配合部分都有尺寸公差要求和表面粗糙度要求，尺寸分别是 $\phi28k7$、$\phi35k6$、$\phi25k7$；跟轴承、刀盘配合部分都有同轴度要求。

常用轴所具有的结构：轴的主体由几段不同直径的圆柱体（或圆锥体）所组成，构成阶梯状。轴上常加工有键槽、螺纹、挡圈槽、倒角、退刀槽和中心孔等结构。

套类零件的表达方法与轴类零件相似，当其内部结构复杂时，常用剖视图来表达。

2. 轮盘类零件

【例 8-3】　读铣刀头中端盖的零件图，如图 8-58 所示。

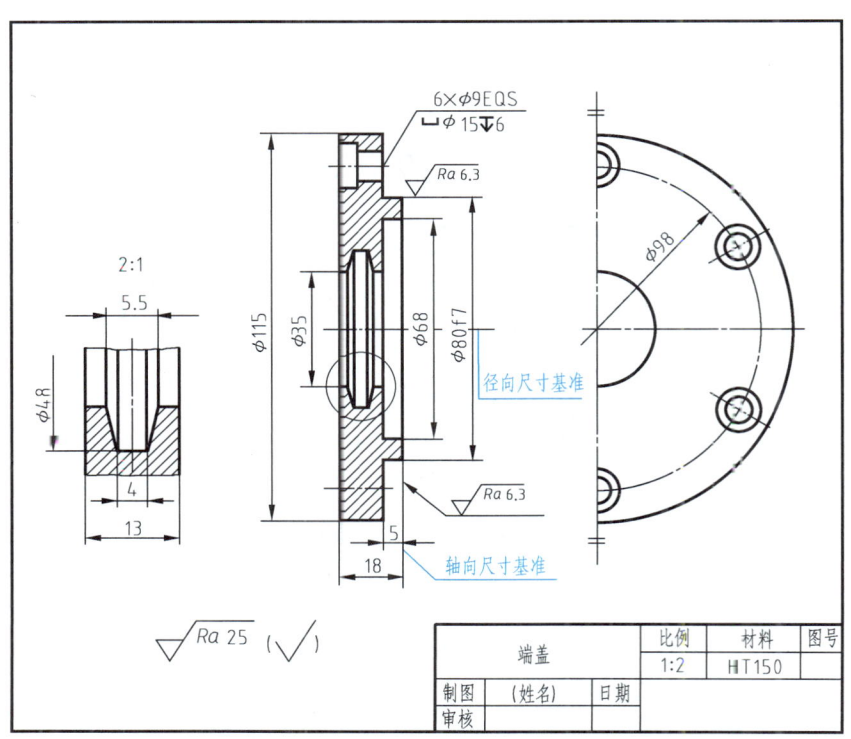

图 3-58　端盖的零件图

(1) 看标题栏　轮盘类零件一般包括手轮、带轮、齿轮、法兰盘、端盖和盘座等。这类零件在机器中主要起传递动力、支承、轴向定位及密封的作用。

(2) 视图分析　由于轮盘类零件的主要加工表面是以车削为主，所以其主视图也应按加工位置布置，将轴线放成水平，且多将该视图作全剖视图，以表达其内部结构，除主视图外，还需用左（或右）视图，以表达零件上沿圆周分布的孔、槽、轮辐及肋条等结构。对于零件上的一些小的结构，可选取局部视图、局部剖视图、断面图和局部放大图表示。

图 8-58 所示的端盖，采用了主、左两视图和一个局部放大图表示。主视图将轴线水平放置，且作了全剖视图，表达了端盖的主体结构。左视图（只画一半，为简化画法）反映出端盖的形状和沉孔的位置。局部放大图则清楚地反映出密封槽的内部结构形状。

(3) 尺寸分析　轮盘类零件尺寸基准跟轴类零件类似，其径向尺寸基准一般为轴线，轴向尺寸基准一般为左右端面或者其中某一个重要端面，如图 8-58 所示。

(4) 技术要求　端盖跟座体配合部分都有尺寸公差要求和表面粗糙度要求，尺寸是 φ80f7。

轮盘类零件的基本形状是扁平的盘状，由几个回转体组成，其轴向尺寸往往比其他两个方向的尺寸小得多，零件上常见的结构有凸缘、凹坑、螺纹孔、沉孔、肋等。它在铣刀头上起连接、轴向定位及密封作用，具有轮盘类零件的典型结构。

3. 叉架类零件

叉架类零件包括拨叉、连杆、杠杆和各种支架等。拨叉主要用在机床和内燃机等各种机器的操纵机构上，起操纵和调速作用。支架主要起支承和连接作用。

【例 8-4】　读连杆体的零件图，如图 8-59 所示。

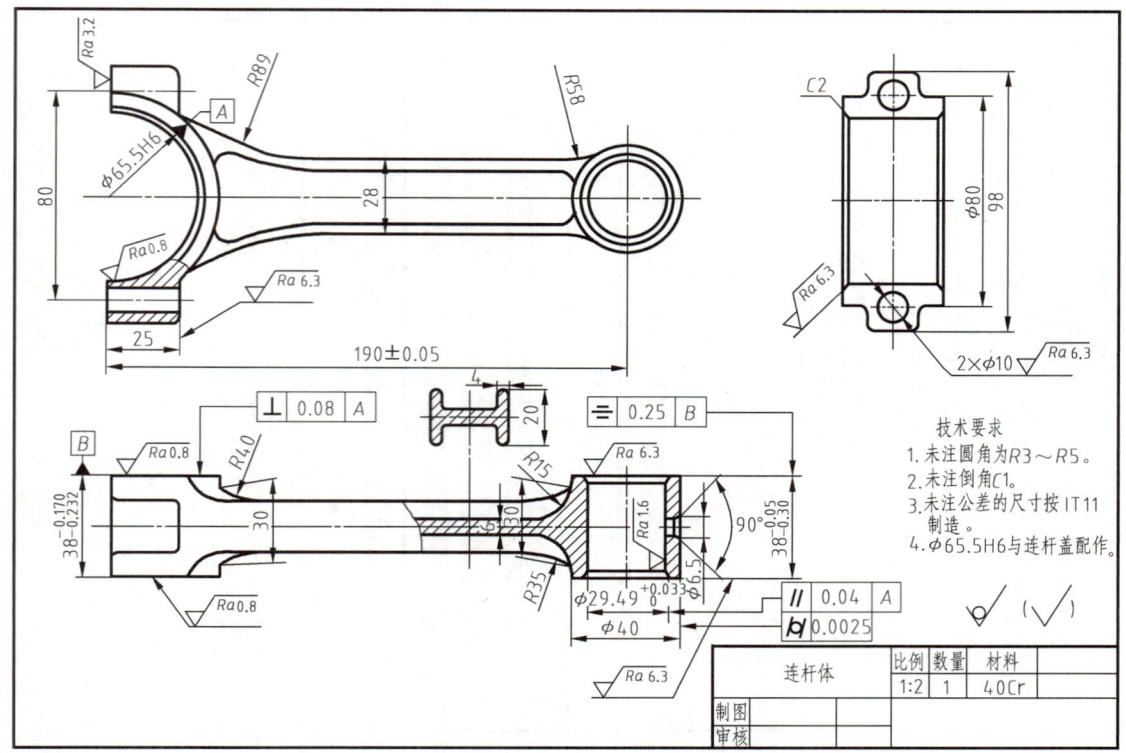

图 8-59　连杆体的零件图

(1)看标题栏 该零件的名称是连杆体,是用来支承轴的,材料为40Cr,比例为1:2,数量1件。

(2)视图分析 该零件选用了4个视图。主视图表达了连杆体的外形结构,其中局部剖视图表达了螺栓孔内部结构;俯视图表达了杆身的结构和小头的内部结构;左视图表达了连杆体大头端部结构;断面图表达了连杆体杆身的断面形状。

连杆体由连杆小头、工字型断面的杆身和连杆大头组成。连杆小头孔径为 $\phi 29.49^{+0.033}_{0}$。连杆大头为半圆,孔直径为 $\phi 65.5H6$。其中,两小孔 $2\times\phi 10$ 为连杆大头与连杆盖连接的螺栓孔。

(3)尺寸分析 该零件的长度方向的基准为连杆体小头内径的轴线;宽度和高度方向的基准为连杆对称中心线,其余为定形尺寸。

(4)技术要求 技术要求中有表面结构、几何公差、未注圆角 $R3\sim R5$、未注倒角 $C1$、未注公差的尺寸按IT11制造和 $\phi 65.5H6$ 与连杆盖配作等要求。

通过以上分析可以看出,该零件尺寸不大,但结构复杂(几何精度及表面精度要求较高,材料性能要求也较高),是汽车发动机中的重要零件。

【例8-5】 读支架的零件图,如图8-60所示。

(1)看标题栏 该零件为支架。

(2)视图分析 由于叉架类零件的加工工序较多,其加工位置经常变化,因此选择主

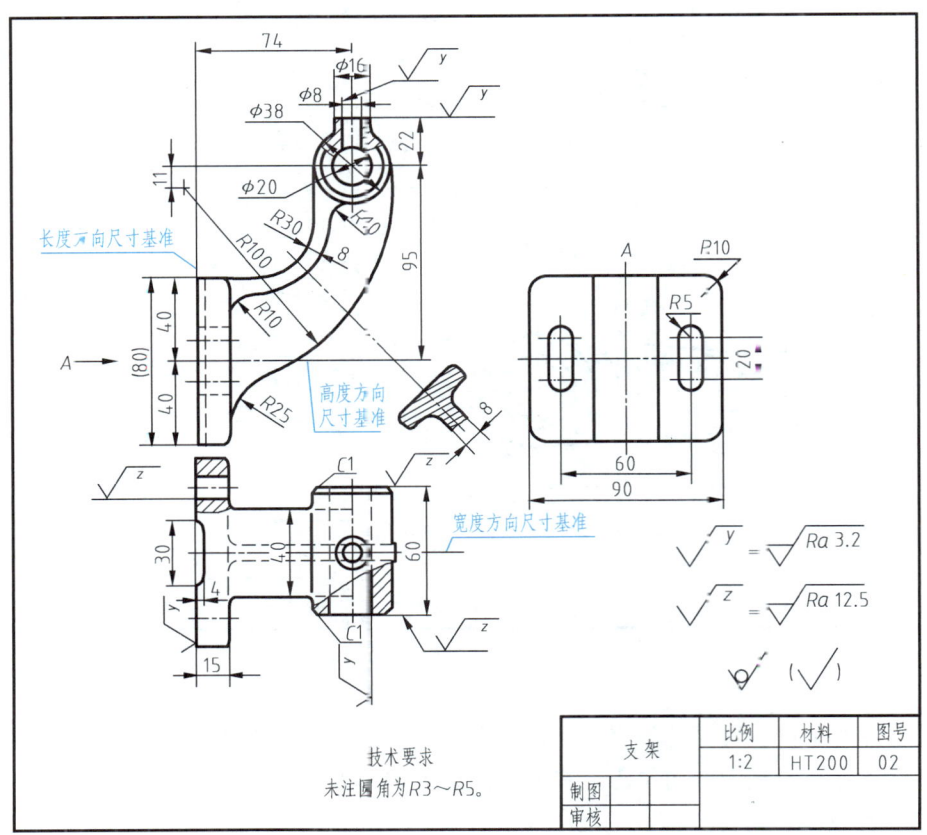

图8-60 支架的零件图

视图时,主要考虑零件的形状特征和工作位置。这类零件一般需用两个或两个以上的基本视图。为了表达零件上的弯曲或扭斜结构,还常用斜视图、局部视图、用斜剖切平面剖切的剖视图和断面图等表达方法。

图 8-60 所示支架零件图中,采用主、俯两视图、一个局部视图和一个断面图表达。主视图表示支承板、工作圆筒、连接板与肋板的形体特征和相对位置。俯视图侧重反映支架各部分的前后对称关系。这两个视图都以表达外形为主,并分别采用局部剖视图表示圆孔的内形。局部视图主要是为了表示长圆孔的形状和相对位置。断面图则表示弯曲的连接板与肋板的连接关系。

尺寸分析和技术要求分析略。

叉架类零件形式多样,结构较为复杂,多为铸件,经多道工序加工而成。这类零件一般由三部分构成,即支承部分、工作部分和连接部分。连接部分多为肋板结构,且形状弯曲、扭斜的较多。支承部分和工作部分的细部结构也较多,如圆孔、螺孔、油孔、油槽、凸台和凹坑等。图 8-60 所示支架由支承板(安装板)、空心圆柱、连接板和肋板四部分组成。

图 8-61 也为叉架类零件(杠杆)的零件图。

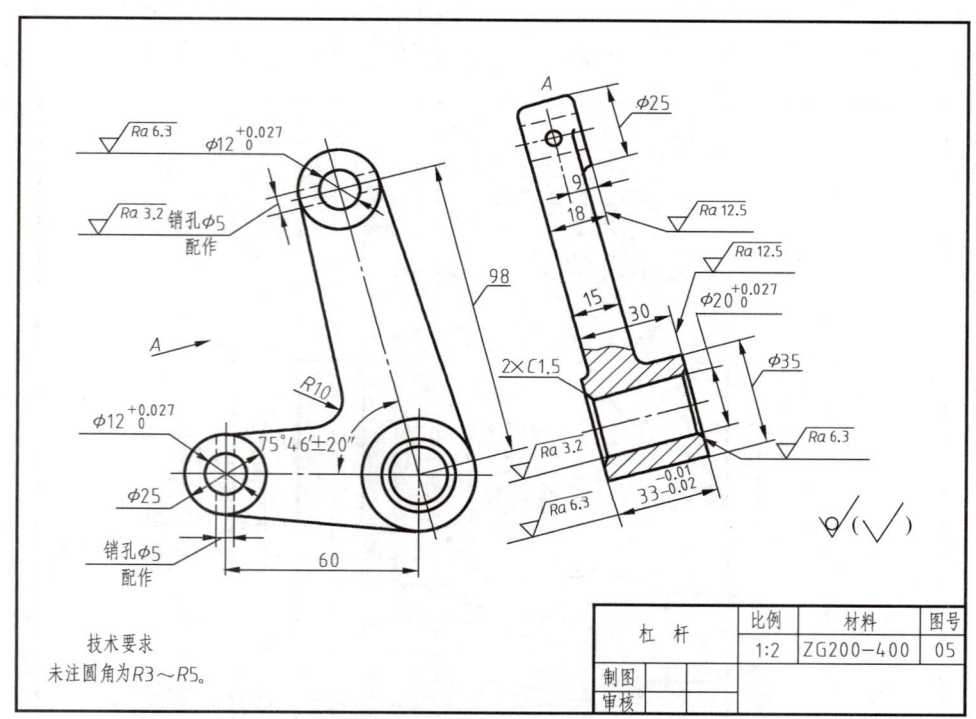

图 8-61 杠杆的零件图

这类零件的工作位置有时不固定,甚至是倾斜的,因此在选择视图时,应将零件摆正,再将反映形状特征明显的方向作为主视图的投射方向,如图 8-61 所示。

4. 箱体类零件

箱体类零件包括各种箱体、壳体、泵体以及减速器的机体等。这类零件主要用来支承、包容和保护体内的零件,也起定位和密封作用。

由于箱体类零件结构复杂,加工位置变化也较多,所以一般以零件的工作位置和最能反映其形状特征及各部分相对位置的一面作为主视图的投射方向。

表达箱体类零件,一般需用三个以上的基本视图和其他视图,并常常取剖视图。当零件的外部、内部结构都较复杂,其投影并不重叠时,常采用局部剖视图;投影重叠时,外部、内部结构形状应采用视图和剖视图分别表达;对细小结构,可采用局部视图、局部剖视图和断面图来表达。此外,由于铸件上圆角很多,还应注意过渡线的画法等。

箱体类零件多为铸件,内、外结构比前三类零件都复杂。它们通常都有一个由薄壁围成的较大空腔和与其相连供安装用的底板;在箱壁上常有多个向内或向外伸延的供安装轴承用的圆筒或半圆筒,且在其上、下常有肋板加固。此外,箱体类零件上还常有许多细小结构,如凸台、凹坑、起模斜度、铸造圆角、螺纹孔、销孔和倒角等。图 8-56 所示铣刀头中座体的零件图如图 8-62 所示。

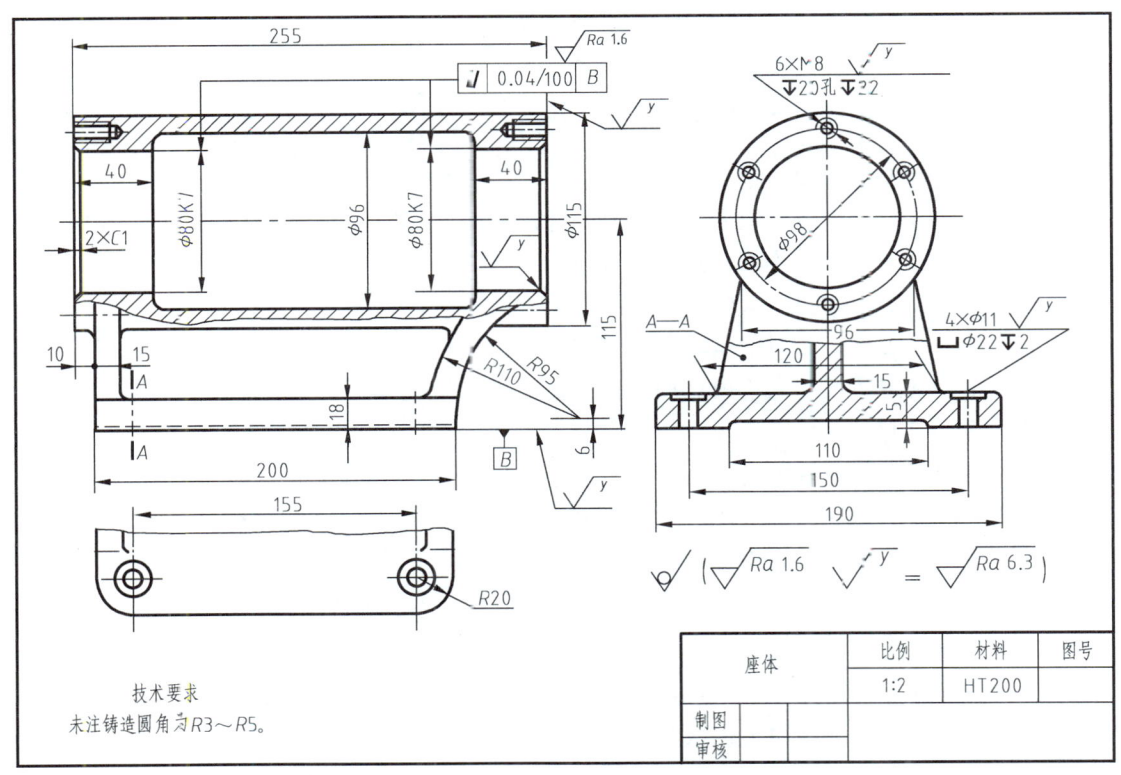

图 8-62 座体的零件图

第九节 零件测绘

对实际零件凭目测徒手画出图形,测量并记入尺寸,写出技术要求以完成草图,再根据草图画出零件图的过程，称为零件测绘。在修配损坏零件时，一般都要进行零件测绘。

由于零件草图是绘制零件图的依据，必要时还要直接根据它制造零件，因此，一张完整的零件草图必须具备零件图应有的全部内容。要求做到：图形正确，尺寸完整，线型分明，字体工整，并注写出技术要求和标题栏的相关内容。以图 8-63 所示轴为例，说明零件测绘的步骤。

图 8-63 轴

一、零件测绘的方法和步骤

1. 了解和分析测绘对象

首先应了解零件的名称、材料以及它在机器或部件中的位置、作用及与相邻零件的关系，然后再对零件的内外结构形状进行仔细分析。

2. 确定表达方案

在对零件进行观察、分析的基础上，按零件的工作位置、加工位置以及尽量多地反映形状特征的原则，确定主视图的投射方向，再根据零件的复杂程度选择其他视图。

3. 绘制零件草图

（1）绘制图形　根据确定的表达方案，徒手画出图形（一般用方格纸绘制）。绘制图形的步骤，如选取（目测）比例、布图、起底稿、描深图线等，与前面介绍的画图步骤相同，不再多述。但需注意两点：①零件上的制造缺陷（如砂眼、气孔等），以及由于长期使用造成的磨损、碰伤等，均不应画出。②零件上的细小结构（如铸造圆角、倒角、倒圆、退刀槽、砂轮越程槽、凸台和凹坑等）必须画出（或按规定注明）。

（2）标注尺寸　先选定基准，再标注尺寸。具体应注意三点：①先集中画出所有的尺寸界线、尺寸线及其终端，然后再依次测量，逐个记入尺寸数字。②零件上标准结构（如键槽、退刀槽、销孔、中心孔、螺纹等）的尺寸，必须查阅国家标准，并予以标准化。③与相邻零件相关的尺寸（如孔的定位尺寸和配合尺寸等）必须一致。

（3）注写技术要求　零件上的表面粗糙度、尺寸公差和几何公差等技术要求，通常可采用类比法给出。具体应注意三点：①主要尺寸要保证其精度，并给出公差。②有相对运动的表面及对形状、位置要求较严格的线、面等要素，要给出既合理又经济的表面粗糙度和几何公差要求。③有配合关系的孔与轴，必要时应查阅与其相结合的轴与孔的相应资料（装配图或零件图），核准配合制度和配合性质。

只有这样,经测绘而制造出的零件,才能顺利地装配到机器上去并达到其功能要求。

(4) 填写标题栏 一般可填写零件的名称、材料及绘图者的姓名和完成时间等。例如轴的测绘步骤如图 8-64 所示。

4. 根据零件草图画零件图

草图完成后,再根据草图绘制零件图,如图 8-65 所示。

二、零件尺寸的测量方法

测量尺寸是零件测绘过程中一个很重要的环节,尺寸测量得准确与否,将直接影响机器的装配和工作性能,因此,测量尺寸要谨慎。

测量时,应根据对尺寸精度要求的不同选用不同的测量工具。常用的量具有钢直尺、内卡钳、外卡钳等;精密的量具有游标卡尺、千分尺等;此外,还有专用量具,如螺纹样板、圆角规等。

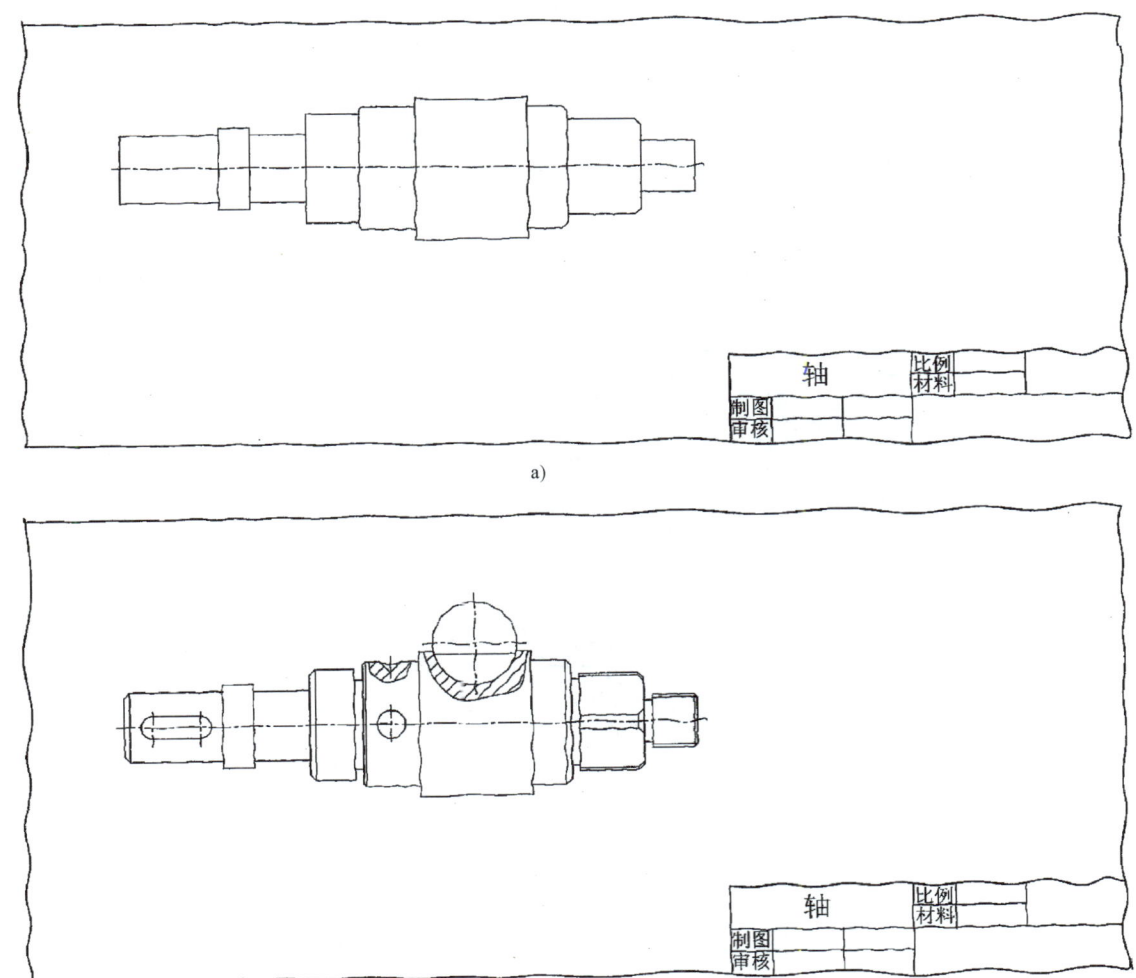

图 8-64 轴的测绘步骤

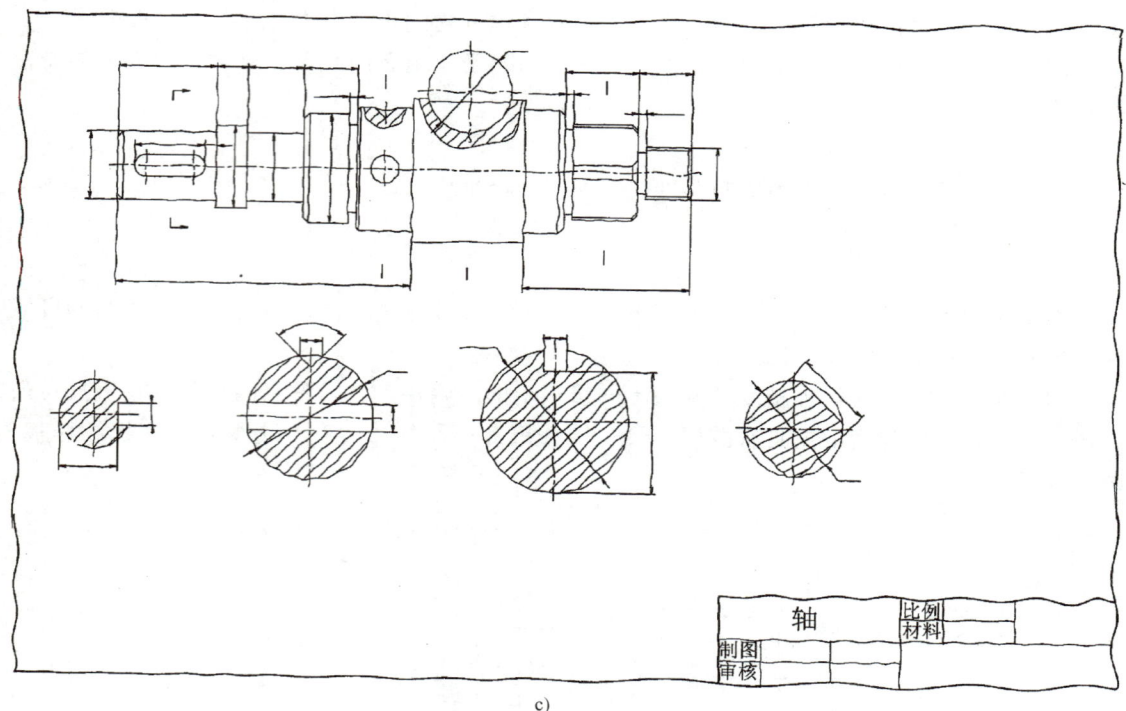

图 8-64 轴的测绘步骤（续）

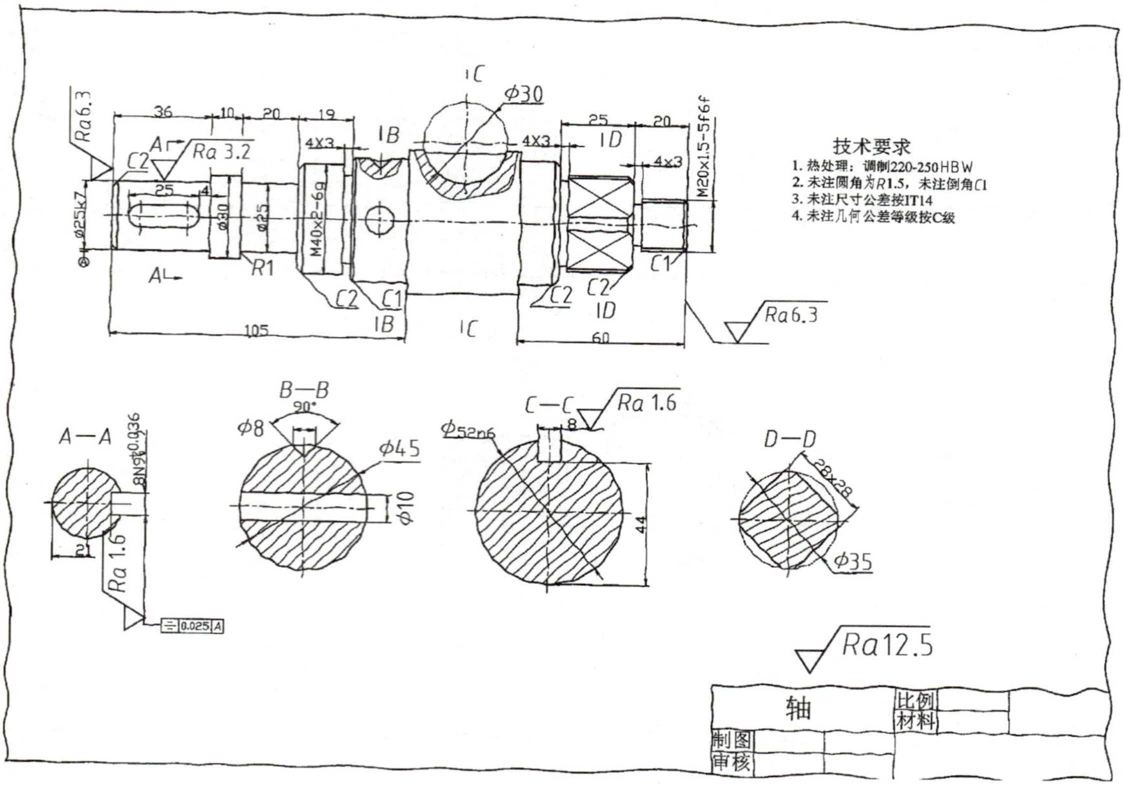

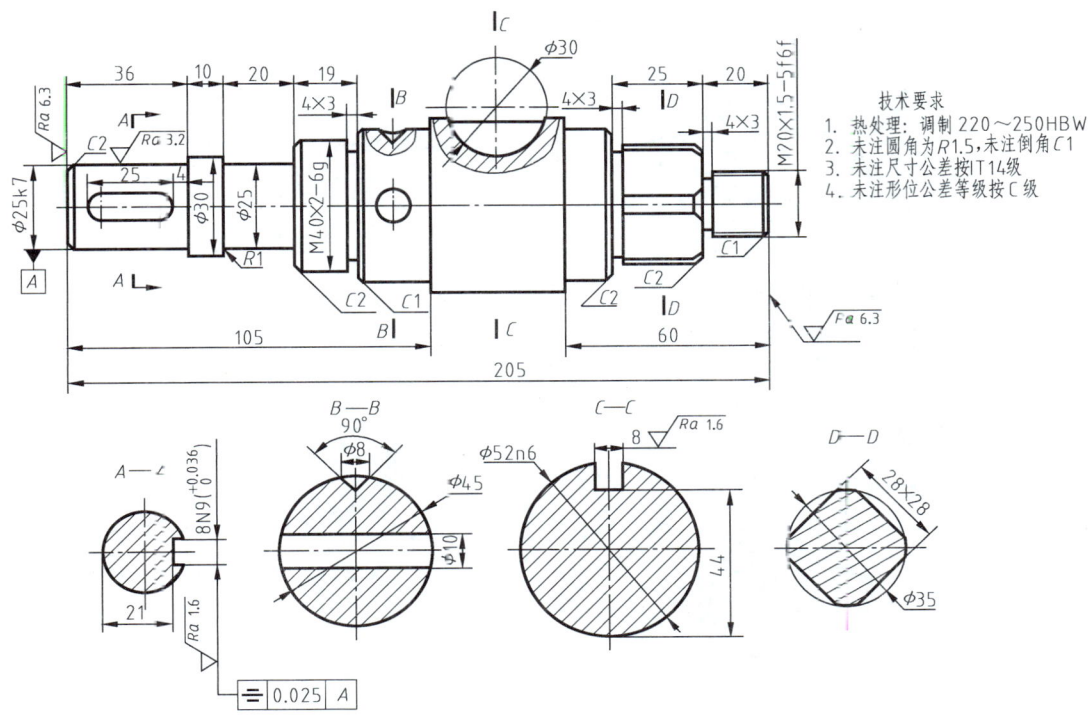

图 8-65　轴的零件图

零件上常见几何尺寸的测量方法见表 8-6。

表 8-6　零件上常见几何尺寸的测量方法

项目	图例与说明	项目	图例与说明
直线尺寸	直线尺寸可用钢直尺或游标卡尺直接测量	壁厚尺寸	壁厚尺寸可用钢直尺测量,如底壁厚度 $h=A-B$;或用外卡钳和钢直尺配合测量,如左侧壁的厚度 $t=C-D$

(续)

项目	图例与说明	项目	图例与说明
直径尺寸	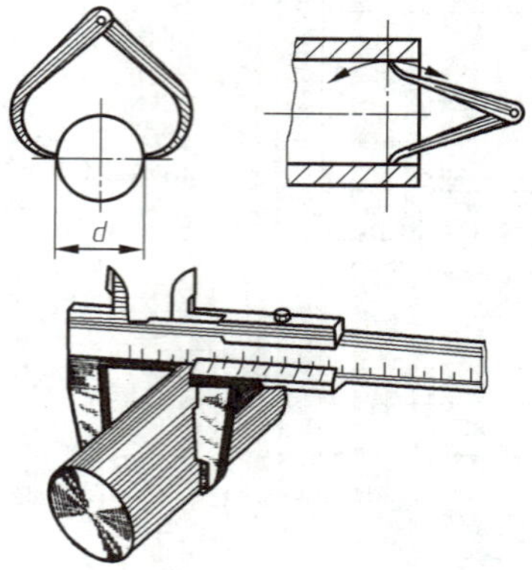 直径尺寸可用内、外卡钳间接测量或用游标卡尺直接测量	螺距	螺纹的螺距应该用螺纹样板直接测得（见图的上方），也可用钢直尺测量（见图的下方）。$P=1.5$
孔间距	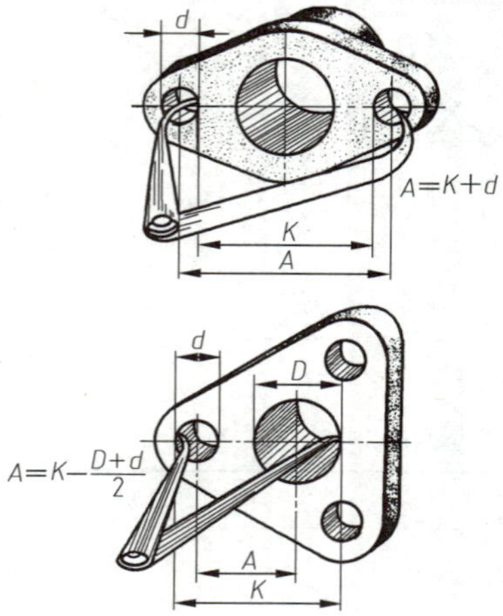 $A=K+d$ $A=K-\dfrac{D+d}{2}$ 孔间距可用内、外卡钳和钢直尺结合测量	齿顶圆直径	偶数齿，齿轮的顶齿圆直径可用游标卡尺直接测得；奇数齿可间接测量
中心高	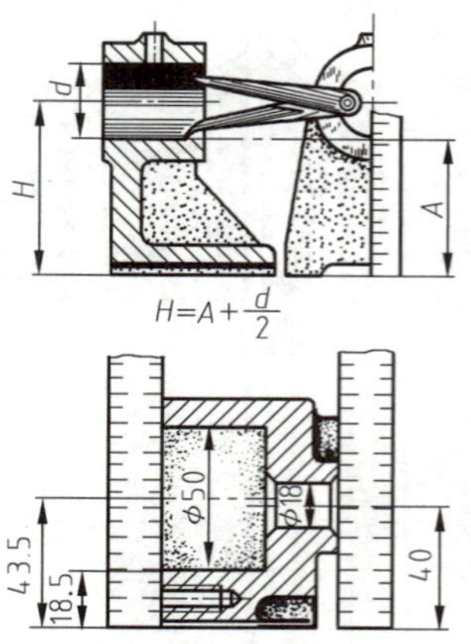 $H=A+\dfrac{d}{2}$ 中心高可用钢直尺或用钢直尺和内卡钳配合测量，即：$H=A+d/2$（见上图） 下图左侧的中心高：$43.5=18.5+50/2$	曲面曲线的轮廓	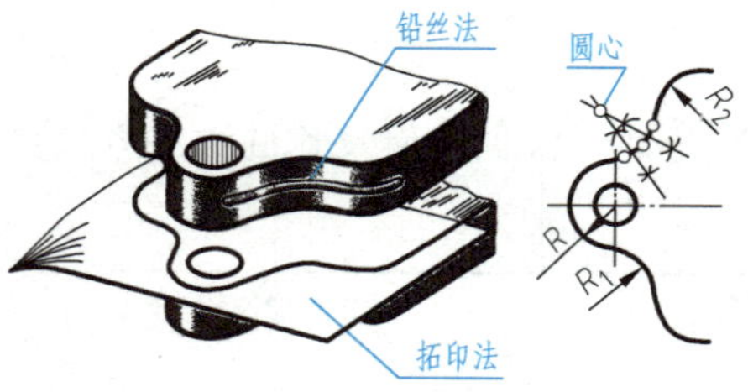 对精度要求不高的曲面轮廓，可以用拓印法在纸上拓印出它的轮廓形状，然后用几何作图的方法求出各连接圆弧的尺寸和圆心位置
		曲面曲线的轮廓	用半径样板测量圆弧半径 用坐标法测量非圆曲线

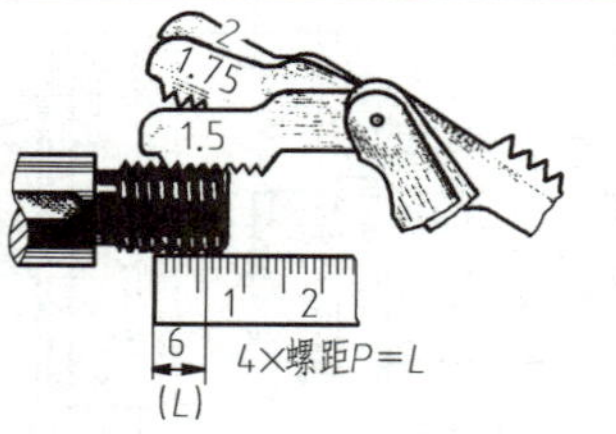

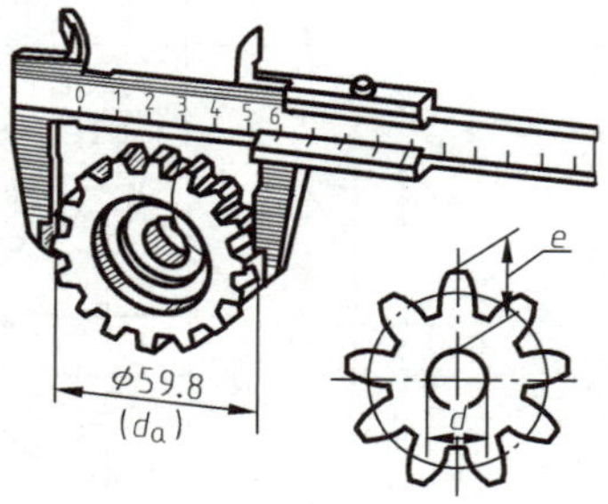

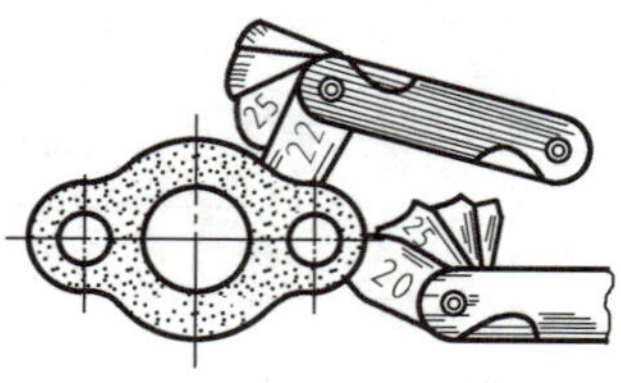

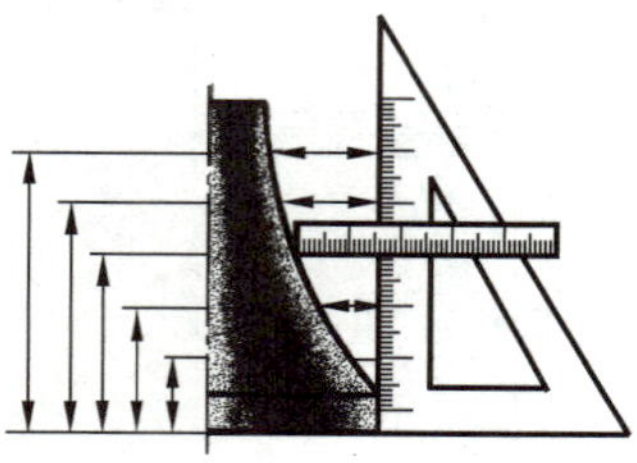

第九章 装配图

> 任何一台机器都是由若干部件和零件构成的,而部件也是由若干零件按一定的装配关系和技术要求装配而成的。本章学习装配图。学完本章,应掌握查阅标准手册的方法,能快速查出标准零件的参数值。强化团队合作意识。

第一节 装配图的作用和内容

一、装配图的作用

装配图主要表达机器或部件的工作原理、性能要求、各零件间的连接及装配关系和主要零件的结构形状,以及在装配、检验、安装时所需的尺寸数据和技术要求。

1)在设计机器或部件的过程中,一般先根据设计思想画出装配示意图,再根据装配示意图画出装配图,然后根据装配图进行零件设计并画出零件图。

2)在生产过程中,根据零件图进行加工、检验,再依据装配图将零件装配成部件。装配图是制定装配工艺规程,进行装配、检验的主要技术文件。

3)在机器使用及维修时,装配图亦是安装、调试、操作、检修机器和部件的重要依据。

二、装配图的内容

图 9-1a 所示为滑动轴承的轴测图,图 9-1b 所示为滑动轴承的分解图,图 9-2 所示为滑动轴承的装配图,由图中可以看出一张完整的装配图应具有以下内容:

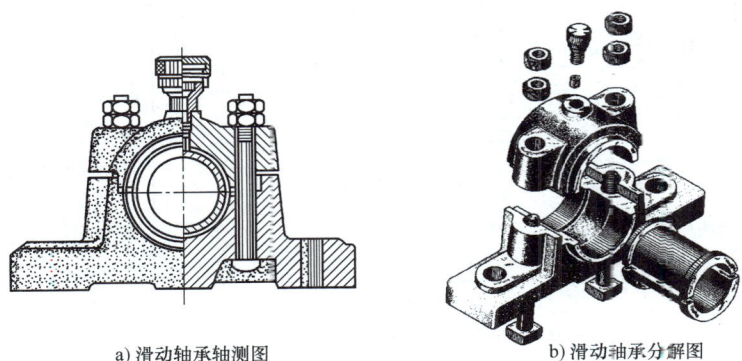

a)滑动轴承轴测图 b)滑动轴承分解图

图 9-1 滑动轴承

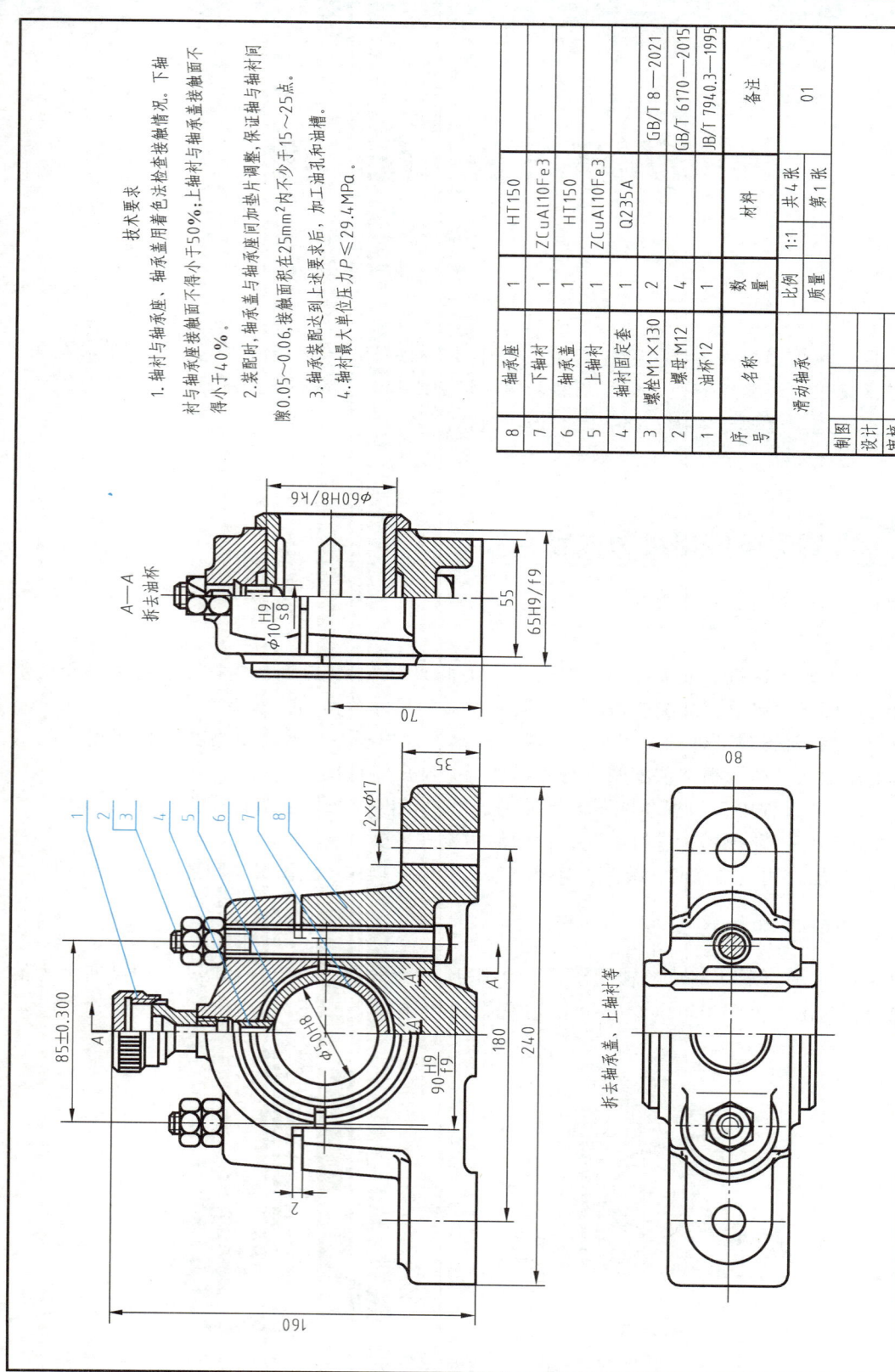

图 9-2 滑动轴承装配图

1. 一组视图

用一组视图（一般或特殊表达法）完整、清晰、准确地表达装配体（机器或部件）的工作原理和结构特点、各零件的相互位置及装配关系、重要零件的主要结构形状。

图 9-2 中采用了三个基本视图，由于结构基本对称，所以三个视图均采用了半剖视图，这就比较清楚地表达了轴承盖、轴承座和上下轴衬的装配关系。

2. 必要的尺寸

在装配图上必须标出表示装配体的性能、规格以及在装配、检验、安装、运输时所需的尺寸。如图 9-2 所示，轴孔直径 $\phi50H3$ 为规格尺寸，180、$2\times\phi17$ 等为安装尺寸，$\phi60H8/k6$、$90H9/f9$ 等为装配尺寸，240、160、80 为总体尺寸。

3. 技术要求

技术要求指用文字或代号说明装配体的性能以及在装配、检验、安装、调试时所需达到的技术条件和要求。

4. 零件（或部件）序号和明细栏

在装配图上，应对每个不同的零件（或组件）编写序号，在明细栏中依次填写对应零件（或组件）的序号、名称、数量、材料、图号及标准件的规格、标准代号等内容。

5. 标题栏

标题栏的内容有：机器或部件的名称、绘图比例、质量、图号及设计、制图、设计、审核人员的签名和设计单位等。绘图及审核人员签名后就要对图样的技术质量负责，因此我们画图时必须细致、认真。

第二节　装配图的表达方法

前面介绍的零件的各种表达方法，如视图、剖视图、断面图、局部放大图等，同样适用于装配图。但由于装配图的重点是表达机器或部件的工作原理、性能要求、各零件间的连接及装配关系和主要零件的结构形状，并不要求把零件的形状完全表达，因此，国家标准对装配图的画法做了专门的规定。

一、规定画法

1）相邻两零件的接触表面和配合表面只画一条公用的轮廓线；两零件的不接触表面和非配合表面画两条轮廓线（画出两表面各自的轮廓线）。若间隙过小，可采用夸大画法。图 9-3 中键的两侧与轴的键槽两侧面为配合面，所以只画一条线，键上面与键槽孔的底面为不接触表面，所以应画两条线；图 9-4 中零件光孔和螺杆不接触，应画两条线。

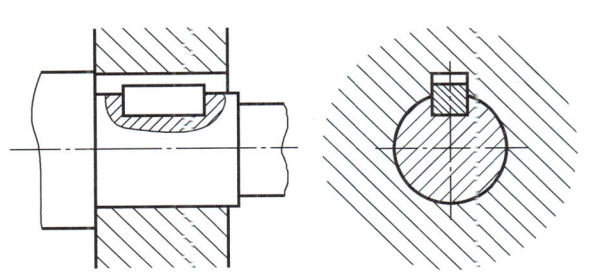

图 9-3　接触表面与不接触表面

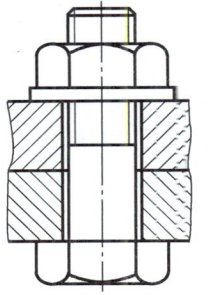

图 9-4　几个相邻零件剖面线的画法

接触表面和不接触表面

2）两个以上的金属零件相互邻接时，剖面线的倾斜方向应相反，或方向相同但间隔不同；同一零件在各视图上的剖面线方向和间隔必须一致，如图 9-3 和图 9-4 所示。当零件厚度在 2mm 以下时，允许以涂黑代替剖面线，如图 9-6 中垫片所示。

3）对于螺钉、螺母、垫圈等紧固件以及轴、手柄、球和杆等实心零件，若按纵向剖切，且剖切平面通过其对称平面或轴线时，均按不剖绘制，如图 9-3 中主视图中的键、图 9-4 中的螺栓、螺母、垫圈所示。如需要特别表明零件的凹槽、键槽、销孔等结构，可采用局部剖视图表示，如图 9-3 主视图中轴的局部剖所示。

二、特殊表达方法

1. 拆卸画法

当某些零件遮住了其后面需要表达的零件时，或在某一视图上不需要画出某些零件时，可假想将这些零件拆去，只画出所需表达部分的视图，即为拆卸画法。用拆卸画法画图时，应在视图上方标注"拆去××"等字样，如图 9-2 中的俯视图和左视图所示。

假想画法

2. 假想画法

1）在机器（或部件）中，有些零件做往复运动、转动或摆动。为了表示运动零件的极限位置或中间位置，常把它画在一个极限位置上，再用细双点画线画出其余位置的假想投影，以表示零件的另一极限位置，并注上尺寸，如图 9-5 中主视图所示。

2）为了表示装配体与其他零（部）件的安装或装配关系，常把与该装配体相邻而又不属于该装配体的有关零（部）件的轮廓线用细双点画线画出，如图 9-5 中的主轴箱所示。

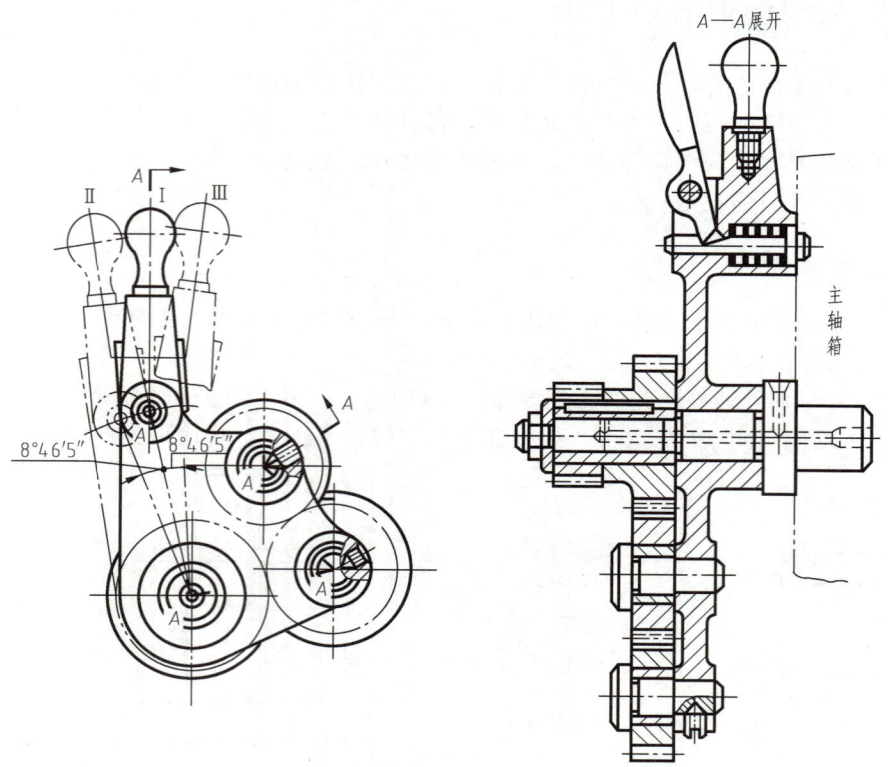

图 9-5 三星轮系展开画法

3. 展开画法

为了表达传动系统的传动关系及各轴的装配关系，假想将各轴按传动顺序，沿它们的轴线剖开，并展开在同一平面上。这种展开画法在表达机床的主轴箱、进给箱、汽车的变速器等装置时经常运用，展开图必须进行标注，如图 9-5 中的左视图所示。

4. 夸大画法

在装配图中，对于非配合面的微小间隙、薄片零件、直径很小的孔以及很小的锥度、斜度和尺寸很小的非配合间隙，若按其实际尺寸很难画出或难以明显表示时，均可不按比例而采用夸大画法画出。如图 9-3 中键与键槽孔之间的间隙、图 9-4 中螺杆和光孔之间的间隙和图 9-6 中的垫片，都采用了夸大画法。

5. 沿结合面剖切的画法

在装配图中，当需要表达某内部结构时，可假想在某两个零件结合面处剖切后画出投影。此时，零件的结合面不画剖面线，被横向剖切的轴、螺杆、销等实心杆件要画出剖面线，如图 9-2 中俯视图、图 9-6 中 A—A 所示。

6. 单独表示某个零件的画法

在装配图中，如需要表达某个零件的结构形状时，可单独画出该零件的某一视图，但必须在该视图上方注出零件的名称，在相应视图的附近用箭头指明投影方向，并注上相同的字母，如图 9-6 所示，B 向为转子液压泵中泵盖的零件图；再如图 9-7 中 B 向视图为手轮的表达。

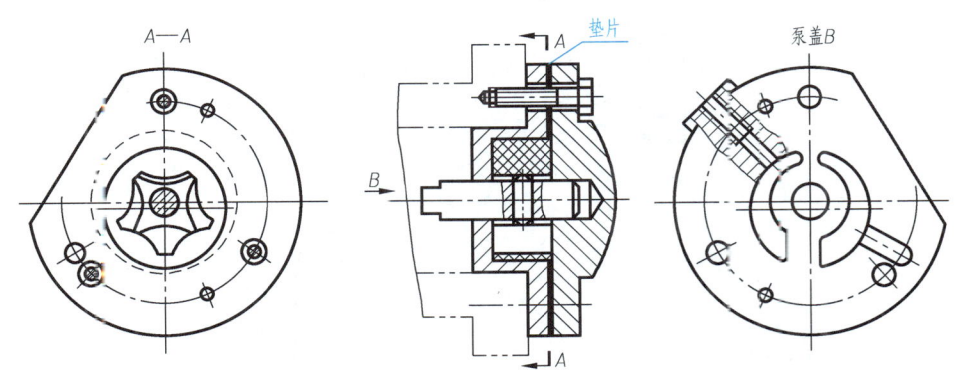

图 9-6 转子液压泵

三、简化画法

1）对于装配图中若干相同的零件组（如螺栓连接），可仅详细地画出一组或几组，其余只需用细点画线表示装配位置，如图 9-8a 所示。

2）在装配图中，零件的某些工艺结构，如倒角、圆角、退刀槽等可以不画。螺栓头部和螺母也允许按简化画法画出，如图 9-8b 所示。

3）在装配图中，可用粗实线表示带传动中的带，如图 9-8c 所示；用细点画线表示链传动中的链，如图 9-8d 所示。

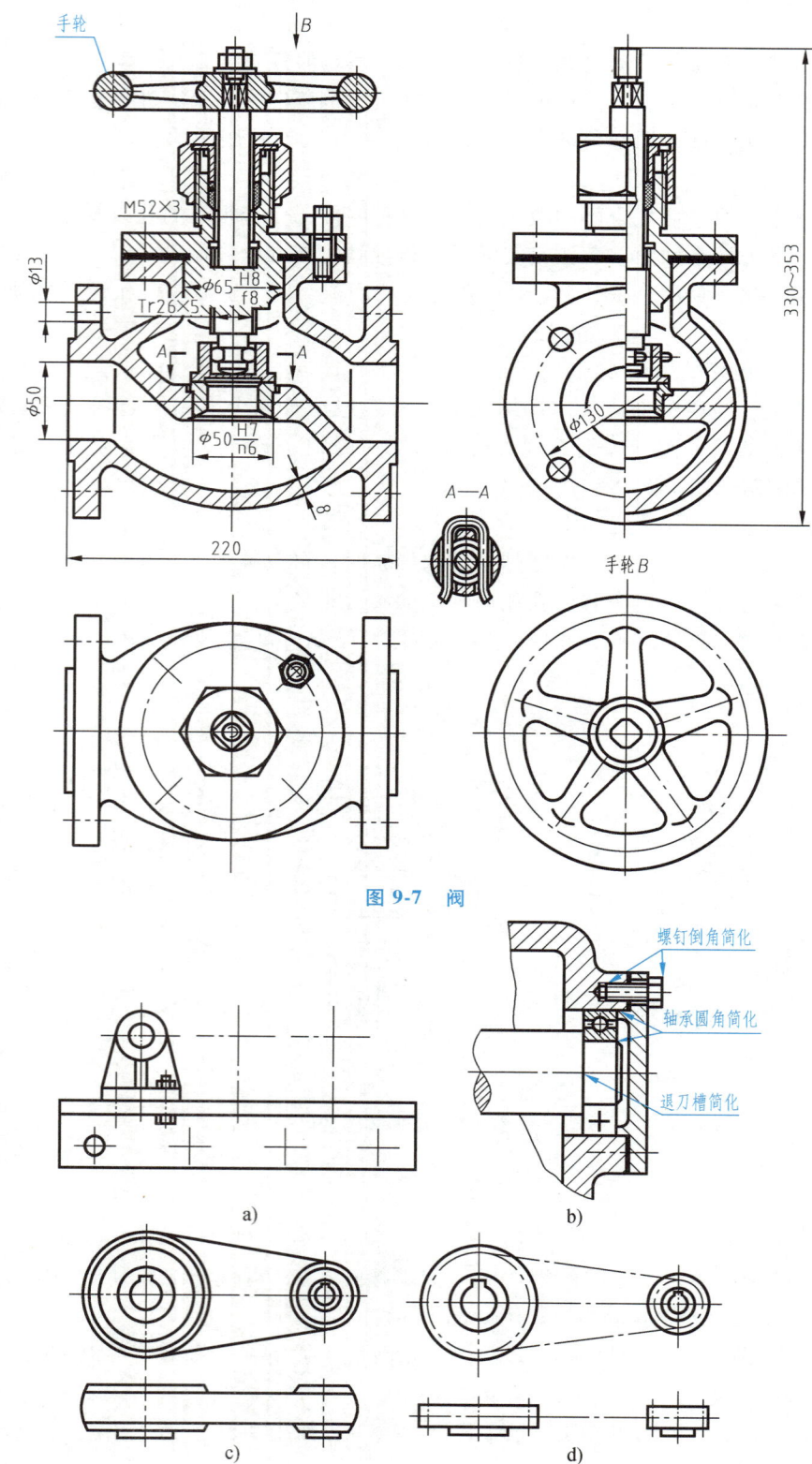

图 9-7 阀

图 9-8 简化画法

第三节 装配图的尺寸标注与技术要求

一、尺寸标注

装配图与零件图的作用不同，所以在装配图中不必把制造零件所需的尺寸都标出来，只要求标注出与装配体（机器或部件）性能、装配、安装、检验、运输等有关的尺寸。装配图中的尺寸可分为以下几类：

1. 性能（或规格）尺寸

性能（或规格）尺寸是表示装配体的性能或规格的尺寸。这类尺寸在该装配体设计画图前就已确定，是设计或使用机器的依据，例如图 9-2 滑动轴承的孔径 $\phi 50H8$。

装配图的尺寸标注

2. 装配尺寸

装配尺寸是表示装配体各零件之间装配关系的尺寸，一般用配合代号注出，例如图 9-2 中 90H9/f9、65H9/f9 等。

3. 安装尺寸

安装尺寸是将装配体安装到地基或其他设备上所需要的尺寸，例如图 9-2 中的 180、$2\times\phi 17$ 等。

4. 外形尺寸

外形尺寸是装配体在长、宽、高三个方向上的最大尺寸，它们提供了装配体在包装、运输和安装过程中所占的空间大小，例如图 9-2 中的 240、80、160 等。

5. 其他重要尺寸

其他重要尺寸指在设计中经过计算或根据某种需要而确定的，但又不属于上述几类尺寸的一些重要尺寸，例如图 9-2 中的尺寸 2。

上述五类尺寸，彼此间往往有某种关联，即有的尺寸往往同时具有几种不同的含义。此外，在一张装配图中也不一定都要标全这五类尺寸，在标注时应根据装配体的构造情况，具体分析而定。

二、技术要求

不同性能的装配体，其技术要求各不相同。拟定技术要求时，一般可以从以下几个方面考虑：

1. 装配要求

装配要求指装配体在装配过程中需注意的事项及装配后应达到的要求，如准确度、装配间隙、润滑要求等。

2. 检验要求

检验要求指对装配体基本性能的检验、试验及操作时的要求。

3. 使用要求

使用要求指对装配体的规格、参数及维护、保养、使用时的注意事项及要求。

装配图中的技术要求通常用文字书写在明细栏的上方或图样下方的空白处，如图 9-2 所示。

第四节　装配图上的零部件序号和明细栏

为了便于读图和管理图样，装配图上所有的零、部件必须编写序号，并在标题栏上方编制相应的明细栏。

一、编写序号的方法

1. 一般规定

1）装配图中所有的零、部件都必须编写序号，并与明细栏中的序号一致。

2）装配图中相同的零件、部件用一个序号，一般只标注一次，其数量填在明细栏内。

3）装配图上的标准化部件（如油杯、滚动轴承、电动机等），在图中可看作一个整体，当作一个件，只编写一个序号。

2. 序号的注写形式

1）在所指零、部件的可见轮廓内画一圆点，然后从圆点开始画指引线（细实线），在指引线的另一端附近直接注写序号，序号的字高比该装配图中所注写尺寸数字高度大一号或两号，如图 9-9a 所示；或在指引线的另一端画一水平线或圆（细实线），在水平线上或圆内注写序号，序号的字高比该装配图中所注写尺寸数字高度大一号或两号，如图 9-9b 所示。

2）若所指部分（很薄的零件或涂黑的剖面）可见轮廓内不便画圆点时，可在指引线的末端画出箭头，并指向该部分的轮廓，如图 9-9c 所示。

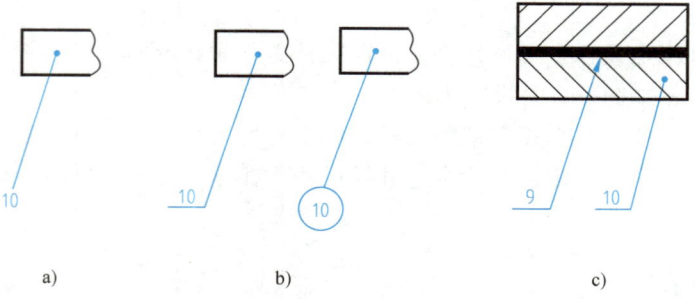

零件序号编写

图 9-9　序号的注写形式

在同一张装配图中，编写序号的形式应一致。

3. 指引线的画法

指引线相互不能相交，当通过剖面线的区域时不能与剖面线平行。必要时，指引线可以画成折线，但只可曲折一次。

一组紧固件以及装配关系清楚的零件组，可采用公共指引线编号，如图 9-10 所示。

4. 序号的排列

序号按水平或垂直方向排列整齐，并按顺时针方向或逆时针方向的顺序排列，如图 9-2 所示。

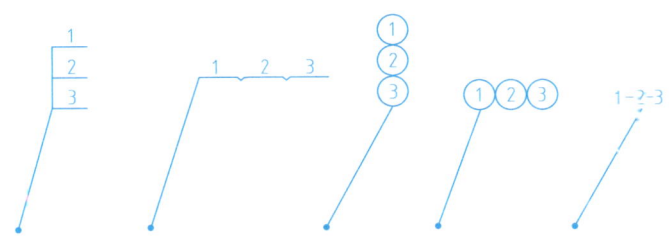

图 9-10　公共指引线编号

具体编写序号时可采用这样的顺序：在需要编号的零、部件的可见轮廓内画一圆点，然后画出指引线和横线（或圆），检查无重复、无遗漏时，再统一填写序号（数字），这样可避免出错。

二、明细栏

明细栏是装配体全部零件的详细目录，表中填有零件的序号、代号、名称、数量、材料、质量（单件、总计）、备注等，可按实际需要增加或减少，格式如图 9-11 所示。

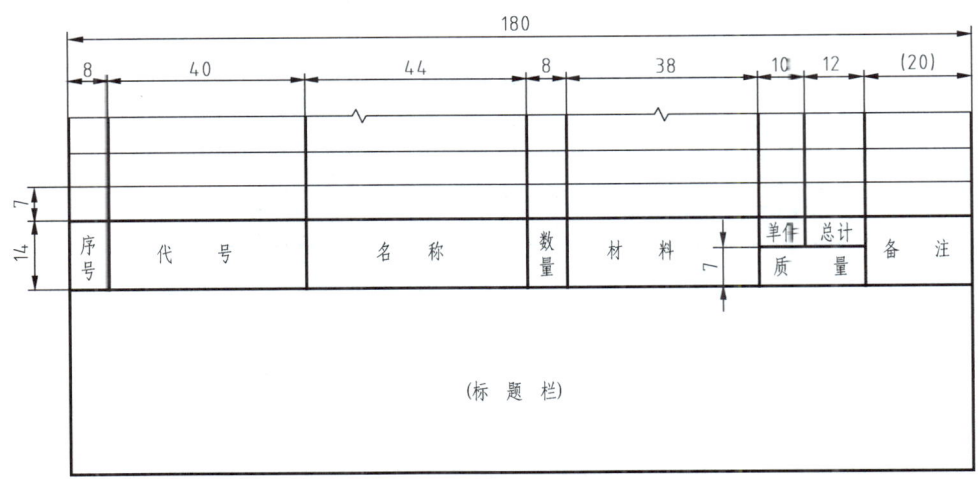

图 9-11　明细栏格式

明细栏一般配置在装配图中标题栏的上方，明细栏内零件序号自下而上按顺序填写，如图 9-2 所示。当位置不够时明细栏的一部分可以移放在标题栏的左边继续填写。需要注意的是，明细栏的外框的内格竖线为粗实线，序号以上横线为细实线。

明细栏中所填零件序号应和装配图中所编零件的序号一致。因此，应先编零件序号再填明细栏。

第五节　常见的装配工艺结构

了解装配体上一些装配的工艺结构和常见装置，可使图样画得更合理，以满足装配要求。并且在读装配图时,也有助于理解零件间的装配关系和零件的结构特征。

一、装配工艺结构

1) 两个零件在同一个方向上,只能有一个接触面或配合面。这样,既可保证接触面良好接触,又便于零件加工制造,如图9-12所示。

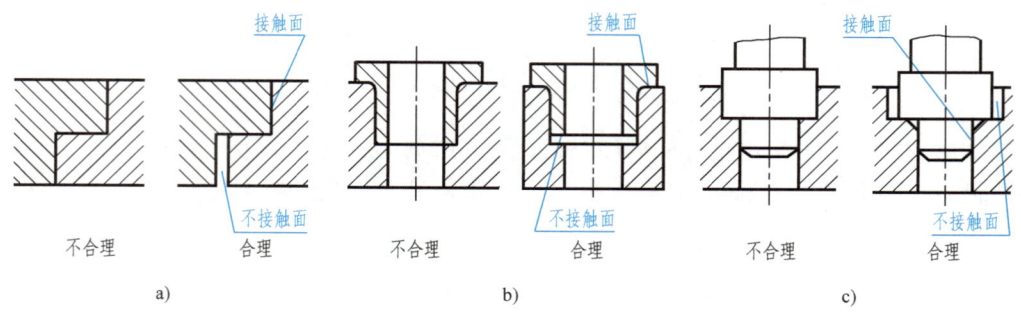

图 9-12 两零件接触面的画法

2) 轴肩面和孔端面相接触时,应在孔的接触端面加工成倒角,或在轴肩处制成倒圆或加工出退刀槽,以保证孔的端面与轴肩面的接触良好,如图9-13所示。

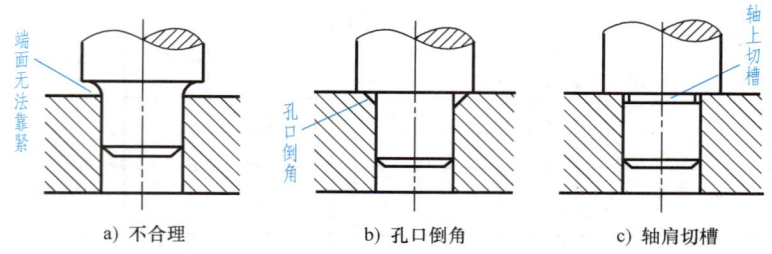

图 9-13 轴肩面与孔端面接触的画法

3) 为使螺栓、螺钉、垫圈等紧固件与被连接件接触良好,减少加工面积,应把被连接件表面加工成沉孔或凸台,如图9-14所示。

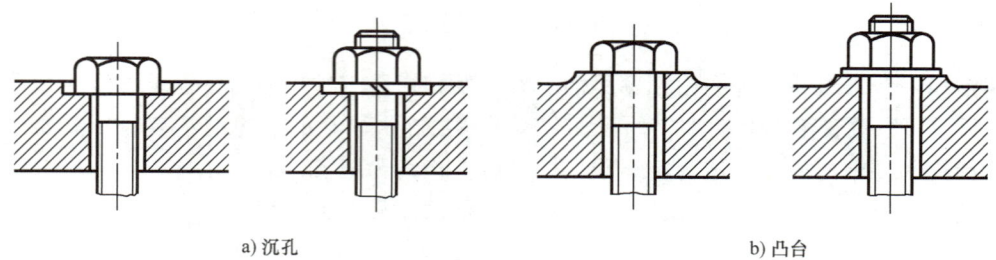

图 9-14 紧固件与被连接件接触面的画法

4) 为了保证两零件在装拆后装配精度不会降低,通常用圆柱销或圆锥销将两零件定位。为了加工和拆装方便,在可能的条件下,最好将销孔制成通孔,如图9-15所示。

5）考虑到维修、安装、拆卸方便，应注意的问题有：

① 当零件用螺纹紧固件连接时，应考虑到拆装的方便与可能。要留足拆装的活动空间，如图9-16所示。

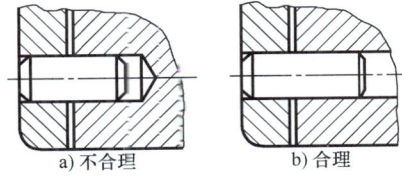

图 9-15 销连接拆装结构的合理性

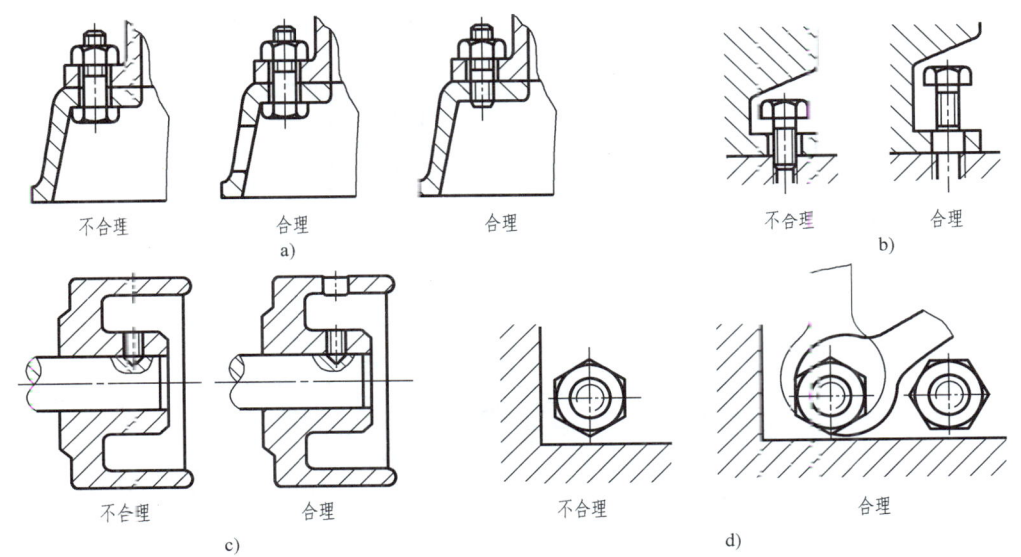

图 9-16 螺纹紧固件的装配合理性

② 零件在用轴肩或孔肩定位时，应注意维修时拆装的方便与可能，如图9-17所示。

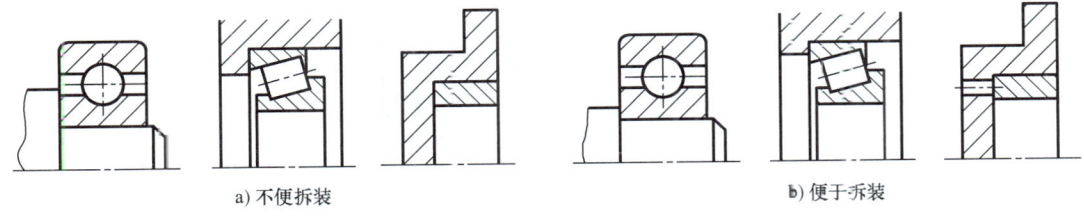

图 9-17 装配结构要便于拆装

二、机器上的常见装置

1. 螺纹防松装置

为了防止机器在工作中由于振动而使螺纹紧固件松开，常采用双螺母、弹簧垫圈、止动垫圈、开口销等防松装置，结构如图9-18所示，其中图9-18a、b为摩擦防松结构；图9-18c~f为机械防松结构；图9-18g、h为永久防松结构。

2. 滚动轴承的固定装置

为了防止滚动轴承产生轴向窜动，必须采用一定的结构来固定其内、外圈。常用的轴向定位结构形式有轴肩、台肩、弹簧挡圈、端盖凸缘、轴端挡圈、圆螺母和止动垫圈及轴套固定等，如图9-19~图9-22所示。

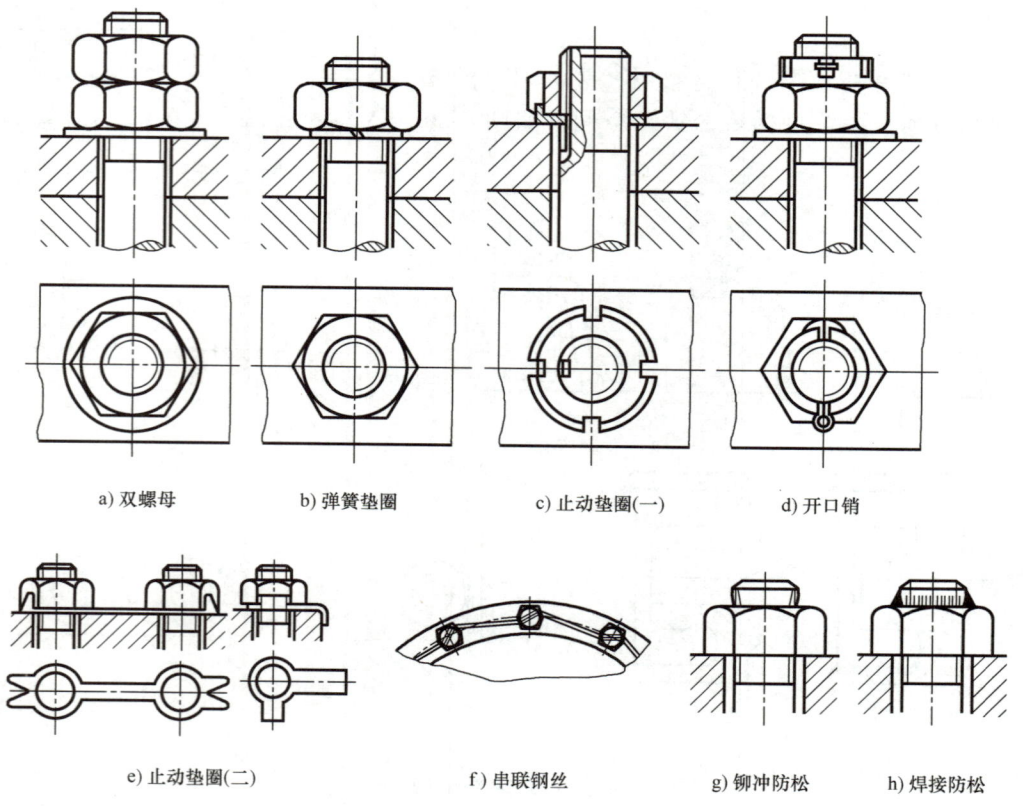

图 9-18 螺纹防松装置

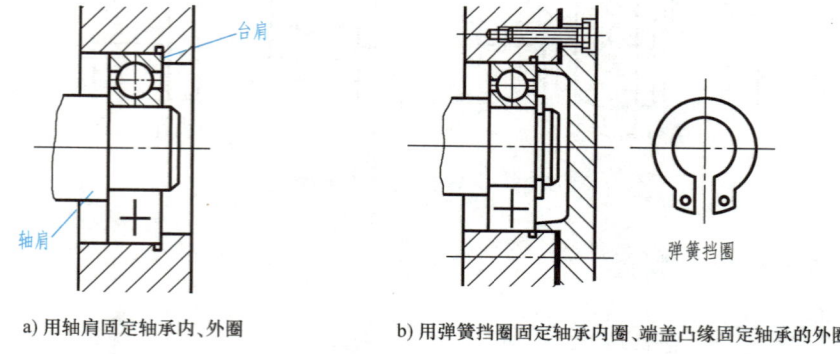

图 9-19 滚动轴承内、外圈的轴向定位

滚动轴承间隙的结构调整非常重要，滚动轴承与轴在高速旋转时会引起发热和鼓胀，为防止发热、鼓胀使轴承转动不灵活或卡住，常常在轴承和轴承端盖之间留有适量的间隙（一般为 0.2~0.3mm），常用的方法有更换厚度不同的金属垫片，如图 9-23a 所示，或采用螺钉调整止推盘，如图 9-23b 所示。

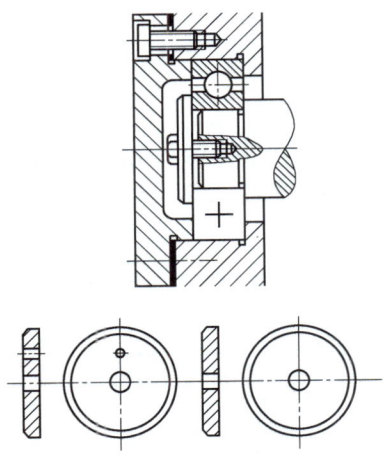

图 9-20　轴端挡圈固定结构

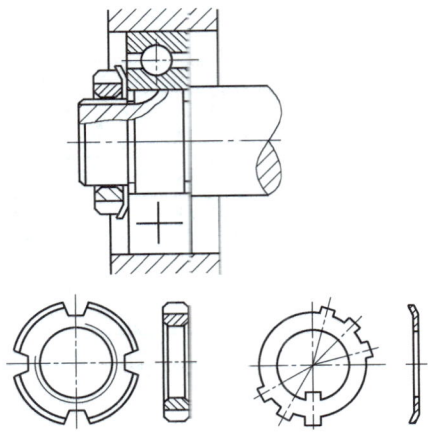

图 9-21　圆螺母及止动垫圈的固定结构

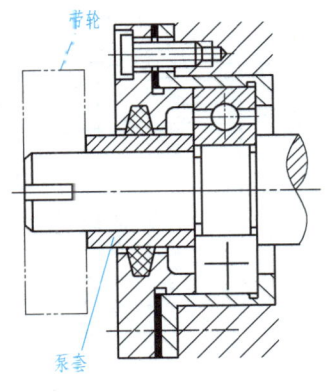

图 9-22　轴套固定结构

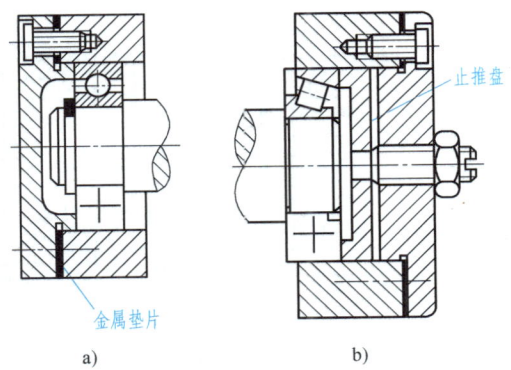

a)　　　　　　　　b)

图 9-23　滚动轴承间隙的结构调整

3. 密封装置

（1）垫片密封结构　垫片的两端应分别与被密封件端面接触，结构表达如图 9-24 所示。

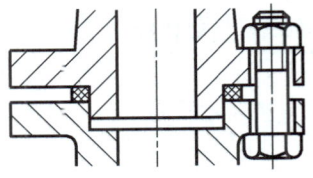

图 9-24　垫片密封结构

（2）填料密封结构　填料密封结构的主要作用是通过对填料的预紧或挤压，封住孔与轴之间的间隙来达到密封效果，其结构形式较多，如图 9-25 所示。

（3）滚动轴承的密封　为了防止外部的杂质和水分进入轴承以及轴承润滑剂渗漏，滚动轴承应进行密封。常用的密封件已经标准化，如毡圈式、油沟槽及皮碗式等，如图 9-26 所示。

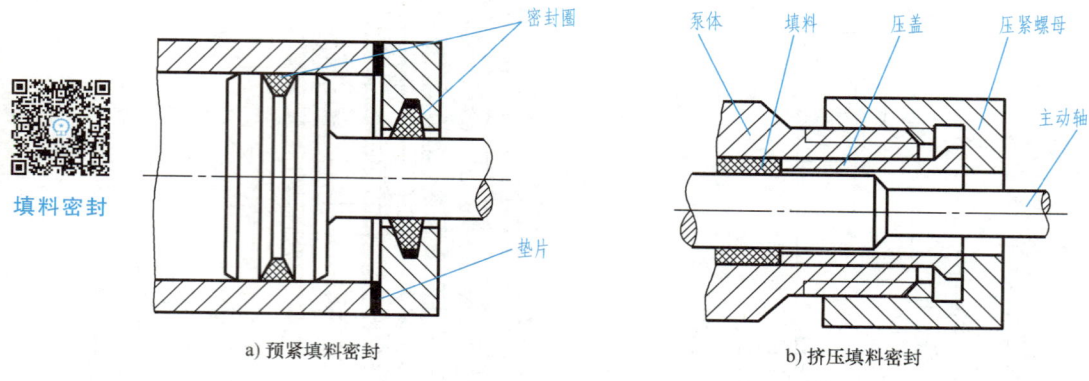

a) 预紧填料密封　　　　　　　　b) 挤压填料密封

图 9-25　填料密封结构

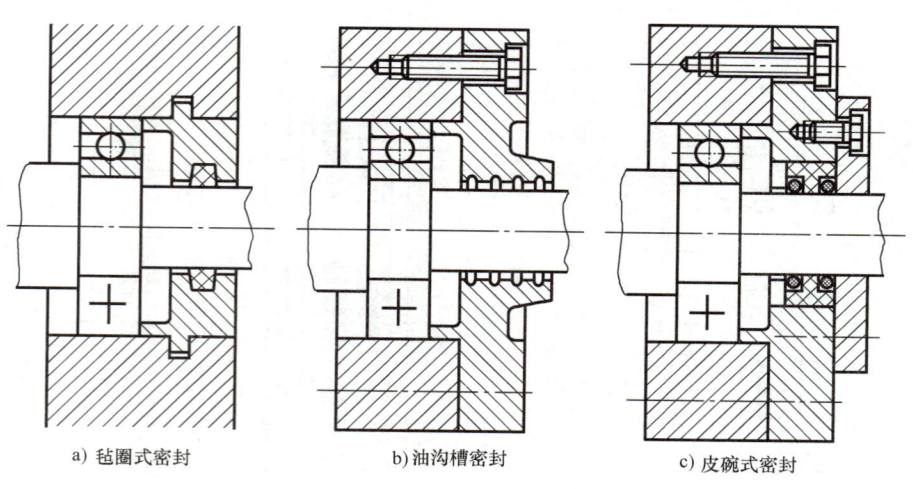

a) 毡圈式密封　　　　b) 油沟槽密封　　　　c) 皮碗式密封

图 9-26　滚动轴承的密封

第六节　装配体的测绘和装配图的画法

一、装配体的测绘

装配体的测绘是根据现有的部件（或机器），先画出零件草图，再画出装配图和零件图等整套图样的过程。现以齿轮泵测绘为例介绍装配体的测绘方法和步骤。

1. 了解测绘对象

1）明确测绘部件的目的。若为了设计新产品提供参考图样而测绘时，可以对部件进行完善和修改；若为维修制作备件，测绘时必须准确、完整，不准修改。

2）通过观察和拆卸，了解部件的用途、性能、工作原理、结构特点、各零件间的装配关系及相互位置等。有产品说明书时，可对照说明书上的图样来看，也可以参考同类产品的有关资料。总之，只有充分了解测绘对象，才能使测绘工作顺利进行。

齿轮泵是机器润滑、供油系统中的一个常用部件，其体积较小，要求传动平稳，保证供油，不能渗漏。它主要由泵体、泵盖、运动零件（如传动齿轮轴）、密封零件以及标准件等构成。图 9-27 所示为其轴测装配图，图 9-28 所示为齿轮泵分解图。

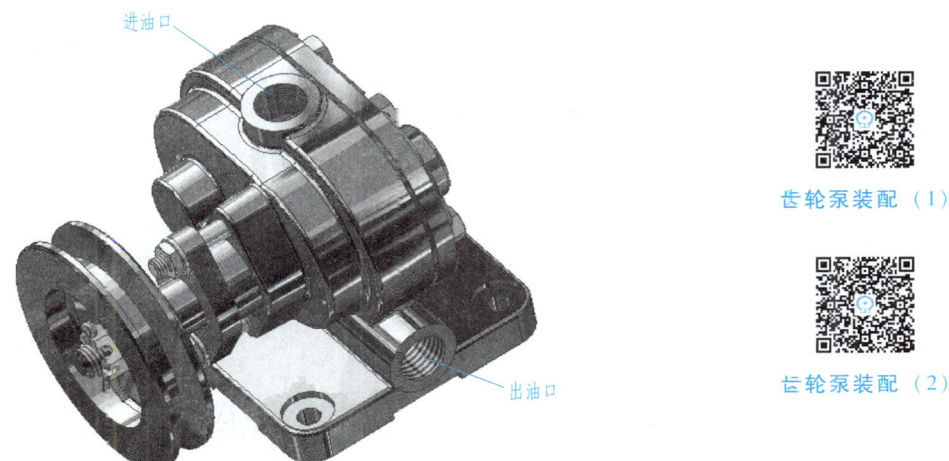

图 9-27　齿轮泵的轴测装配图

图 9-28　齿轮泵的分解图

齿轮泵的工作原理如图 9-29 所示。当一对齿轮在泵体内做啮合传动时，主动轮逆时针方向旋转，带动从动轮顺时针方向旋转，齿轮啮合区内右侧的轮齿逐渐脱开啮合，空腔体积增大而压力降低，油箱内的油在大气压力作用下，通过进油口被吸入泵内；而啮合区内左侧的轮齿逐渐进入啮合，空腔体积较小而压力增大，随着齿轮的传动而被齿槽带至左边的油就从出油口排出，经管道送至机器中需要润滑的部位。

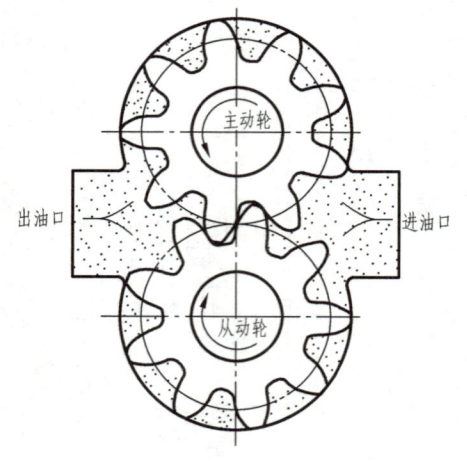

出油口　　　　　　　　进油口

主动轮

从动轮

齿轮泵工作原理（1）

齿轮泵工作原理（2）

齿轮泵工作原理（3）

图 9-29　齿轮泵的工作原理

凡属泵、阀类部件都要考虑防漏问题。为此，在泵体与泵盖的结合处加入了垫片 4，并在主动齿轮轴 8 的伸出端用填料 9 加以密封，如图 9-30 所示。

2. 拆卸部件、画装配示意图

在初步了解装配体功能的基础上，按一定顺序拆卸零件，可以进一步了解部件的结构、工作原理及装配关系。

拆卸时须注意：为防止丢失和混淆，应将零件进行编号；不便拆卸的连接、过盈配合的零件尽量不拆，以免损坏零件或影响配合精度；标准件和非标准件最好分类保管。

对零件较多的部件，为便于拆卸后重装和为画装配图提供参考，在拆卸的过程中，应同时画出装配示意图。装配示意图是用规定符号和简单的线条绘制的图样，是一种表意性的图示方法，用以记录部件中各零件间的相互位置、连接关系和配合性质，注明零件的名称、数量、编号等。

装配示意图的画法：对一般零件可按其外形和结构画出零件的大致轮廓。一般从主要零件和较大的零件入手，按装配顺序和零件的位置逐个画出示意图，画图时可将零件当作透明体，其表示可不受前后层次的限制，并尽量把所有零件都集中在一个视图上表达出来。实在无法表达清楚时，才画出第二个视图（应与第一个视图保持投影关系）。

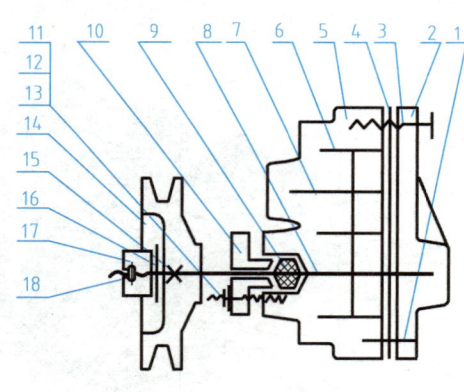

图 9-30　齿轮泵的装配示意图

1—圆柱销　2—泵盖　3—螺栓　4—垫片　5—泵体
6—齿轮　7—轴　8—主动齿轮轴　9—填料　10—压盖　11—垫圈　12—螺母　13—螺柱　14—带轮
15—键　16—垫圈　17—螺母　18—开口销

齿轮泵的装配示意图如图 9-30 所示。

3. 画零件草图

拆卸工作结束后，需对零件进行测绘，画出零件草图。零件草图的内容要求和画图步骤都与零件图相同，不同的是零件草图各部分尺寸比例要凭目测，徒手绘制而成。

画零件草图时应注意以下几点：

1）标准件可不画草图，但要测出其规格尺寸，然后查阅标准手册，按规定标记登记在标准明细栏内（例如：螺栓 GB/T 5781—2016 M16×70）。

2）零件上的所有工艺结构均应画出，并且其上的标准结构要素（如螺纹、键槽）的尺寸在测量以后，应查阅有关手册，核对确定。

3）应注意零件间有配合、连接关系的尺寸的协调与一致性。如图 9-2 中上轴衬、下轴衬分别与轴承盖、轴承座的配合尺寸 φ60H8/k6，轴承座、轴承盖上两螺栓孔间的距离 85 和座与盖的宽度 65 等尺寸必须协调一致，并应将其同时标注在相关零件图上。

零件草图的画法见第八章第九节。

4. 画装配图和零件图

根据零件草图和装配示意图绘制装配图，再根据装配图和零件草图绘制零件图。

二、装配图的画法

装配图要表达出装配体的工作原理、装配关系和主要零件的结构形状。画装配图与画零件图的方法步骤类似，首先要了解装配体的工作原理和装配关系，其次要了解每种零件的数量、其在装配图中的作用及与其他零件之间的装配关系等，并且要熟悉每个零件的结构。

【例 9-1】 下面以卧式齿轮泵（卧泵）为例讲解装配图的画法。

根据第八章第九节所讲内容，画出泵体、泵盖等所有非标准件的零件草图和零件工作图。画图过程中，除应遵守有关零件测绘的各项规则外，还应注意：

1）选择主视图时应考虑到装配图的主视图选择，尽可能使零件的安放位置与装配图上一致，以便绘制装配图。

2）在零件图上标注尺寸时应充分考虑到装配关系和工作原理，重要尺寸要直接从主要基准注出来。基准的选择也要根据装配关系和工作原理进行分析确定。

3）公差的选择可参照同类零件后查表注出偏差。图 9-31、图 9-32 分别为泵体和泵盖轴测图。图 9-33～图 9-35 分别为各零件的零件图。

图 9-31　卧泵泵体轴测图

图 9-32　卧泵泵盖轴测图

1. 齿轮泵装配结构的表达方案

（1）主视图的选择　要选好装配图的主视图，应注意以下问题：

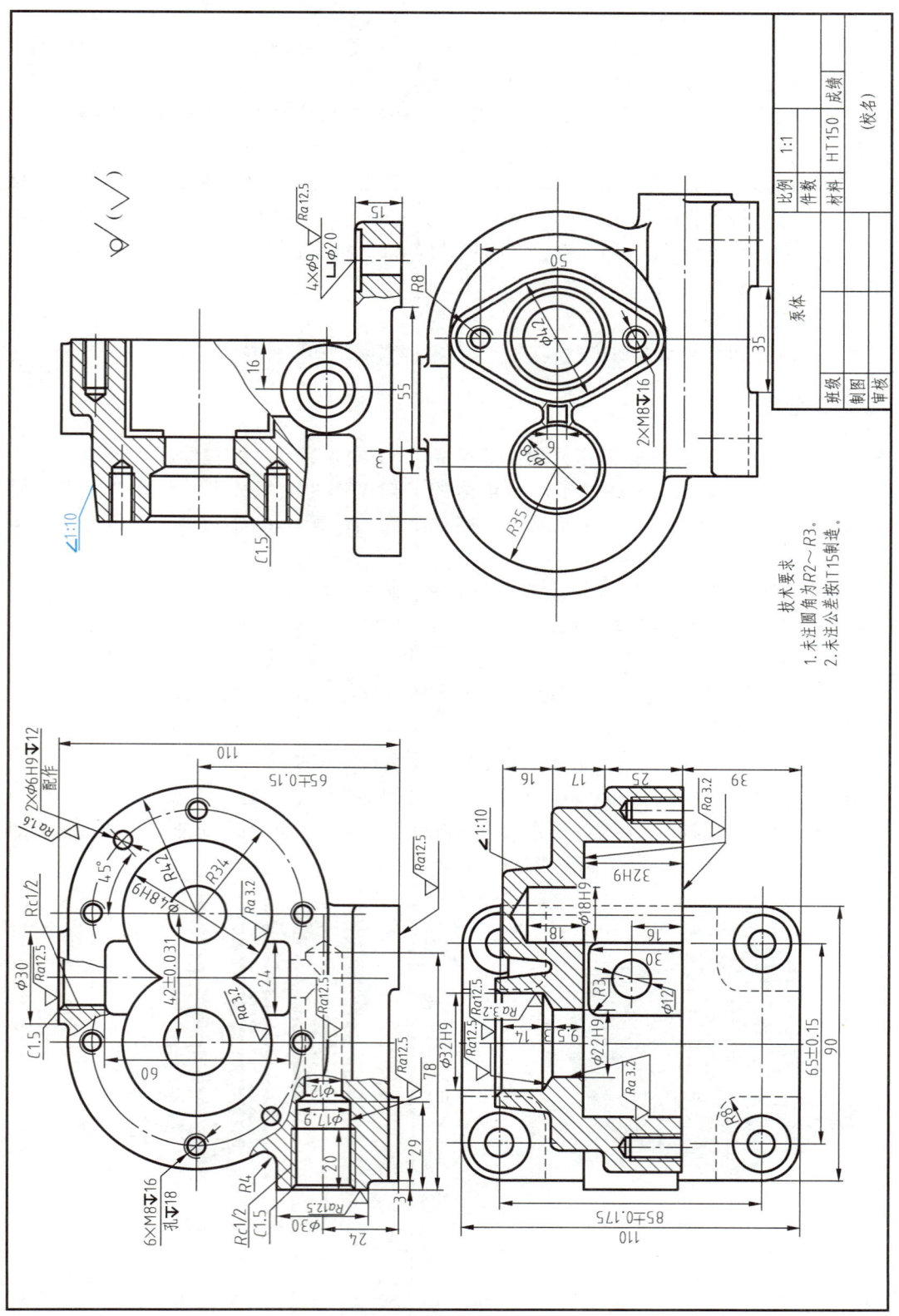

图 9-33 卧泵泵体零件图

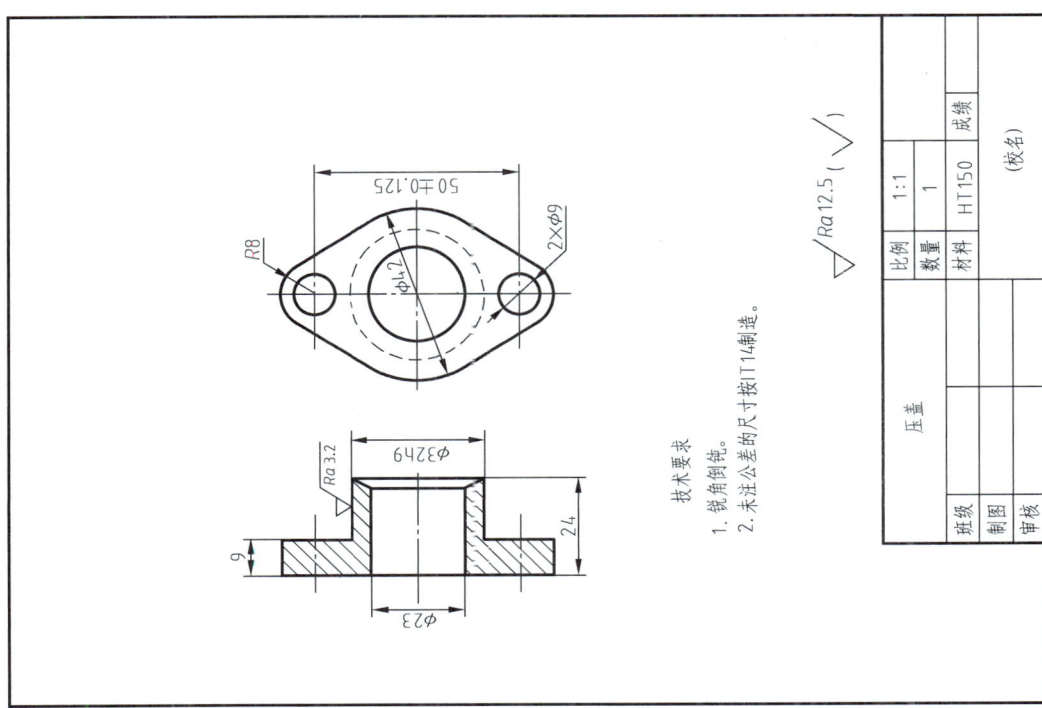

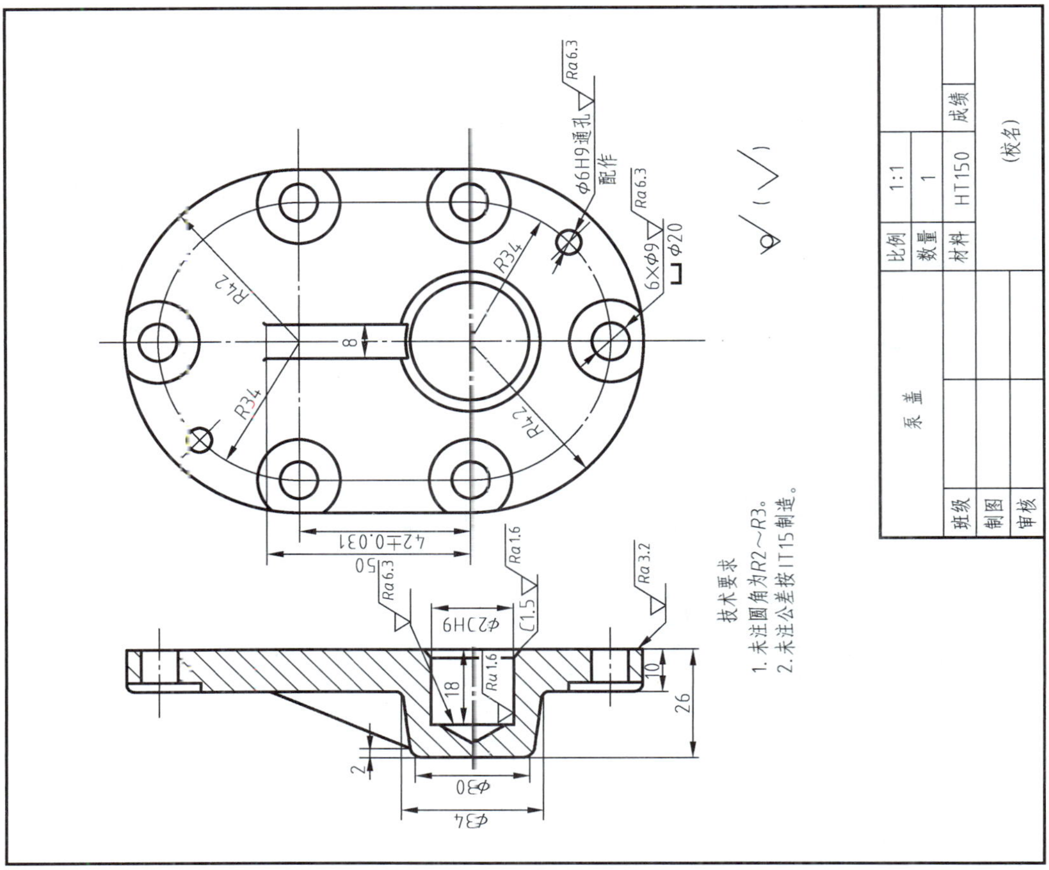

图 9-34 卧泵泵盖和压盖零件图

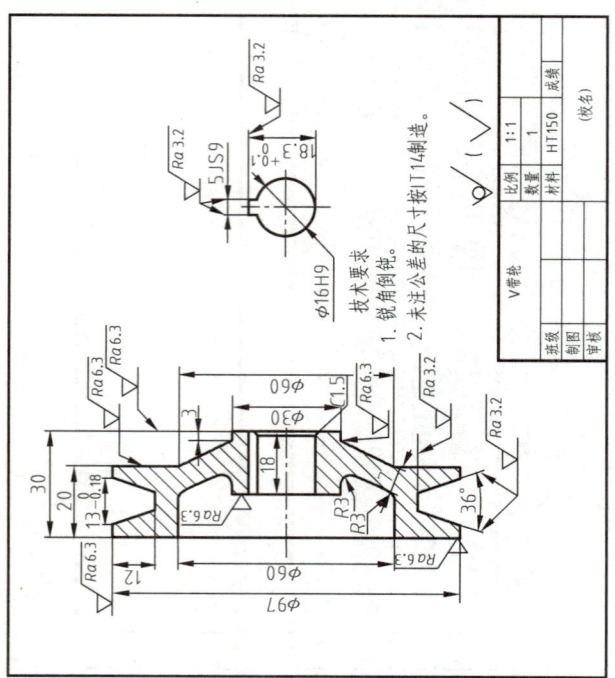
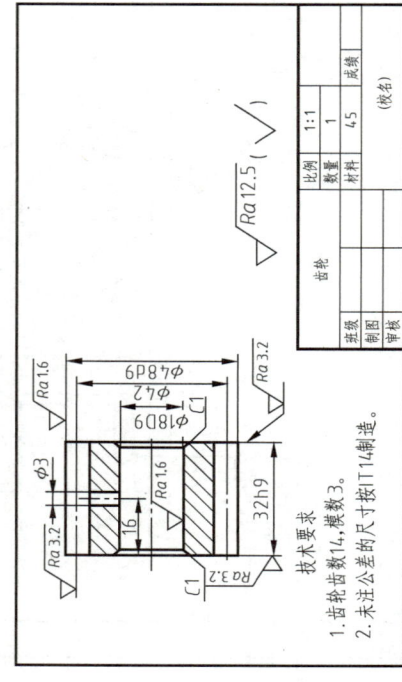
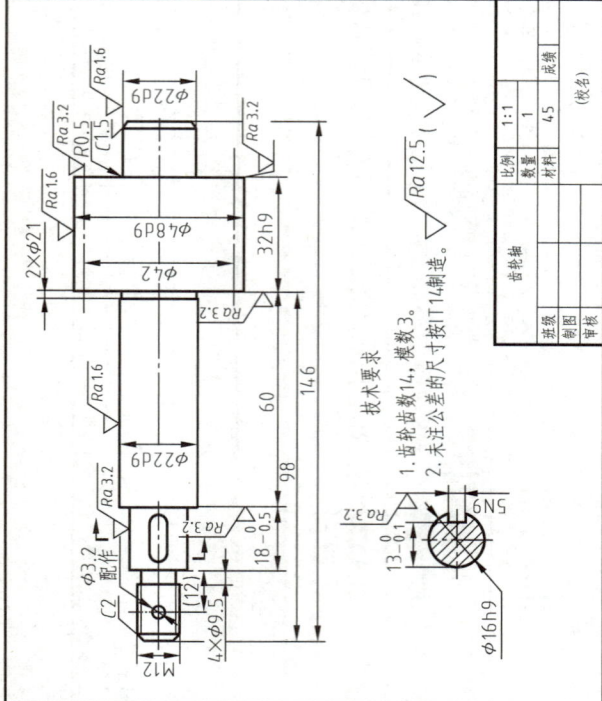
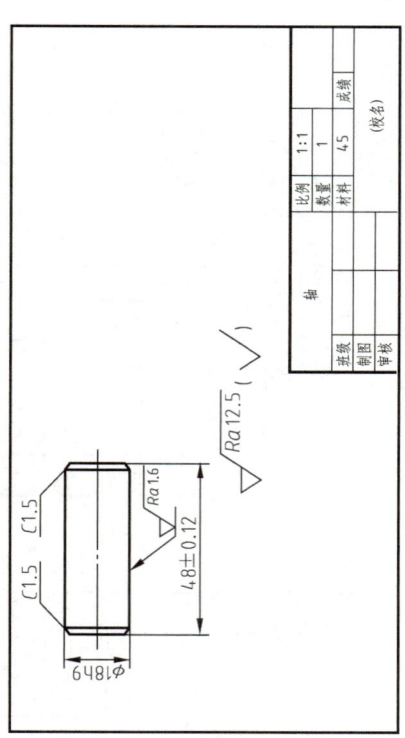

图 9-35 其他零件零件图

1）一般将机器或部件按工作位置或习惯位置放置。

2）应选择最能反映装配体的主要装配关系、传动路线和外形特征的那个视图作为主视图。

（2）其他视图的选择 主视图选定以后，对其他视图的选择应考虑以下几点：

1）分析还有哪些装配关系、工作原理及零件的主要结构形状还没有表达清楚，从而选择适当的视图以及相应的表达方法。

2）尽量用基本视图和在基本视图上作剖视图（包括拆卸画法、沿零件结合面剖切的画法等）来表达有关内容。

3）要注意合理地布置视图位置，使图形清晰、布局匀称，以方便看图。

确定装配体的表达方案时，可以多设计几套方案，每套方案一般都有优缺点，通过分析再选择比较理想的表达方案。

根据图9-30，确定齿轮泵的表达方案为：以能表达齿轮泵的形状结构和安装情况的一面作为主视图，并采用局部剖视，把齿轮泵的主要零件之间的相对位置、装配关系及连接方式等表达出来；俯视图采用全剖视图，侧重表达齿轮啮合部分和齿轮泵的工作原理；左视图采用基本视图表达方法，表达出泵体泵盖的外形结构及螺柱和销的分布位置。

2. 齿轮泵装配图的画图步骤

1）首先要定好比例，选定图幅。

2）画出图框、标题栏和明细栏外框。

3）依据确定的表达方案，布置视图。

4）绘制各视图的主要基准线。主要基准线一般是指主要的轴线（装配干线）、对称中心线、主要零件的基面或端面等，如图9-36a所示。

5）绘制主体结构和与之相关的重要零件。不同装配体的主体结构不尽相同，但在绘图时都应首先绘制出主体结构的轮廓。与主体结构相连接的重要零件要相继画出，如图9-36b、c所示。

6）依次画出其他次要零件和细小结构，要保证各零件之间的正确装配关系、连接关系，如图9-36d所示。对于机械上的连接方式，用螺纹连接是很普遍的。每种螺纹连接及其在装配体中所在的部位一定要表达清楚。对不同种类的螺纹连接以及键连接、销连接、齿轮啮合等都应作局部剖视图，以便清楚表达装配体上各种连接形式。这些表达将有助于看装配图和拆卸维修。

画剖视图时，要尽量从主要轴线围绕装配干线逐个零件按由里向外或者由下向上画。这样的画法，可避免将遮住的不可见零件的轮廓线画上去。

7）检查核对底稿，无误后画剖面线，标注尺寸，对零件进行编号，填写明细栏。

8）最后加深图线，注写技术要求，填写标题栏，完成全图。图9-37所示为齿轮泵装配图。

根据零件图画装配图，要求做到：

1）绘制装配图之前，要认真看懂装配示意图和零件图。

2）选择主视图时，应把装配体的工作原理和主要装配关系表达清楚。

3）应注出配合尺寸、装配尺寸、性能尺寸、外形尺寸和安装尺寸。

4）应注出技术要求。

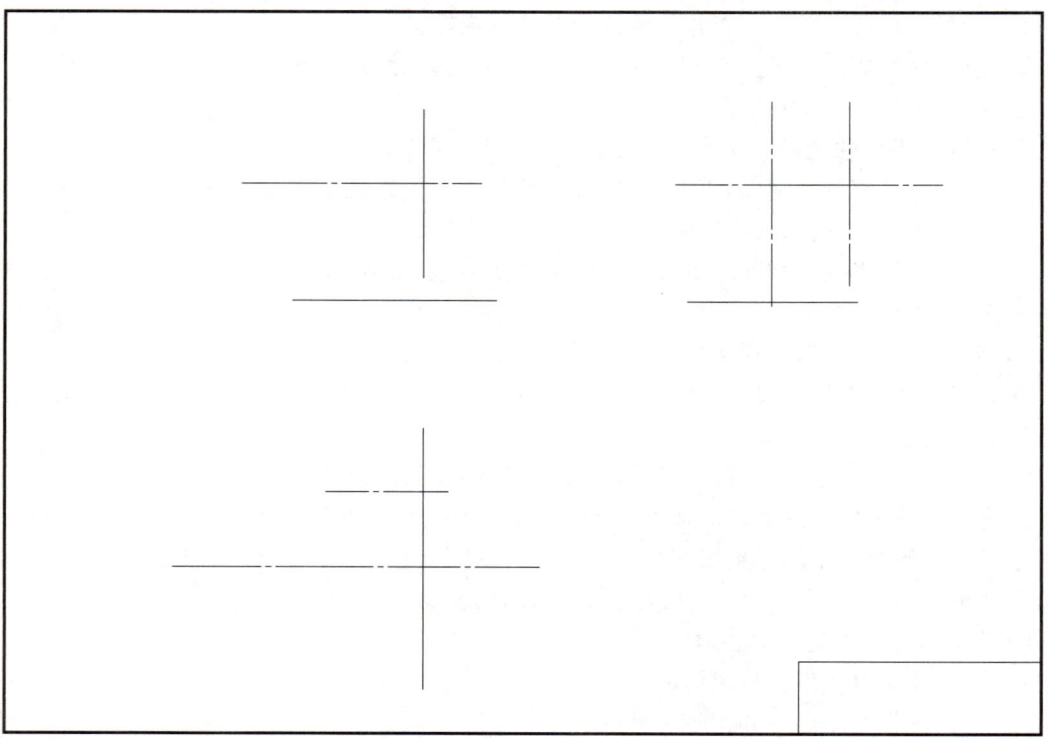

a) 画基准线

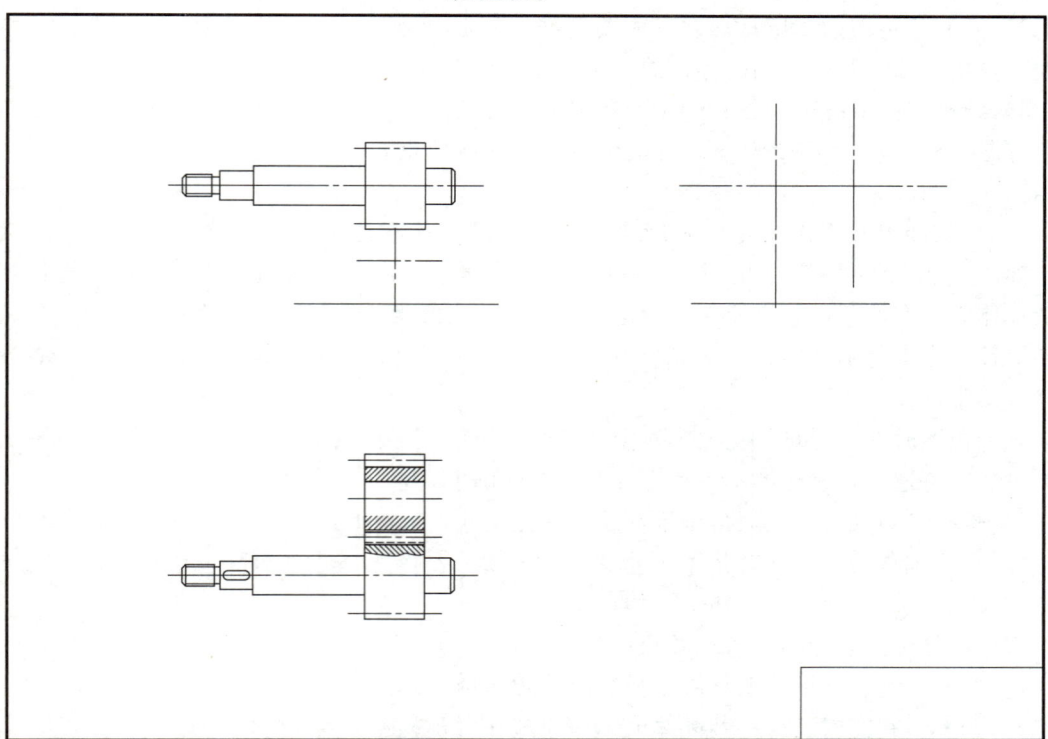

b) 画啮合的齿轮

图 9-36 齿轮泵的画图步骤

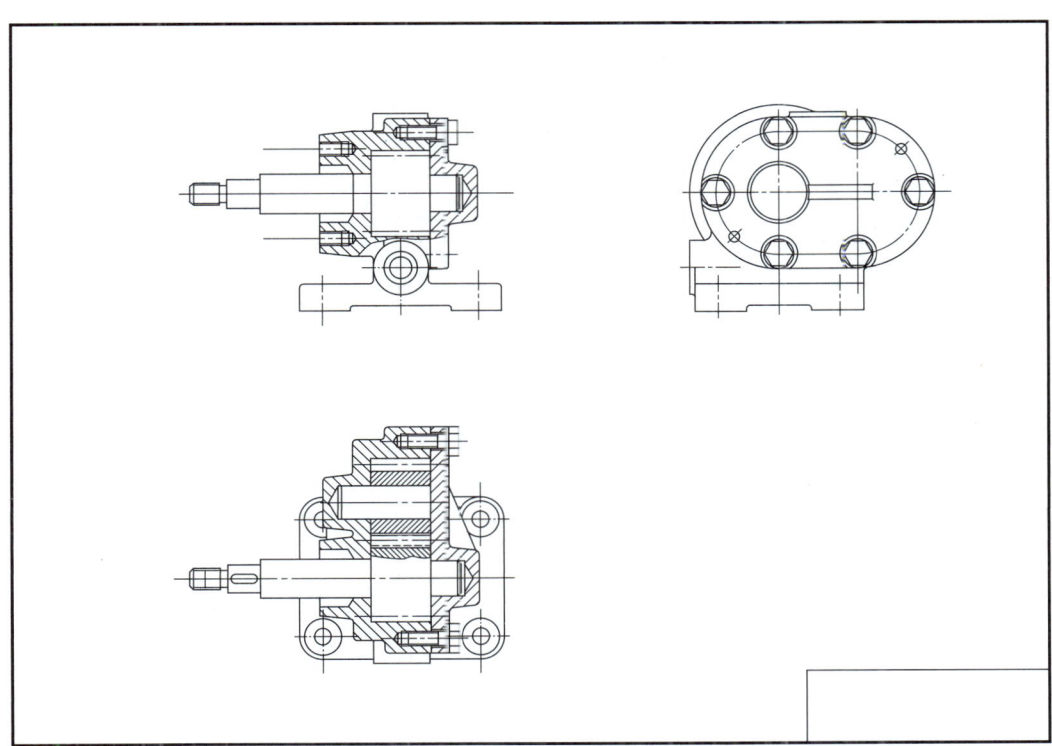

c) 画泵体、泵盖

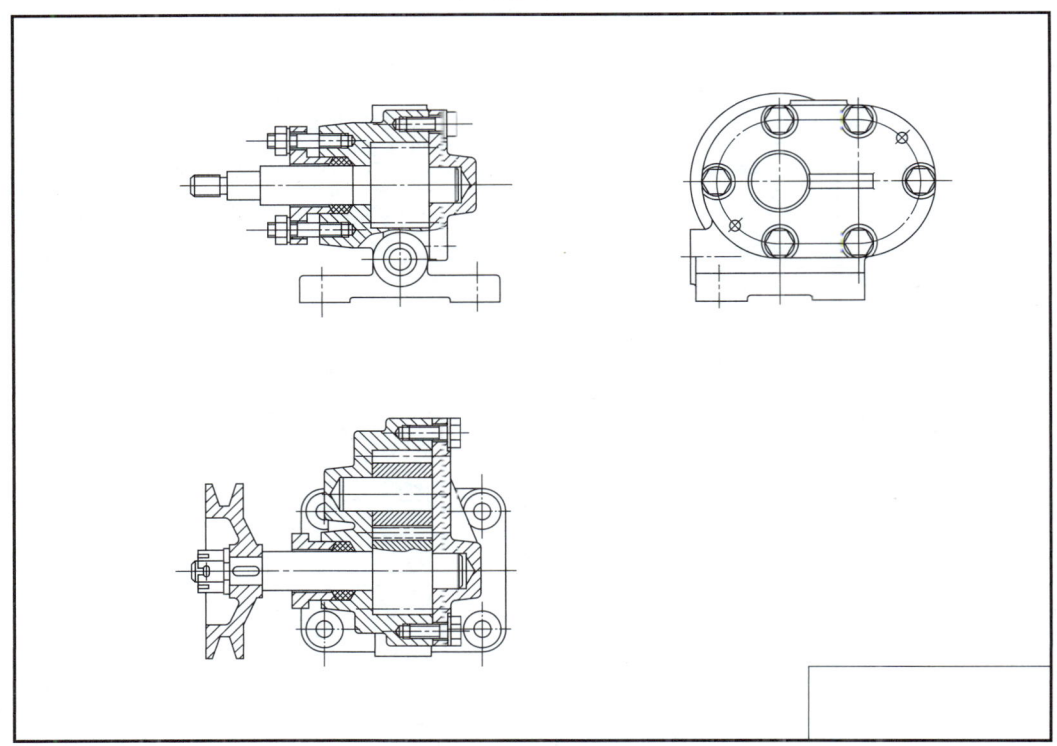

d) 画其他细小结构

图 9-36　齿轮泵的画图步骤（续）

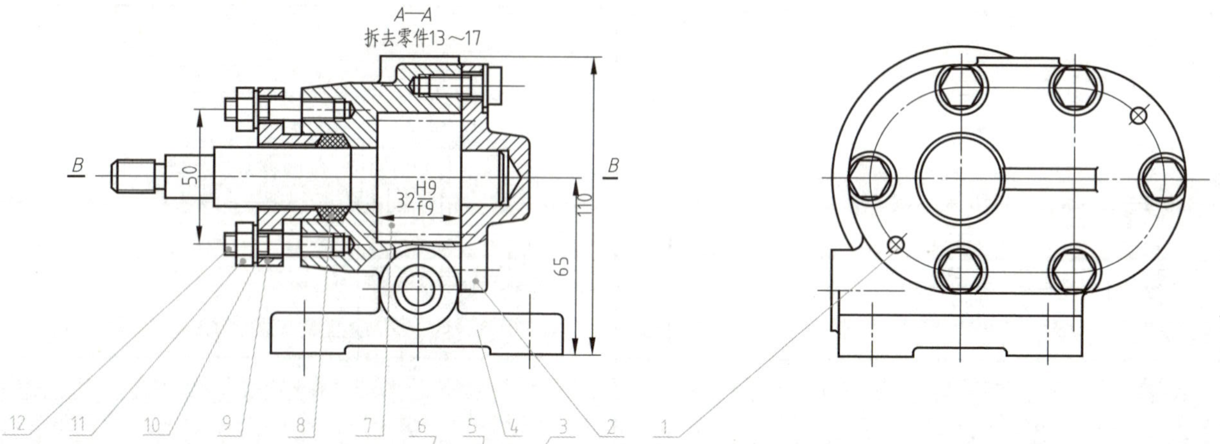

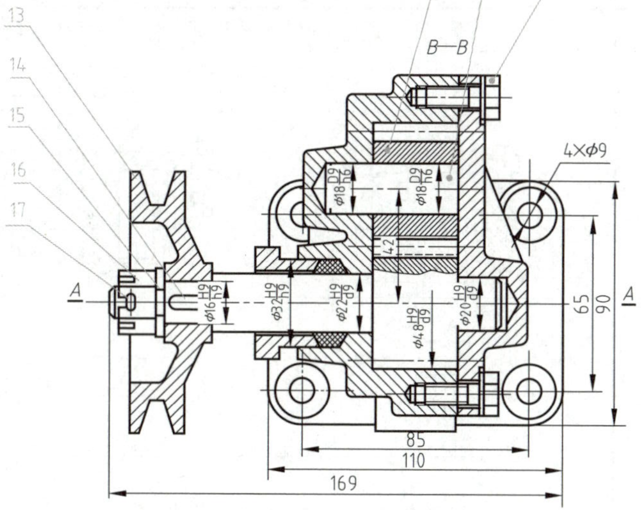

技术要求

1. 装配后，用手转动带轮，应很轻松。
2. 不加工的外露表面涂绿色油漆。

序号	名称	数量	材料	备注
17	开口销 3.2×30	1	45	GB/T 91—2000
16	螺母 M12	1	Q235	GB 6178—1986
15	垫圈 12	1	Q235	GB/T 97.1—2002
14	键 5×5×14	1	45	GB/T 1096—2003
13	V带轮	1	HT150	
12	螺柱 M8×28	2	Q235	GB 899—1988
11	螺母 M8	2	Q235	GB/T 6170—2015
10	垫圈8	8	Q235	GB/T 97.1—2002
9	压盖	1	HT150	
8	填料	1	石棉	
7	齿轮轴	1	45	
6	齿轮	1	45	
5	轴	1	45	
4	泵体	1	HT150	
3	螺栓 M8×22	6	Q235	GB/T 5781—2016
2	泵盖	1	HT150	
1	圆柱销 6×20	2	45	GB/T 119.1—2000

齿轮泵		比例		
		数量		
班级		材料		成绩
制图		（校名）		
审核				

图 9-37　齿轮泵装配图

【例 9-2】 绘制铣刀头装配图。

铣刀头装配图的绘制过程可按图 9-38 所示顺序进行，绘制完成后如图 9-39 所示。

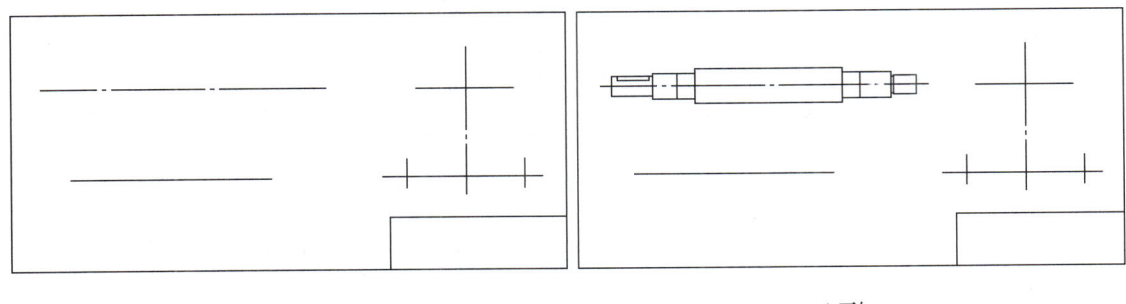

a) 画基准线　　　　　　　　　　　　b) 画轴

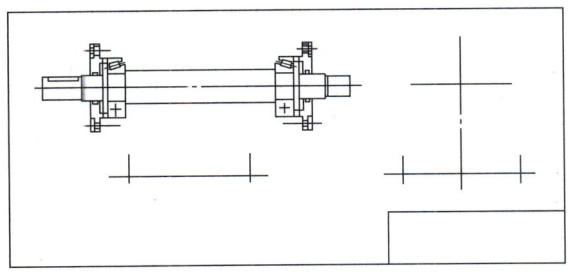

c) 画轴承、垫圈、端盖

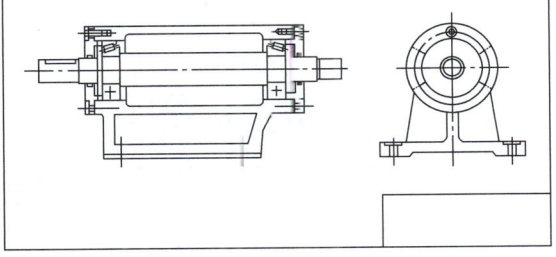

d) 画座体、螺钉等

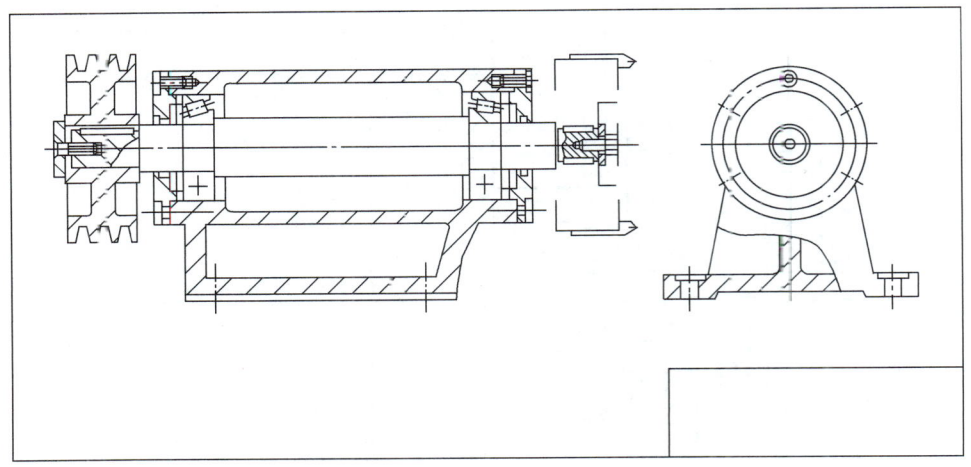

e) 画带轮、铣刀盘、键等

图 9-38　铣刀头装配图的画图步骤

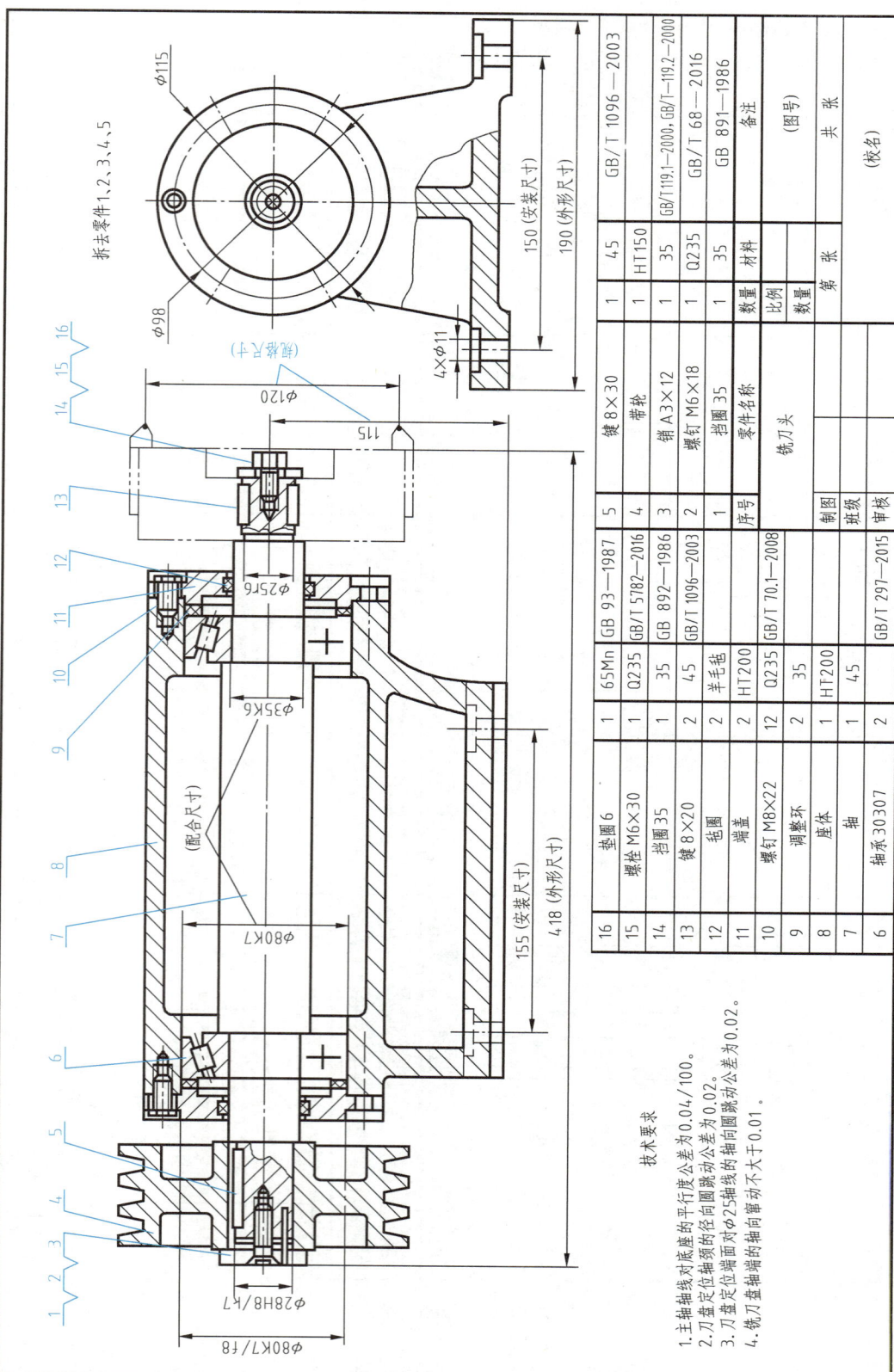

图 9-39 铣刀头装配图

第七节　读装配图

在生产工作中，经常要看装配图。例如在设计过程中，要按照装配图来设计零件；在装配机器时，要按照装配图来安装零件或部件；在使用和维修机器时，需参阅装配图来了解具体结构等。因此，读装配图是工程技术人员必备的一种能力。

读装配图应特别注意从装配体中分离出每一个零件，并分析其主要结构形状和作用，以及和其他零件的关系（各零件之间的相对位置、装配关系和连接固定方式）。然后再将各个零件合在一起，分析装配体的性能、工作原理及防松、润滑、密封等系统的原理和机构。必要时还需查阅有关的专业资料。

读装配图的方法和步骤如下：

1. 概括了解

1）看标题栏并参阅有关资料（例如说明书），了解装配体的名称、用途和使用性能。

2）看零件编号和明细栏，了解零件的名称、数量和它在图中的位置。

如图 9-40 所示，由装配图的标题栏可知，该装配体的名称为阀，安装在液体管路中，用以控制管路的"通"与"不通"。由明细栏和外形尺寸可知它由 7 个零件组成，结构不太复杂。

2. 视图分析

弄清各个视图的名称、所采用的表达方法、所表达的主要内容及视图间的投影关系、剖切位置，并结合标注的尺寸，想象出主要零件的主要结构现状。

如图 9-40 所示，阀装配图采用了全剖的主视图、全剖的俯视图、左视图三个基本视图和一个 B 向局部视图的表达方法。有一条装配轴线，通过阀体上的 Rp1/2 螺纹孔、ϕ12 的螺栓孔和管接头上的 G3/4 螺纹孔装入液体管路中。

3. 分析工作原理和装配关系

在概括了解的基础上，应对照各视图进一步研究机器或部件的工作原理、装配关系，这是看懂装配图的一个重要环节。看图时应先从反映工作原理的视图入手，分析机器或部件中零件的运动情况，从而了解工作原理。然后再根据投影规律，从反映装配关系的视图入手，分析各条装配轴线，弄清零件间的配合要求、定位和连接方式等。

图 9-40 所示阀的工作原理从主视图看得最清楚。当杆 1 受外力作用向左移动时，钢珠 4 压缩弹簧 5，阀门被打开；当去掉外力时钢珠在弹簧作用下使阀门关闭。旋塞 7 可以调整弹簧作用力的大小。

阀的装配关系也是从主视图看得最清楚。左侧将钢珠 4、弹簧 5 依次装入管接头 6 中，然后将旋塞 7 拧入管接头，调整好弹簧压力，再将管接头拧入阀体左侧的 M30×1.5 螺纹孔中。右侧将杆 1 装入塞子 2 的孔中，再将塞子 2 拧入阀体右侧的 M30×1.5 螺纹孔中。杆 1 和管接头 6 径向有间隙，管路接通时，液体由此间隙流过。

4. 分析结构形状

分析时，以主视图为中心，先看简单件，后看复杂件。即将标准件、常用件及简单零件看明白后，再将其从图中"剥离"出去，然后集中精力分析剩下的为数不多的复杂零件。

应先在各视图中分离出该零件的范围和对应关系，利用剖面线的倾斜方向和间距、零件的编号、装配图的规定画法和特殊表达方法（如实心轴不剖的规定等），并借助三角板、分规等仪器帮助查找投影关系，想象出其形状及结构。

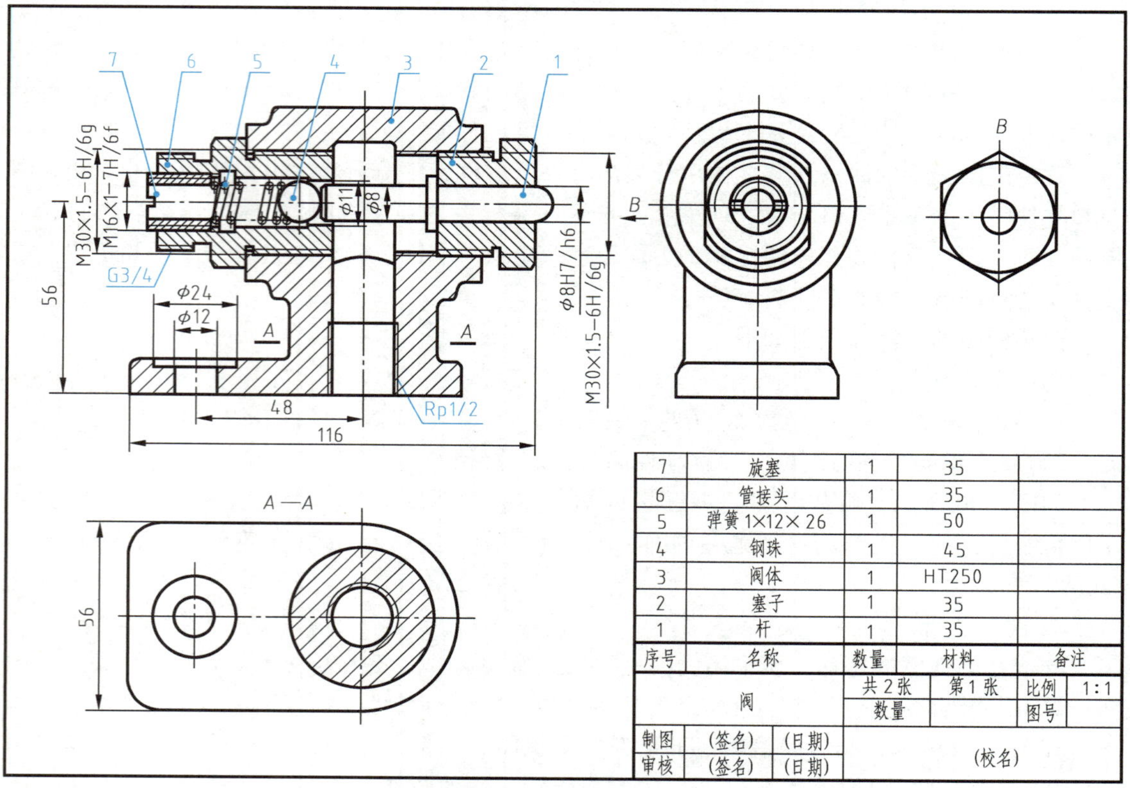

7	旋塞	1	35	
6	管接头	1	35	
5	弹簧 1×12×26	1	50	
4	钢珠	1	45	
3	阀体	1	HT250	
2	塞子	1	35	
1	杆	1	35	
序号	名称	数量	材料	备注

阀		共2张	第1张	比例	1:1
		数量		图号	
制图	(签名)	(日期)	(校名)		
审核	(签名)	(日期)			

图 9-40　阀装配图

第八节　由装配图拆画零件图

在机器的设计、制造、使用和维修过程中，经常需要阅读装配图，有时还需要由装配图拆画零件图。这一过程称为**拆图**。拆图的过程也是继续设计的过程。

一、拆画零件图的要求

1）拆图前，必须认真阅读装配图，全面深入理解设计意图，分析清楚装配关系、技术要求和各个零件的基本结构形状、作用。

2）画图时，要从设计方面考虑零件的作用和要求，从工艺方面考虑零件的制造和装配，使所画的零件图既符合设计要求又满足工艺要求。

二、拆画零件图的步骤及注意事项

1. 确定零件的结构形状

由装配图拆画零件图时，必须认真、细致地阅读装配图。在读懂装配图的基础上，确定零件的结构和形状。对在装配图中未能确切表达出来的形状，应根据零件结构设计和工艺知识合理确定。其些标准和工艺结构（如倒角、圆角、退刀槽等）必须采用正确的表达方法确定下来。

2. 确定零件的表达方案

装配图表达的是零件间的装配关系、工作原理，而装配图的视图表达不一定适合每一个零件。因此，零件的表达方案应根据零件的结构特点来考虑，而不应简单地照搬装配图。

3. 确定零件的尺寸

1) 在装配图中已注明的尺寸，必须如实地标注在零件图上。对于配合尺寸、相关尺寸，要注出偏差数值。两相邻连接零件的相关尺寸及配合面的配合尺寸要注意协调一致。

2) 零件上与标准件连接或配合的相关尺寸，要从相应标准中查取，如螺纹、销孔、键槽等尺寸。对于标准结构或工艺结构尺寸（如倒角、沉孔等尺寸），均应从有关标准中查出。

3) 对于装配图中未标注的尺寸，可以从装配图上量取，并圆整后确定。

4. 确定零件的技术要求

零件图中应注写表面结构（表面粗糙度）的代号和技术要求。配合表面要注写尺寸偏差或公差带代号。对有些零件还要注写几何公差、试验、热处理和表面处理等要求。

标注零件表面粗糙度、几何公差等技术要求时应根据零件各部分的功能、作用和工作要求，合理选择精度要求，同时还应使标注数据符合有关标准。

零件图上技术要求的确定涉及许多专业知识，可以参照有关资料和同类产品零件用类比法确定。对于表面粗糙度，初学者可依照以下三条初步确定标注范围：

1) 配合表面：Ra 值取 $3.2 \sim 0.8 \mu m$，尺寸公差等级高的表面 Ra 取较小值。

2) 接触面：Ra 值取 $6.3 \sim 3.2 \mu m$，如零件的定位底面，Ra 可取 $3.2 \mu m$；一般端面可取 $6.3 \mu m$ 等。

3) 需加工的自由表面（不与其他零件接触的表面）：Ra 值可取 $25 \sim 12.5 \mu m$，如螺栓孔等。

三、拆画零件图举例

【例 9-3】 由图 9-40 拆画阀体零件图。其步骤如下：

（1）看懂装配图 首先将阀体 3 从主、俯、左三个视图中分离出来，然后想象其形状。阀体内形腔的形状，因左、俯视图没有表达，不易想象。但通过主视图中 Rp1/2 螺纹孔上方相贯线形状得知，阀体形腔为圆柱形，轴线水平放置，且圆柱孔的长度等于 Rp1/2 螺纹孔的直径，如图 9-41 所示。

（2）确定视图表达方案 看懂零件的形状后，要根据零件的结构形状及在装配图中的工作位置或零件的加工位置，重新选择视图，确定表达方案。此时可以参考装配图的表达方案，但要注意不受原装配图的限制。如图 9-42 所示阀体的表达方法，主、俯视图和装配图相同，左视图采用了半剖视图。

（3）标注尺寸 由于装配图给出的尺寸较少，而在零件图上应标注出加工零件所需要的全部尺寸，所以很多尺寸必须在拆画零件图时确定下来。在图 9-42 所示的阀体零件图中，M30×1.5-6H、Rp1/2、48、56、φ12、φ24 这些尺寸是从装配图上抄注的，它们有的是配合尺寸，有的是定位尺寸、连接尺寸。φ36 是通过查阅标准（内螺纹退刀槽）而定的，其余尺寸是装配图上未注出的，可以通过测量后圆整确定的。

（4）确定技术要求　根据阀装配图上的要求确定技术要求。阀体表面粗糙度值是这样考虑而定的：有配合的表面其表面粗糙度的参数值要小，故给出的 Ra 为 $6.3\mu m$；其他表面的表面粗糙度值是按常规给出的。

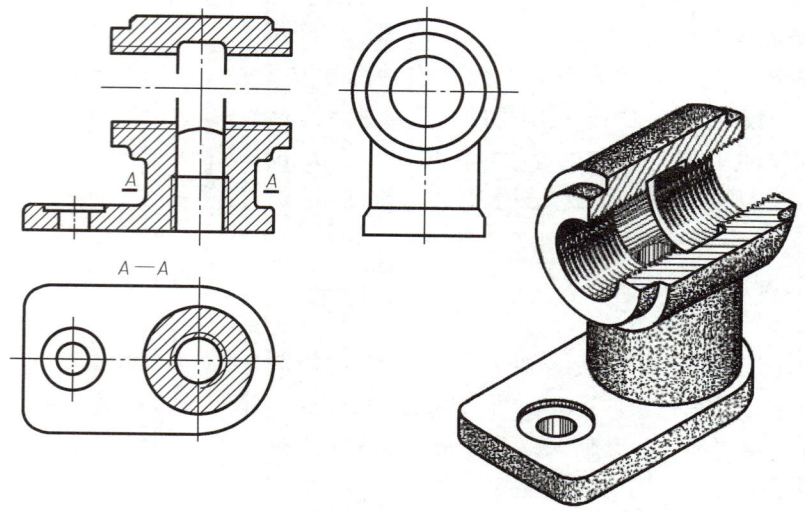

图 9-41　拆画装配图过程（分离阀体）

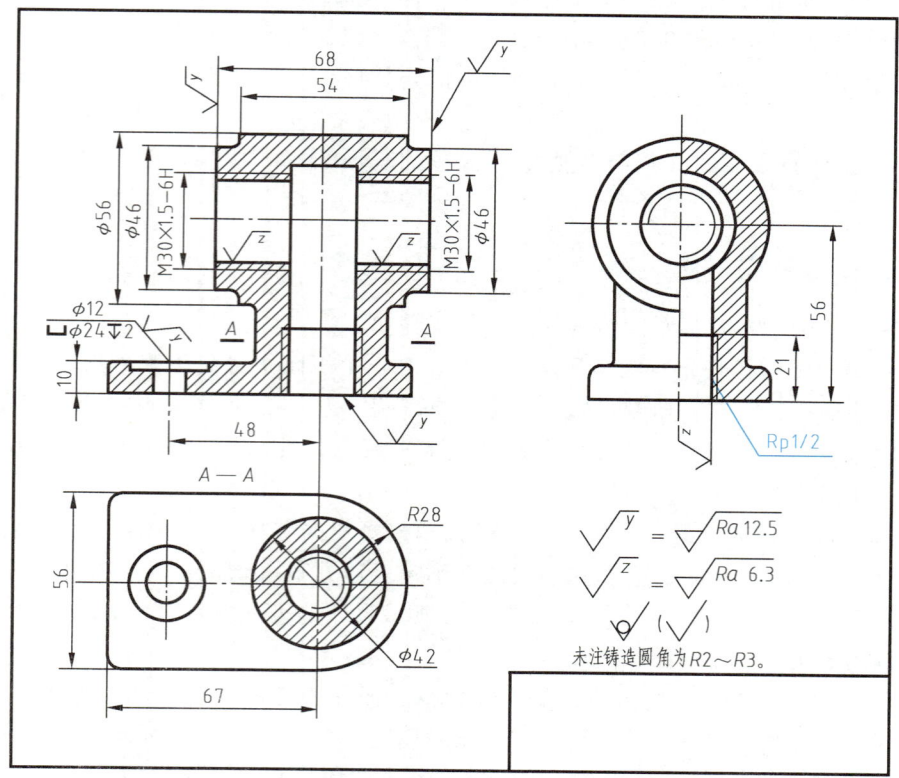

图 9-42　阀体零件图

附　　录

附录 A　螺纹

表 A-1　普通螺纹直径、螺距与公差带（摘自 GB/T 193—2003、GB/T 197—2018）（单位：mm）

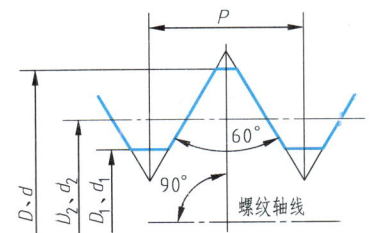

D——内螺纹大径（公称直径）
d——外螺纹大径（公称直径）
D_2——内螺纹中径
d_2——外螺纹中径
D_1——内螺纹小径
d_1——外螺纹小径
P——螺距

标记示例：
M16-6e（粗牙普通外螺纹、公称直径为 16mm、中径及大径公差均为 6e、中等旋合长度、右旋）
M20×2-6G-LH（细牙普通内螺纹、公称直径为 20mm、螺距为 2mm、中径及小径公差带均为 6G、中等旋合长度、左旋）

公称直径（D、d）			螺距（P）	
第一系列	第二系列	第三系列	粗牙	细牙
4	—	—	0.7	0.5
5	—	—	0.8	
6	—	—	1	0.75
—	7	—		
8	—	—	1.25	1、0.75
10	—	—	1.5	1.25、1、0.75
12	—	—	1.75	1.25、1
—	14	—	2	1.5、1.25、1
—	—	15	—	1.5、1
16	—	—	2	
—	18	—	2.5	2、1.5、1
20	—	—		
—	22	—		
24	—	—	3	
—	—	25	—	
—	27	—	3	
30	—	—	3.5	(3)、2、1.5、1
—	33	—		(3)、2、1.5
—	—	35	—	1.5
36	—	—	4	3、2、1.5
—	39	—		

（续）

螺纹种类	精度	外螺纹的推荐公差带			内螺纹的推荐公差带		
		S	N	L	S	N	L
普通螺纹	精密	(3h4h)	(4g) *4h	(5g4g) (5h4h)	4H	5H	6H
	中等	(5g6g) (5h6h)	*6e *6f *6g 6h	(7e6e) (7g6g) (7h6h)	(5G) *5H	(6G) *6H	(7G) *7H

注：1. 优先选用第一系列直径，其次选择第二系列直径，最后选择第三系列直径。尽可能地避免选用括号内的螺距。
    2. 公差带优先选用顺序为：带*的公差带、一般字体公差带、括号内公差带。紧固件螺纹采用方框内的公差带。
    3. 精度选用原则：精密——用于精密螺纹，中等——用于一般用途螺纹。

表 A-2 梯形螺纹（摘自 GB/T 5796.1~5796.4—2022）　　　　（单位：mm）

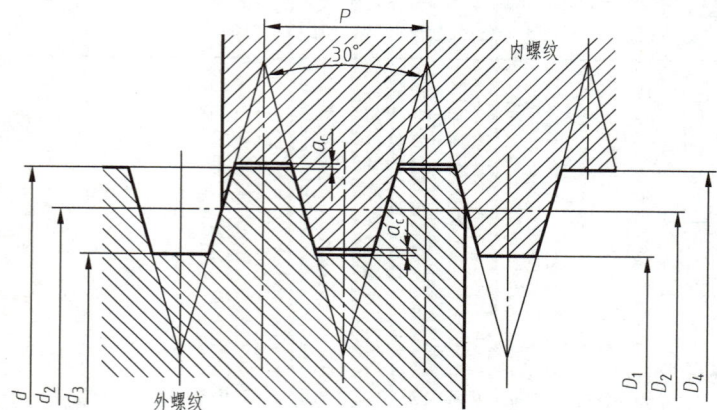

D_4——设计牙型上的内螺纹大径
d——基本牙型和设计牙型上的外螺纹大径（公称直径）
D_2——基本牙型和设计牙型上的内螺纹中径
d_2——基本牙型和设计牙型上的外螺纹中径
D_1——基本牙型和设计牙型上的内螺纹小径
d_3——设计牙型上的外螺纹小径
P——螺距
a_c——牙顶间隙

标记示例：
公称直径为 40mm、导程和螺距为 7mm 的右旋单线梯形螺纹标记为：Tr40×7
公称直径为 40mm、导程为 14mm、螺距为 7mm 的右旋双线梯形螺纹标记为：Tr40×14 P7
公称直径为 40mm、导程为 14mm、螺距为 7mm 的左旋双线梯形螺纹标记为：Tr40×14 P7-LH

梯形螺纹的公称尺寸

d 公称系列		螺距 P	中径 $d_2=D_2$	大径 D_4	小径		d 公称系列		螺距 P	中径 $d_2=D_2$	大径 D_4	小径	
第一系列	第二系列				d_3	D_1	第一系列	第二系列				d_3	D_1
8	—	1.5	7.25	8.3	6.2	6.5	32	—	6	29.0	33	25	26
—	9	2	8.0	9.5	6.5	7	—	34		31.0	35	27	28
10	—		9.0	10.5	7.5	8	36	—		33.0	37	29	30
—	11		10.0	11.5	8.5	9	—	38	7	34.5	39	30	31
12	—	3	10.5	12.5	8.5	9	40	—		36.5	41	32	33
—	14		12.5	14.5	10.5	11	—	42		38.5	43	34	35
16	—	4	14.0	16.5	11.5	12	44	—		40.5	45	36	37
—	18		16.0	18.5	13.5	14	—	46	8	42.0	47	37	38
20	—		18.0	20.5	15.5	16	48	—		44.0	49	39	40
—	22	5	19.5	22.5	16.5	17	—	50		46.0	51	41	42
24	—		21.5	24.5	18.5	19	52	—		48.0	53	43	44
—	26		23.5	26.5	20.5	21	—	55	9	50.5	56	45	46
28	—		25.5	28.5	22.5	23	60	—		55.5	61	50	51
—	30	6	27.0	31.0	23.0	24	65	—	10	60.0	66	54	55

注：1. 优先选用第一系列的直径。
    2. 表中所列的螺距和直径，是优先选择的螺距及与之对应的直径。

表 A-3　管螺纹

55°密封管螺纹（摘自 GB/T 7306.1、GB/T 7306.2—2000）

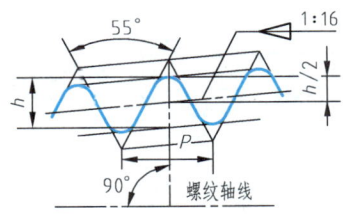

标记示例：
$R_1$1/2（尺寸代号为 1/2，与圆柱内螺纹相配合的右旋圆锥外螺纹）
Rc1/2LH（尺寸代号为 1/2，左旋圆锥内螺纹）

55°非密封管螺纹（摘自 GB/T 7307—2001）

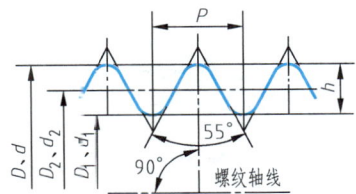

标记示例：
G1/2LH（尺寸代号为 1/2，左旋内螺纹）
G1/2A（尺寸代号为 1/2，A 级右旋外螺纹）

尺寸代号	大径 d、D /mm	中径 d_2、D_2 /mm	小径 d_1、D_1 /mm	螺距 P /mm	牙高 h /mm	每 25.4mm 内的牙数 n
1/4	13.157	12.301	11.445	1.337	0.856	19
3/8	16.662	15.806	14.950	1.337	0.856	19
1/2	20.955	19.793	18.631	1.814	1.162	14
3/4	26.441	25.279	24.117	1.814	1.162	14
1	33.249	31.770	30.291	2.309	1.479	11
1¼	41.910	40.431	38.952	2.309	1.479	11
1½	47.803	46.324	44.845	2.309	1.479	11
2	59.614	58.135	56.656	2.309	1.479	11
2½	75.184	73.705	72.226	2.309	1.479	11
3	87.884	86.405	84.926	2.309	1.479	11

附录 B 常用标准件

表 B-1 六角头螺栓（一） （单位：mm）

六角头螺栓（摘自 GB/T 5782—2016）
六角头螺栓 细牙（摘自 GB/T 5785—2016）

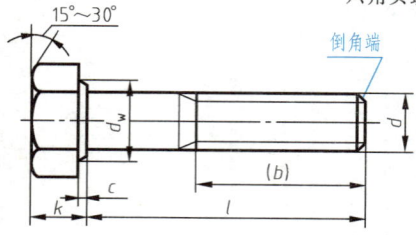
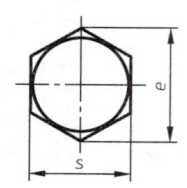

标记示例：
　螺栓 GB/T 5782 M12×100
（螺纹规格 d＝M12、公称长度 l＝100mm、性能等级为 8.8 级、表面氧化、杆身半螺纹、A 级的六角头螺栓）

六角头螺栓 全螺纹（摘自 GB/T 5783—2016）
六角头螺栓 细牙 全螺纹（摘自 GB/T 5786—2016）

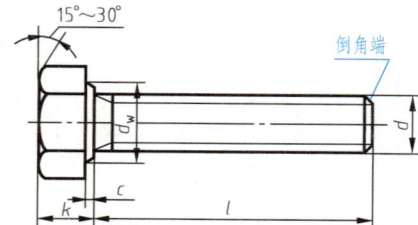
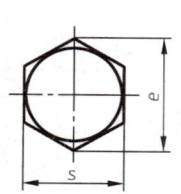

标记示例：
　螺栓 GB/T 5786 M30×2×80
（螺纹规格 d＝M30×2、公称长度 l＝80mm、性能等级为 8.8 级、表面氧化、全螺纹、B 级的细牙六角头螺栓）

螺纹规格	d	M4	M5	M6	M8	M10	M12	M16	M20	M24	M30	M36	M42	M48
	$D×P$	—	—	—	M8×1	M10×1	M12×1.5	M16×1.5	M20×1.5	M24×2	M30×2	M36×3	M42×3	M48×3
b 参考	l≤125	14	16	18	22	26	30	38	46	54	66	—	—	—
	125＜l≤200	20	22	24	28	32	36	44	52	60	72	84	96	108
	l＞200	33	35	37	41	45	49	57	65	73	85	97	109	121
c_{max}		0.4	0.5			0.6				0.8			1	
k 公称		2.8	3.5	4	5.3	6.4	7.5	10	12.5	15	18.7	22.5	26	30
$d_{s\,max}$		4	5	6	8	10	12	16	20	24	30	36	42	48
s_{max}＝公称		7	8	10	13	16	18	24	30	36	46	55	65	75
e_{min}	A	7.66	8.79	11.05	14.38	17.77	20.03	26.75	33.53	39.98	—	—	—	—
	B	7.50	8.63	10.89	14.2	17.59	19.85	26.17	32.95	39.55	50.85	60.79	71.3	82.6
$d_{w\,min}$	A	5.88	6.88	8.88	11.63	14.63	16.63	22.49	28.19	33.61	—	—	—	—
	B	5.74	6.74	8.74	11.47	14.47	16.47	22	27.7	33.25	42.75	51.11	59.95	69.45
l 范围	GB/T 5782—2016	25~40	25~50	30~60	40~80	45~100	50~120	65~160	80~200	90~240	110~300	140~360	160~440	180~480
	GB/T 5785—2016	—	—	—								110~300		
	GB/T 5783—2016	8~40	10~50	12~60	16~80	20~100	25~120	30~200	40~200	50~200	60~200	70~200	80~200	100~200
	GB/T 5786—2016	—	—	—			25~120	35~160		40~200			90~420	100~480
l 系列	GB/T 5782—2016 GB/T 5785—2016	20~65（5 进位）、70~160（10 进位）、180~400（20 进位）												
	GB/T 5783—2016 GB/T 5786—2016	6、8、10、12、16、18、20~65（5 进位）、70~160（10 进位）、180~500（20 进位）												

注：1. P—螺距。
　　2. 螺纹公差：6g；机械性能等级：8.8。
　　3. 产品等级：A 级用于 d≤24mm 和 l≤10d 或≤150mm（按较小值）；
　　　　　　　　B 级用于 d＞24mm 和 l＞10d 或＞150mm（按较小值）。

表 B-2 六角头螺栓（二）　　　　　　　　　　　（单位：mm）

六角头螺栓　C 级（摘自 GB/T 5780—2016）

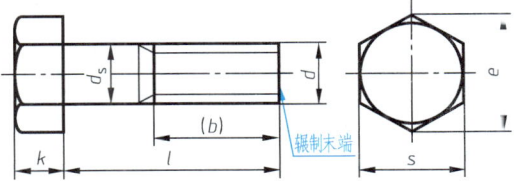

标记示例：
螺栓　GB/T 5780　M20×100
（螺纹规格 d＝M20、公称长度 l＝100mm、性能等级为 4.8 级、不经表面处理、杆身半螺纹、产品等级为 C 级的六角头螺栓）

六角头螺栓　全螺纹　C 级（摘自 GB/T 5781—2016）

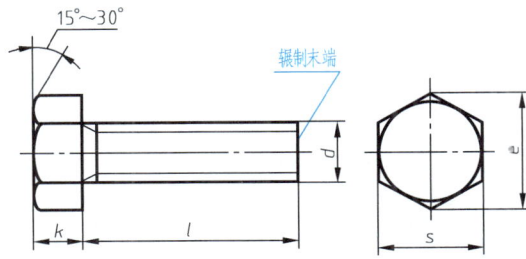

标记示例：
螺栓　GB/T 5781　M12×80
（螺纹规格 d＝M12、公称长度 l＝80mm、性能等级为 4.8 级、不经表面处理、全螺纹、产品等级为 C 级的六角头螺栓）

螺纹规格 d		M5	M6	M8	M10	M12	M16	M20	M24	M30	M36	M42	M48
b 参考	l≤125	16	18	22	26	30	38	46	54	66	78	—	—
	125＜l≤200	—	—	28	32	36	44	52	60	72	84	96	108
	l＞200	—	—	—	—	—	57	65	73	85	97	109	121
k 公称		3.5	4.0	5.3	6.4	7.5	10	12.5	15	18.7	22.5	26	30
s_{max}		8	10	13	16	18	24	30	36	46	55	65	75
e_{min}		8.63	10.89	14.2	17.59	19.85	26.17	32.95	39.55	50.85	60.79	72.02	82.6
d_{smax}		5.48	6.48	8.58	10.58	12.7	16.7	20.8	24.84	30.84	37.0	43.0	49.0
l 范围	GB/T 5780—2016	25~50	30~60	35~80	40~100	45~120	55~160	65~200	80~240	90~300	110~300	160~420	180~480
	GB/T 5781—2016	10~40	12~50	16~65	20~80	25~100	35~100	40~100	50~100	50~100	70~100	80~420	90~480
l 系列		10、12、16、20~50（5 进位）、(55)、60、(65)、70~160（10 进位）、180、220~500（20 进位）											

注：1. 括号内的规格尽可能不用。
　　2. 螺纹公差：8g（GB/T 5780—2016）；6g（GB/T 5781—2016）；机械性能等级：4.6、4.8；产品等级：C。

表 B-3　1 型六角螺母　　　　　　　　　　　　　　　（单位：mm）

1 型六角螺母　（摘自 GB/T 6170—2015）
六角标准螺母（1 型）　细牙（摘自 GB/T 6171—2016）
1 型六角螺母　C 级（摘自 GB/T 41—2016）

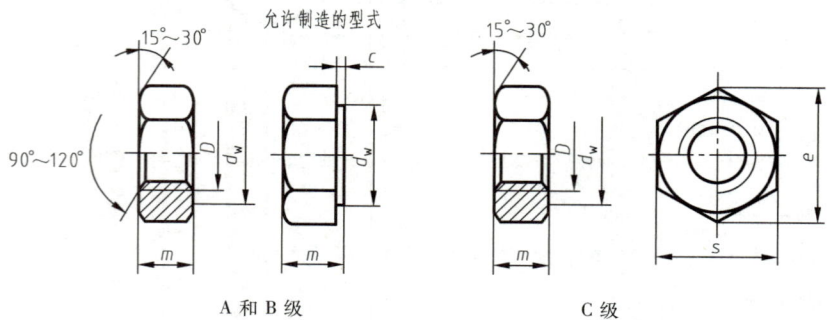

标记示例：

螺母　GB/T 41　M12

（螺纹规格 D=M12、性能等级为 5 级、不经表面处理、C 级的 1 型六角螺母）

螺母　GB/T 6171　M24×2

（螺纹规格 D=M24、螺距 P=2、性能等级为 10 级、不经表面处理、B 级的 1 型细牙六角螺母）

螺纹规格	D	M4	M5	M6	M8	M10	M12	M16	M20	M24	M30	M36	M42	M48
c_{max}		0.4	0.5			0.6			0.8				1	
s_{max}		7	8	10	13	16	18	24	30	36	46	55	65	75
e_{min}	A、B 级	7.66	8.79	11.05	14.38	17.77	20.03	26.75	32.95	39.55	50.85	60.79	71.30	82.6
	C 级	—	8.63	10.89	14.2	17.59	19.85	26.17						
m_{max}	A、B 级	3.2	4.7	5.2	6.8	8.4	10.8	14.8	18	21.5	25.6	31	34	38
	C 级	—	5.6	6.4	7.9	9.5	12.2	15.9	19	22.3	26.4	31.9	34.9	38.9
$d_{w\,min}$	A、B 级	5.9	6.9	8.9	11.6	14.6	16.6	22.5	27.7	33.3	42.8	51.1	60	69.5
	C 级	—	6.7	8.7	11.5	14.5	16.5	22						

注：1. P—螺距。

　　2. A 级用于 D≤16mm 的螺母；B 级用于 D>16mm 的螺母；C 级用于 D≥5mm 的螺母。

　　3. 螺纹公差：A、B 级为 6H，C 级为 7H；机械性能等级：A、B 级为 6、8、10 级，C 级为 4、5 级。

表 B-4 双头螺柱（摘自 GB 897—1988，GB 898—1988，GB 899—1988，GB 900—1988）

（单位：mm）

$b_m = 1d$(GB 897—1988)；　　$b_m = 1.25d$(GB 898—1988)；　　$b_m = 1.5d$(GB 899—1988)；
$b_m = 2d$(GB 900—1988)

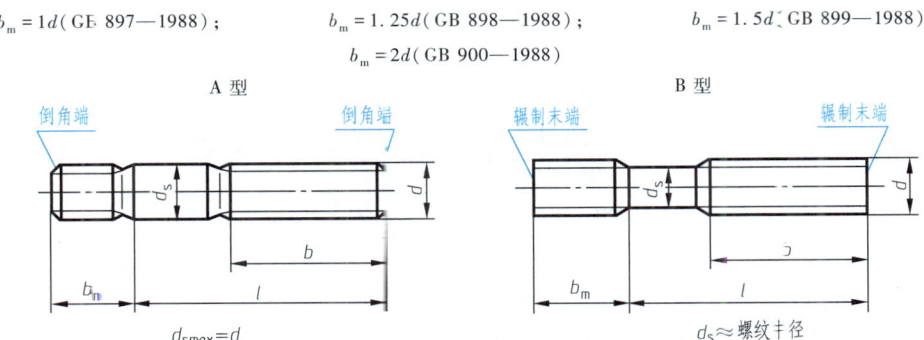

$d_{smax} = d$　　　　　　　　　　　　　$d_s ≈ 螺纹小径$

标记示例：
螺柱　GB 900　M10×50
（两端均为粗牙普通螺纹、$d = 10$mm、$l = 50$mm、性能等级为 4.8 级、不经表面处理、B 型、$b_m = 2d$ 的双头螺柱）
螺柱　GB 900　AM10-10×1×50
（旋入机体一端为粗牙普通螺纹、旋螺母端为螺距 $P = 1$mm 的细牙普通螺纹、$d = 10$mm、$l = 50$mm、性能等级为 4.8 级、不经表面处理、A 型 $b_m = 2d$ 的双头螺柱）

螺纹规格 d	b_m（旋入机体端长度）				$\dfrac{l}{b}\left(\dfrac{螺柱长度}{旋螺母端长度}\right)$			
	GB 897	GB 898	GB 899	GB 900				
M4	—	—	6	8	$\dfrac{16\sim22}{8}$	$\dfrac{25\sim40}{14}$		
M5	5	6	8	10	$\dfrac{16\sim22}{10}$	$\dfrac{25\sim50}{16}$		
M6	6	8	10	12	$\dfrac{20\sim22}{10}$	$\dfrac{25\sim30}{14}$	$\dfrac{32\sim75}{18}$	
M8	8	10	12	16	$\dfrac{20\sim22}{12}$	$\dfrac{25\sim30}{16}$	$\dfrac{32\sim90}{22}$	
M10	10	12	15	20	$\dfrac{25\sim28}{14}$	$\dfrac{30\sim38}{16}$	$\dfrac{40\sim120}{26}$	$\dfrac{130}{32}$
M12	12	15	18	24	$\dfrac{25\sim30}{16}$	$\dfrac{32\sim40}{20}$	$\dfrac{45\sim120}{30}$	$\dfrac{130\sim180}{36}$
M16	16	20	24	32	$\dfrac{30\sim38}{20}$	$\dfrac{40\sim55}{30}$	$\dfrac{60\sim120}{38}$	$\dfrac{130\sim200}{44}$
M20	20	25	30	40	$\dfrac{35\sim40}{25}$	$\dfrac{45\sim65}{35}$	$\dfrac{70\sim120}{46}$	$\dfrac{130\sim200}{52}$
M24	24	30	36	48	$\dfrac{45\sim50}{30}$	$\dfrac{55\sim75}{45}$	$\dfrac{80\sim120}{54}$	$\dfrac{130\sim200}{60}$
M30	30	38	45	60	$\dfrac{60\sim65}{40}$	$\dfrac{70\sim90}{50}$	$\dfrac{95\sim120}{66}$	$\dfrac{130\sim200}{72}$ $\dfrac{210\sim250}{85}$
M36	36	45	54	72	$\dfrac{65\sim75}{45}$	$\dfrac{80\sim110}{60}$	$\dfrac{120}{78}$ $\dfrac{130\sim200}{84}$	$\dfrac{210\sim300}{97}$
M42	42	52	63	84	$\dfrac{70\sim80}{50}$	$\dfrac{85\sim110}{70}$	$\dfrac{120}{90}$ $\dfrac{130\sim200}{96}$	$\dfrac{210\sim300}{109}$
M48	48	60	72	96	$\dfrac{80\sim90}{60}$	$\dfrac{95\sim110}{80}$	$\dfrac{120}{102}$ $\dfrac{130\sim200}{108}$	$\dfrac{210\sim300}{121}$
l 系列	12、(14)、16、(18)、20、(22)、25、(28)、30、(32)、35、(38)、40、45、50、(55)、60、(65)、70、(75)、80、(85)、90、(95)、100～260(10 进位)、280、300							

注：1. 尽可能不采用括号内的规格。
　　2. $b_m = 1d$，一般用于钢对钢；$b_m = (1.25\sim1.5)d$，一般用于钢对铸铁；$b_m = 2d$，一般用于钢对铝合金。

表 B-5 螺钉（一） （单位：mm）

开槽盘头螺钉（摘自 GB/T 67—2016）　　开槽沉头螺钉（摘自 GB/T 68—2016）　　开槽半沉头螺钉（摘自 GB/T 69—2016）

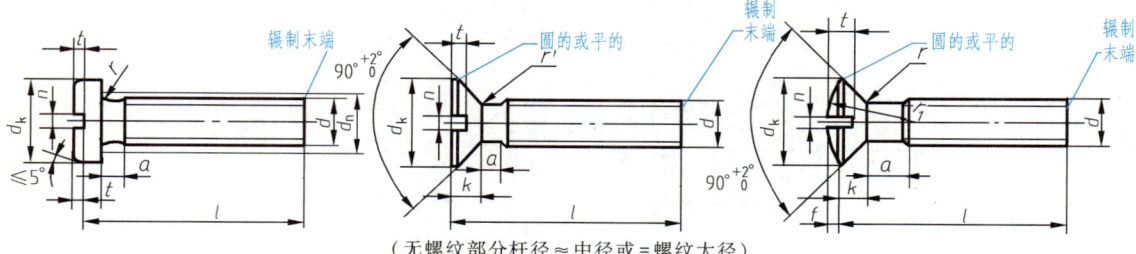

（无螺纹部分杆径≈中径或=螺纹大径）

标记示例：
螺钉　GB/T 67　M5×60
（螺纹规格 d = M5、l = 60mm、性能等级为 4.8 级、不经表面处理的开槽盘头螺钉）

螺纹规格 d	P	b_{min}	n 公称	r_f GB/T 69	f GB/T 69	r GB/T 67	k_{max} GB/T 68 GB/T 69	k_{max} GB/T 67	$d_{k\,max}$ GB/T 68 GB/T 69	$d_{k\,max}$ GB/T 67	t_{min} GB/T 68	t_{min} GB/T 69	l 范围 GB/T 67	l 范围 GB/T 68 GB/T 69	全螺纹时最大长度 GB/T 67	全螺纹时最大长度 GB/T 68 GB/T 69
M2	0.4	25	0.5	4	0.5	1.3	1.2	4	3.8	0.5	0.4	0.8	2.5~20	3~20	30	30
M3	0.5	25	0.8	6	0.7	1.8	1.65	5.6	5.5	0.7	0.6	0.9	4~30	5~30	30	30
M4	0.7	1.2	1	9.5	1	2.4	2.7	8	8.4	1	1	1.6	5~40	6~40	40	45
M5	0.8	1.2	1.2	9.5	1.2	3	2.7	9.5	9.3	1.2	1.1	2	6~50	8~50	40	45
M6	1	38	1.6	12	1.4	3.6	3.3	12	11.3	1.4	1.2	2.4	8~60	8~60	40	45
M8	1.25	38	2	16.5	2	4.8	4.65	16	15.8	1.9	1.8	3.2	10~80	10~80	40	45
M10	1.5	38	2.5	19.5	2.3	6	5	20	18.3	2.4	2	3.8	10~80	10~80	40	45

l 系列　2、2.5、3、4、5、6、8、10、12、(14)、16、20~50(5 进位)、(55)、60、(65)、70、(75)、80

注：螺纹公差：6g；机械性能等级：4.8、5.8；产品等级：A。

表 B-6 螺钉（二） （单位：mm）

开槽锥端紧定螺钉（摘自 GB/T 71—2018）　　开槽平端紧定螺钉（摘自 GB/T 73—2017）　　开槽长圆柱端紧定螺钉（摘自 GB/T 75—2018）

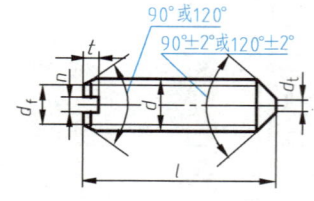  

标记示例：
螺钉　GB/T 71　M5×20
（螺纹规格 d = M5、公称长度 l = 20mm、性能等级为 14H 级、表面氧化的开槽锥端紧定螺钉）

螺纹规格 d	P	d_f	$d_{t\,max}$	$d_{p\,max}$	n 公称	t_{max}	z_{max}	l 范围 GB/T 71	l 范围 GB/T 73	l 范围 GB/T 75
M2	0.4	螺纹小径	0.2	1	0.25	0.84	1.25	3~10	2~10	3~10
M3	0.5	螺纹小径	0.3	2	0.4	1.05	1.75	4~16	3~16	5~16
M4	0.7	螺纹小径	0.4	2.5	0.6	1.42	2.25	6~20	4~20	6~20
M5	0.8	螺纹小径	0.5	3.5	0.8	1.63	2.75	8~25	5~25	8~25
M6	1	螺纹小径	1.5	4	1	2	3.25	8~30	6~30	8~30
M8	1.25	螺纹小径	2	5.5	1.2	2.5	4.3	10~40	8~40	10~40
M10	1.5	螺纹小径	2.5	7	1.6	3	5.3	12~50	10~50	12~50
M12	1.75	螺纹小径	3	8.5	2	3.6	6.3	14~60	12~60	14~60

l 系列　2、2.5、3、4、5、6、8、10、12、(14)、16、20、25、30、35、40、45、50、(55)、60

注：螺纹公差：6g；机械性能等级：14H、22H；产品等级：A。

表 B-7 内六角圆柱头螺钉（摘自 GB/T 70.1—2008）　　　（单位：mm）

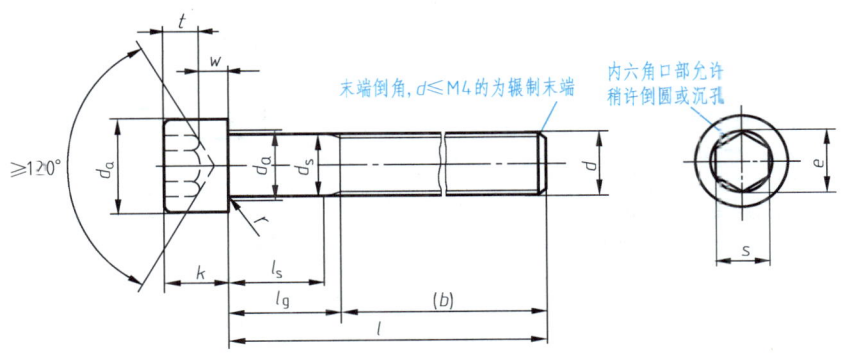

标记示例：

螺钉　GB/T 70.1　M5×20

（螺纹规格 d = M5、公称长度 l = 20mm、性能等级为 8.8 级、表面氧化的内六角圆柱头螺钉）

螺纹规格 d		M4	M5	M6	M8	M10	M12	(M14)	M16	M20	M24	M30	M36
螺距 P		0.7	0.8	1	1.25	1.5	1.75	2	2	2.5	3	3.5	4
b 参考		20	22	24	28	32	36	40	44	52	60	72	84
$d_{k\,max}$	光滑头部	7	8.5	10	13	16	18	21	24	30	36	45	54
	滚花头部	7.22	8.72	10.22	13.27	16.27	18.27	21.33	24.33	30.33	36.39	45.39	54.46
k_{max}		4	5	6	8	10	12	14	16	20	24	30	36
t_{min}		2	2.5	3	4	5	6	7	8	10	12	15.5	19
s 公称		3	4	5	6	8	10	12	14	17	19	22	27
e_{min}		3.44	4.58	5.72	6.86	9.15	11.43	13.72	16	19.44	21.73	25.15	30.85
$d_{s\,max}$		4	5	6	8	10	12	14	16	20	24	30	36
l 范围		6~40	8~50	10~60	12~80	16~100	20~120	25~140	25~160	30~200	40~200	45~200	55~200
全螺纹时最大长度		25	25	30	35	40	45	55	55	65	80	90	100
l 系列		6、8、10、12、(14)、(16)、20~50(5 进位)、(55)、60、(65)、70~160(10 进位)、180、200												

注：1. 括号内的规格尽可能不用。
　　2. 机械性能等级：8.8、12.9。
　　3. 螺纹公差：机械性能等级 8.8 级时为 6g，12.9 级时为 5g、6g。
　　4. 产品等级：A。

表 B-8　垫圈　　　　　　　　　　　　　　　　　　　　　（单位：mm）

小垫圈　A 级（摘自 GB/T 848—2002）
平垫圈　A 级（摘自 GB/T 97.1—2002）
平垫圈　倒角型　A 级（摘自 GB/T 97.2—2002）
平垫圈　C 级（摘自 GB/T 95—2002）
大垫圈　A 级（摘自 GB/T 96.1—2002）
特大垫圈　C 级（摘自 GB/T 5287—2002）

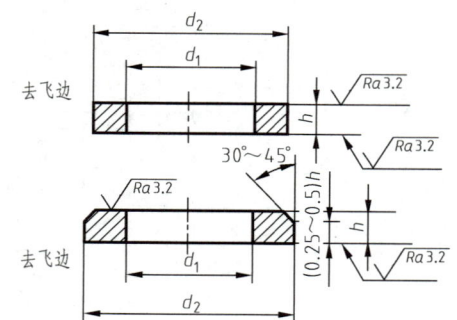

标记示例：
垫圈　GB/T 95　8
（标准系列、公称尺寸 d = 8mm、硬度等级为 100HV 级、不经表面处理、产品等级为 C 级的平垫圈）
垫圈　GB/T 97.2　8
（标准系列、公称尺寸 d = 8mm、由钢制造的硬度等级为 200HV 级、不经表面处理产品等级为 A 级、倒角型平垫圈）

公称尺寸（螺纹规格）d	标准系列 GB/T 95（C级）			标准系列 GB/T 97.1（A级）			标准系列 GB/T 97.2（A级）			特大系列 GB/T 5287（C级）			大系列 GB/T 96.1（A级）			小系列 GB/T 848（A级）		
	d_{1min}	d_{2max}	h	d_{1min}	d_{2max}	h	d_{1min}	d_{2max}	h	d_{1min}	d_{2max}	h	d_{1min}	d_{2max}	h	d_{1min}	d_{2max}	h
5	5.5	10	1	5.3	10	1	5.3	10	1	5.5	18	2	5.3	15	1.2	5.3	9	1
6	6.6	12	1.6	6.4	12	1.6	6.4	12	1.6	6.6	22	2	6.4	18	1.6	6.4	11	1.6
8	9	16	1.6	8.4	16	1.6	8.4	16	1.6	9	28	3	8.4	24	2	8.4	15	1.6
10	11	20	2	10.5	20	2	10.5	20	2	11	34	3	10.5	30	2.5	10.5	18	1.6
12	13.5	24	2.5	13	24	2.5	13	24	2.5	13.5	44	4	13	37	2.5	13	20	2
14	15.5	28	2.5	15	28	2.5	15	28	2.5	15.5	50	4	15	44	3	15	24	2.5
16	17.5	30	3	17	30	3	17	30	3	17.5	56	5	17	50	3	17	28	2.5
20	22	37	3	21	37	3	21	37	3	22	72	5	22	60	4	21	34	3
24	26	44	4	25	44	4	25	44	4	26	85	6	26	72	5	25	39	4
30	33	56	4	31	56	4	31	56	4	33	105	6	33	92	6	31	50	4
39	66	36	5	37	66	5	37	66	5	39	125	8	39	110	8	37	60	5

注：1. A 级适用于精装配系列，C 级适用于中等装配系列。
　　2. C 级垫圈没有 $Ra3.2\mu m$ 和去飞边的要求。
　　3. GB/T 848—2002 主要用于圆柱头螺钉，其他用于标准的六角螺栓、螺母和螺钉。

表 B-9 标准型弹簧垫圈（摘自 GB/T 93—1987） （单位：mm）

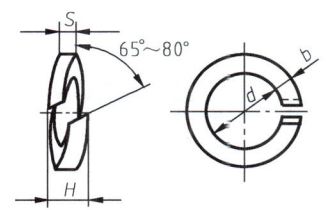
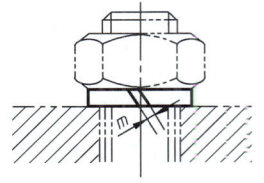

标记示例：

垫圈　GB/T 93　10

（规格 10mm、材料为 65Mn、表面氧化的标准型弹簧垫圈）

规格 （螺纹大径）	4	5	6	8	10	12	16	20	24	30	36	42	48
d_{1min}	4.1	5.1	6.1	8.1	10.2	12.2	16.2	20.2	24.5	30.5	36.5	42.5	48.5
$S=b_{公称}$	1.1	1.3	1.6	2.1	2.6	3.1	4.1	5	6	7.5	9	10.5	12
$m\leqslant$	0.55	0.65	0.8	1.05	1.3	1.55	2.05	2.5	3	3.75	4.5	5.25	6
H_{max}	2.75	3.25	4	5.25	6.5	7.75	10.25	12.5	15	18.75	22.5	26.25	30

注：m 应大于零。

表 B-10 圆柱销（摘自 GB/T 119.1—2000） （单位：mm）

A 型	B 型	C 型	D 型
d 公差：m6	d 公差：h6	d 公差：h11	d 公差：u8

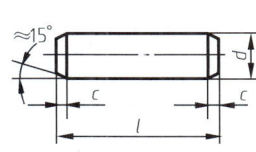
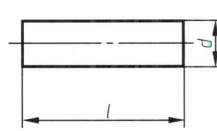
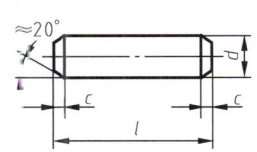

标记示例：

销　GB/T 119.1　6 m6×30

（公称直径 $d=6$mm、公差为 m6、公称长度 $l=30$mm、材料为钢、不经表面处理的圆柱销）

销　GB/T 119.1　6 m6×30-A1

（公称直径 $d=6$mm、公差为 m6、公称长度 $l=30$mm、材料为 A1 组奥氏体不锈钢、表面简单处理的圆柱销）

d（公称） m6/h8	2	3	4	5	6	8	10	12	16	20	25
$C\approx$	0.35	0.5	0.63	0.8	1.2	1.6	2	2.5	3	3.5	4
$l_{范围}$	6~20	8~30	8~40	10~50	12~60	14~80	18~95	22~140	26~180	35~200	50~200
$l_{系列}$ （公称）	2、3、4、5、6~32（2 进位）、35~100（5 进位）、120~200（按 20 递增，>200 也按 20 递增）										

表 B-11　圆锥销（摘自 GB/T 117—2000）　　　　　　（单位：mm）

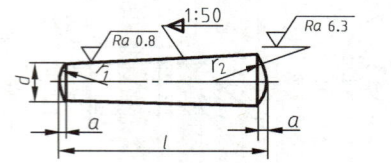
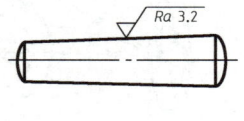

$$r_1 \approx d \quad r_2 \approx \frac{a}{2} + d + \frac{(0.021)^2}{8a}$$

标记示例：

销　GB/T 117　10×60

（公称直径 $d=10$mm、公称长度 $l=60$mm、材料为 35 钢、热处理硬度 28~38HRC、表面氧化处理的 A 型圆锥销）

$d_{公称}$	2	2.5	3	4	5	6	8	10	12	16	20	25
$a\approx$	0.25	0.3	0.4	0.5	0.63	0.8	1.0	1.2	1.6	2.0	2.5	3.0
$l_{范围}$	10~35	10~35	12~45	14~55	18~60	22~90	22~120	26~160	32~180	40~200	45~200	50~200
$l_{系列}$	2、3、4、5、6~32（2 进位）、35~100（5 进位）、120~200（20 进位）											

表 B-12　开口销（摘自 GB/T 91—2000）　　　　　　（单位：mm）

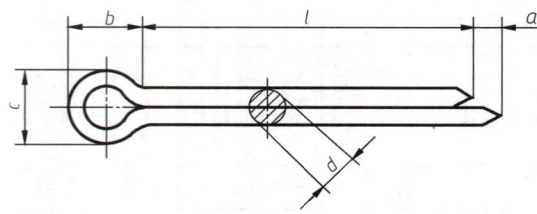
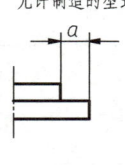

标记示例：

销　GB/T 91　5×50

（公称规格为 5mm、公称长度 $l=50$mm、材料为 Q215 或 Q235、不经表面处理的开口销）

d	公称	0.8	1	1.2	1.6	2	2.5	3.2	4	5	6.3	8	10	13
	max	0.7	0.9	1	1.4	1.8	2.3	2.9	3.7	4.6	5.9	7.5	9.5	12.4
	min	0.6	0.8	0.9	1.3	1.7	2.1	2.7	3.5	4.4	5.7	7.3	9.3	12.1
c_{max}		1.4	1.8	2	2.8	3.6	4.6	5.8	7.4	9.2	11.8	15	19	24.8
b		2.4	3	3	3.2	4	5	6.4	8	10	12.6	16	20	26
a_{max}		1.6				2.5			3.2		4		6.3	
$l_{范围}$		5~16	6~20	8~25	8~32	10~40	12~50	14~65	18~80	22~100	32~125	40~160	45~200	71~250
$l_{系列}$		4、5、6~22（2 进位）、25、28、32、36、40、45、50、56、63、71、80、90、100、112、125、140、160、180、200、224、250、280												

注：销孔的公称直径等于 $d_{公称}$，$d_{min} \leq$ 销的直径 $\leq d_{max}$。

表 B-13 普通平键键槽的尺寸与公差（摘自 GB/T 1095—2003） （单位：mm）

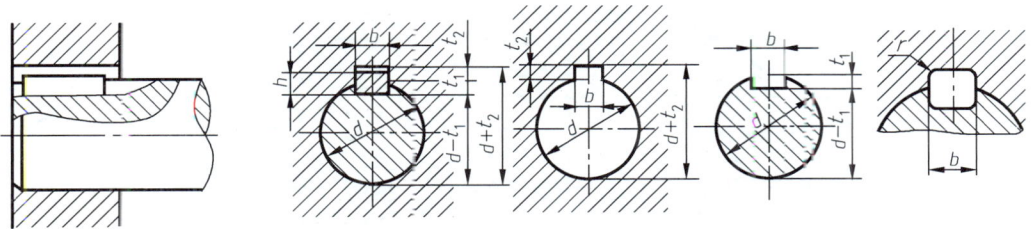

在工作图中，轴槽深用 t_1 或 $(d-t_1)$ 标注，轮毂槽深用 $(d+t_2)$ 标注。

轴的直径 d	键尺寸 $b \times h$	键槽 宽度 b					键槽 深度				半径 r	
		公称尺寸	极限偏差				轴 t_1		毂 t_2			
			正常连接		紧密连接	松连接		公称尺寸	极限偏差	公称尺寸	极限偏差	min	max
			轴 N9	毂 JS9	轴和毂 P9	轴 H9	毂 D10						
6~8	2×2	2	-0.004	±0.0125	-0.006	+0.025	+0.060	1.2	+0.1 0	1	+0.1 0	0.08	0.16
8~10	3×3	3	-0.029		-0.031	0	+0.020	1.8		1.4			
10~12	4×4	4	0	±0.015	-0.012	+0.030	+0.078	2.5		1.8		0.16	0.25
12~17	5×5	5	-0.030		-0.042	0	+0.030	3.0		2.3			
17~22	6×6	6						3.5		2.8			
22~30	8×7	8	0	±0.018	-0.015	+0.036	+0.098	4.0		3.3			
30~38	10×8	10	-0.036		-0.051	0	+0.040	5.0		3.3			
38~44	12×8	12						5.0		3.3		0.25	0.40
44~50	14×9	14	0	±0.026	-0.018	+0.043	+0.120	5.5		3.8			
50~58	16×10	16	-0.043		-0.061	0	+0.050	6.0	+0.2 0	4.3	+0.2 0		
58~65	18×11	18						7.0		4.4			
65~75	20×12	20						7.5		4.9			
75~85	22×14	22	0	±0.026	-0.022	+0.052	+0.149	9.0		5.4		0.40	0.60
85~95	25×14	25	-0.052		-0.074	0	+0.065	9.0		5.4			
95~110	28×16	28						10.0		6.4			
110~130	32×18	32						11.0		7.4			
130~150	36×20	36	0	±0.031	-0.026	+0.062	+0.180	12.0	-0.3 0	8.4	+0.3 0	0.70	1.0
150~170	40×22	40	-0.062		-0.088	0	+0.080	13.0		9.4			
170~200	45×25	45						15.0		10.4			

注：1. $(d-t_1)$ 和 $(d+t_2)$ 两组组合尺寸的极限偏差按相应的 t_1 和 t_2 的极限偏差选取，但 $(d-t_1)$ 极限偏差应取负号（-）。

2. 轴的直径不在本表所列，仅供参考。

表 B-14 普通平键的尺寸及公差（摘自 GB/T 1096—2003）　　　（单位：mm）

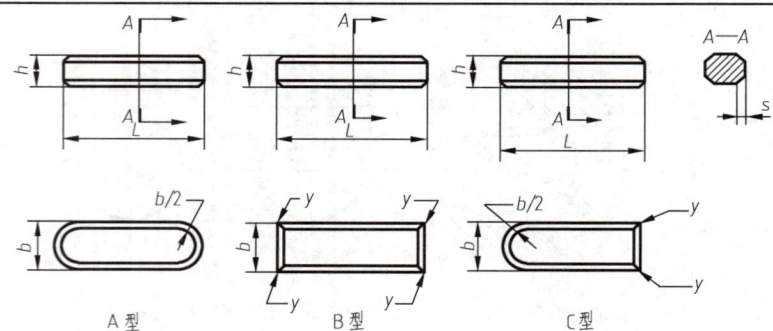

标记示例：
圆头普通平键（A 型）、宽度 $b=18$mm、高度 $h=11$mm、长度 $L=100$mm：GB/T 1096 键 18×11×100
平头普通平键（B 型）、宽度 $b=18$mm、高度 $h=11$mm、长度 $L=100$mm：GB/T 1096 键 B 18×11×100
单圆头普通平键（C 型）、宽度 $b=18$mm、高度 $h=11$mm、长度 $L=100$mm：GB/T 1096 键 C 18×11×100

宽度 b	公称尺寸		2	3	4	5	6	8	10	12	14	16	18	20	22
	极限偏差（h8）		0 −0.014		0 −0.018			0 −0.022		0 −0.027			0 −0.033		
高度 h	公称尺寸		2	3	4	5	6	7	8	8	9	10	11	12	14
	极限偏差	矩形（h11）	—		—			0 −0.090				0 −0.110			
		方形（h8）	0 −0.14		0 −0.018			—				—			
倒角或倒圆 s			0.16~0.25		0.25~0.40			0.40~0.60				0.60~0.80			
长度 L 公称尺寸	极限偏差（h14）														
6	0 −0.36			—		—	—	—	—	—	—	—	—	—	—
8						—	—	—	—	—	—	—	—	—	—
10							—	—	—	—	—	—	—	—	—
12	0 −0.48							—	—	—	—	—	—	—	—
14								—	—	—	—	—	—	—	—
16									—	—	—	—	—	—	—
18									—	—	—	—	—	—	—
20										—	—	—	—	—	—
22	0 −0.52		—			标准				—	—	—	—	—	—
25											—	—	—	—	—
28											—	—	—	—	—
32												—	—	—	—
36	0 −0.62		—									—	—	—	—
40			—										—	—	—
45			—	—				长度					—	—	—
50			—	—										—	—
56			—	—	—									—	—
63	0 −0.74		—	—	—										—
70			—	—	—	—									
80			—	—	—	—	—								
90	0 −0.87		—	—	—	—	—	—		范围					
100			—	—	—	—	—	—							
110			—	—	—	—	—	—	—						
125	0 −1.00		—	—	—	—	—	—	—	—					
140			—	—	—	—	—	—	—	—	—				
160			—	—	—	—	—	—	—	—	—	—			
180			—	—	—	—	—	—	—	—	—	—	—		
200	0 −1.15		—	—	—	—	—	—	—	—	—	—	—	—	
220			—	—	—	—	—	—	—	—	—	—	—	—	
250			—	—	—	—	—	—	—	—	—	—	—	—	—

表 B-15　半圆键（摘自 GB/T 1098—2003、GB/T 1099.1—2003）　（单位：mm）

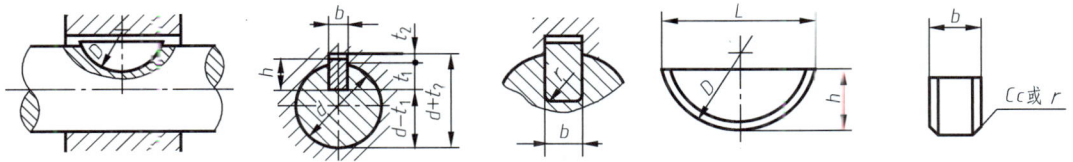

半圆键　键槽的剖面尺寸（摘自 GB/T 1098—2003）
普通型　半圆键（摘自 GB/T 1099.1—2003）

标记示例：

宽度 $b=6$mm，高度 $h=10$mm，直径 $D=25$mm，普通型半圆键的标记为：
GB/T 1099.1 键 6×10×25

键尺寸				键槽				
				轴		轮毂 t_2		
b	h(h11)	D(h12)	c	t_1	极限偏差	t_2	极限偏差	半径 r
1.0	1.4	4	0.16~0.25	1.0	+0.10	0.6	+0.10	0.08~0.16
1.5	2.6	7		2.0		0.8		
2.0	2.6	7		1.8		1.0		
2.0	3.7	10		2.9		1.0		
2.5	3.7	10		2.7		1.2		
3.0	5.0	13		3.8		1.4		
3.0	6.5	16		5.3		1.4		
4.0	6.5	16		5.0	+0.20	1.8		
4.0	7.5	19		6.0		1.8		
5.0	6.5	16	0.25~0.40	4.5		2.3		0.16~0.25
5.0	7.5	19		5.5		2.3		
5.0	9.0	22		7.0		2.3		
6.0	9.0	22		6.5		2.8		
6.0	10.0	25		7.5	+0.30	2.8	+0.20	
8.0	11.0	28	0.40~0.60	8.0		3.3		0.25~0.40
10.0	13.0	32		10.0		3.3		

注：1. 在图样中，轴槽深用 t_1 或 $(d-t_1)$ 标注，轮毂槽深用 $(d+t_2)$ 标注。$(d-t_1)$ 和 $(d+t_2)$ 的两个组合尺寸的极限偏差按相应 t_1 和 t_2 的极限偏差选取，但 $(d-t_1)$ 极限偏差应为负偏差。
　　2. 键长 L 的两端允许倒成圆角，圆角半径 $r=0.5$~1.5mm。
　　3. 键宽 b 的下极限偏差统一为"−0.025"。

表 B-16　滚动轴承　　　　　　　　　　　（单位：mm）

深沟球轴承 (摘自 GB/T 276—2013)	圆锥滚子轴承 (摘自 GB/T 297—2015)	推力球轴承 (摘自 GB/T 301—2015)
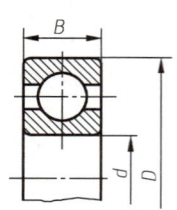	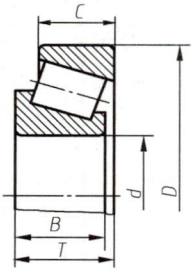	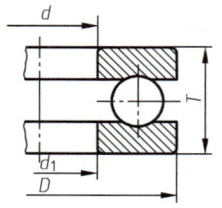
标记示例： 滚动轴承　6310　GB/T 276	标记示例： 滚动轴承　30212　GB/T 297	标记示例： 滚动轴承　51305　GB/T 301

轴承型号	尺寸			轴承型号	尺寸					轴承型号	尺寸			
	d	D	B		d	D	B	C	T		d	D	T	d_{1min}
尺寸系列[(0)2]				尺寸系列[02]						尺寸系列[12]				
6202	15	35	11	30203	17	40	12	11	13.25	51202	15	32	12	17
6203	17	40	12	30204	20	47	14	12	15.25	51203	17	35	12	19
6204	20	47	14	30205	25	52	15	13	16.25	51204	20	40	14	22
6205	25	52	15	30206	30	62	16	14	17.25	51205	25	47	15	27
6206	30	62	16	30207	35	72	17	15	18.25	51206	30	52	16	32
6207	35	72	17	30208	40	80	18	16	19.75	51207	35	62	18	37
6208	40	80	18	30209	45	85	19	16	20.75	51208	40	68	19	42
6209	45	85	19	30210	50	90	20	17	21.75	51209	45	73	20	47
6210	50	90	20	30211	55	100	21	18	22.75	51210	50	78	22	52
6211	55	100	21	30212	60	110	22	19	23.75	51211	55	90	25	57
6212	60	110	22	30213	65	120	23	20	24.75	51212	60	95	26	62
尺寸系列[(0)3]				尺寸系列[03]						尺寸系列[13]				
6302	15	42	13	30302	15	42	13	11	14.25	51304	20	47	18	22
6303	17	47	14	30303	17	47	14	12	15.25	51305	25	52	18	27
6304	20	52	15	30304	20	52	15	13	16.25	51306	30	60	21	32
6305	25	62	17	30305	25	62	17	15	18.25	51307	35	68	24	37
6306	30	72	19	30306	30	72	19	16	20.75	51308	40	78	26	42
6307	35	80	21	30307	35	80	21	18	22.75	51309	45	85	28	47
6308	40	90	23	30308	40	90	23	20	25.25	51310	50	95	31	52
6309	45	100	25	30309	45	100	25	22	27.25	51311	55	105	35	57
6310	50	110	27	30310	50	110	27	23	29.25	51312	60	110	35	62
6311	55	120	29	30311	55	120	29	25	31.50	51313	65	115	36	67
6312	60	130	31	30312	60	130	31	26	33.50	51314	70	125	40	72

注：圆括号中的尺寸系列代号在轴承代号中省略。

附录 C 极限与配合

表 C-1 公称尺寸至 500mm 的标准公差数值

公称尺寸/mm		标准公差等级																	
		IT01	IT0	IT1	IT2	IT3	IT4	IT5	IT6	IT7	IT8	IT9	IT10	IT11	IT12	IT13	IT14	IT15	IT16	IT17	IT18
大于	至	标准公差数值																	
		μm											mm						
—	3	0.3	0.5	0.8	1.2	2	3	4	6	10	14	25	40	60	0.1	0.14	0.25	0.4	0.6	1	1.4
3	6	0.4	0.6	1	1.5	2.5	4	5	8	12	18	30	48	75	0.12	0.18	0.3	0.48	0.75	1.2	1.8
6	10	0.4	0.6	1	1.5	2.5	4	6	9	15	22	36	58	90	0.15	0.22	0.36	0.58	0.9	1.5	2.2
10	18	0.5	0.8	1.2	2	3	5	8	11	18	27	43	70	110	0.18	0.27	0.43	0.7	1.1	1.8	2.7
18	30	0.6	1	1.5	2.5	4	6	9	13	21	33	52	84	130	0.21	0.33	0.52	0.84	1.3	2.1	3.3
30	50	0.6	1	1.5	2.5	4	7	11	16	25	39	62	100	160	0.25	0.39	0.62	1	1.6	2.5	3.9
50	80	0.8	1.2	2	3	5	8	13	19	30	46	74	120	190	0.3	0.46	0.74	1.2	1.9	3	4.6
80	120	1	1.5	2.5	4	6	10	15	22	35	54	87	140	220	0.35	0.54	0.87	1.4	2.2	3.5	5.4
120	180	1.2	2	3.5	5	8	12	18	25	40	63	100	160	250	0.4	0.63	1	1.6	2.5	4	6.3
180	250	2	3	4.5	7	10	14	20	29	46	72	115	185	290	0.46	0.72	1.15	1.85	2.9	4.6	7.2
250	315	2.5	4	6	8	12	16	23	32	52	81	130	210	320	0.52	0.81	1.3	2.1	3.2	5.2	8.1
315	400	3	5	7	9	13	18	25	36	57	89	140	230	360	0.57	0.89	1.4	2.3	3.6	5.7	8.9
400	500	4	6	8	10	15	20	27	40	63	97	155	250	400	0.63	0.97	1.55	2.5	4	6.3	9.7

表 C-2 轴的基本偏差

公称尺寸 /mm		上极限偏差, es										基本偏差			
		所有标准公差等级										IT5 和 IT6	IT7	IT8	IT4 至 IT7
大于	至	a①	b①	c	cd	d	e	ef	f	fg	g	h	js	j		
—	3	−270	−140	−60	−34	−20	−14	−10	−6	−4	−2	0	偏差 = ±ITn/2, 式中 n 是标准公差等级数	−2	−4	−6	0
3	6	−270	−140	−70	−46	−30	−20	−14	−10	−6	−4	0		−2	−4		+1
6	10	−280	−150	−80	−56	−40	−25	−18	−13	−8	−5	0		−2	−5		+1
10	14	−290	−150	−95	−70	−50	−32	−23	−16	−10	−6	0		−3	−6		+1
14	18																
18	24	−300	−160	−110	−85	−65	−40	−25	−20	−12	−7	0		−4	−8		+2
24	30																
30	40	−310	−170	−120	−100	−80	−50	−35	−25	−15	−9	0		−5	−10		+2
40	50	−320	−180	−130													
50	65	−340	−190	−140		−100	−60		−30		−10	0		−7	−12		+2
65	80	−360	−200	−150													
80	100	−380	−220	−170		−120	−72		−36		−12	0		−9	−15		+3
100	120	−410	−240	−180													
120	140	−460	−260	−200		−145	−85		−43		−14	0		−11	−18		+3
140	160	−520	−280	−210													
160	180	−580	−310	−230													
180	200	−660	−340	−240		−170	−100		−50		−15	0		−13	−21		+4
200	225	−740	−380	−260													
225	250	−820	−420	−280													
250	280	−920	−480	−300		−190	−110		−56		−17	0		−16	−26		+4
280	315	−1050	−540	−330													
315	355	−1200	−600	−360		−210	−125		−62		−18	0		−18	−28		+4
355	400	−1350	−680	−400													
400	450	−1500	−760	−440		−230	−135		−68		−20	0		−20	−32		+5
450	500	−1650	−840	−480													

① 公称尺寸≤1mm 时, 不使用基本偏差 a 和 b。

附录

数值（摘自 GB/T 1800.1—2020）

数值/μm

				下极限偏差,ei									
≤IT3 >IT7				所有标准公差等级									
k	m	n	p	r	s	t	u	v	x	y	z	za	zb	zc
0	+2	+4	+6	+10	+14		+18		+20		+26	+32	+40	+60
0	+4	+8	+12	+15	+19		+23		+28		+35	+42	+50	+80
0	+6	+10	+15	+19	+23		+28		+34		+42	+52	+67	+97
0	+7	+12	+18	+23	+28		+33		+40		+50	+64	+90	+130
								+39	+45		+50	+77	+108	+150
0	+8	+15	+22	+28	+35		+41	+47	+54	+63	+73	+98	+136	+188
						+41	+48	+55	+64	+75	+88	+118	+160	+218
0	+9	+17	+26	+34	+43	+48	+60	+68	+80	+94	+112	+148	+200	+274
						+54	+70	+81	+97	+114	+136	+180	+242	+325
0	+11	+20	+32	+41	+53	+66	+87	+102	+122	+144	+172	+226	+300	+405
				+43	+59	+75	+102	+120	+146	+174	+210	+274	+360	+480
0	+13	+23	+37	+51	+71	+91	+124	+146	+178	+214	+258	+335	+445	+585
				+54	+79	+104	+144	+172	+210	+254	+310	+400	+525	+690
0	+15	+27	+43	+63	+92	+122	+170	+202	+248	+300	+365	+470	+620	+800
				+65	+100	+134	+190	+228	+280	+340	+415	+535	+700	+900
				+68	+108	+146	+210	+252	+310	+330	+465	+600	+780	+1000
0	+17	+31	+50	+77	+122	+166	+236	+284	+350	+425	+520	+670	+880	+1150
				+80	+130	+180	+258	+310	+385	+470	+575	+740	+960	+1250
				+84	+140	+196	+284	+340	+425	+520	+640	+820	+1050	+1350
0	+20	+34	+56	+94	+158	+218	+315	+385	+475	+580	+710	+920	+1200	+1550
				+98	+170	+240	+350	+425	+525	+650	+790	+1000	+1300	+1700
0	+21	+37	+62	+108	+190	+268	+390	+475	+590	+730	+900	+1150	+1500	+1900
				+114	+208	+294	+435	+530	+660	+820	+1000	+1300	+1650	+2100
0	+23	+40	+68	+126	+232	+330	+490	+595	+740	+920	+1100	+1450	+1850	+2400
				+132	+252	+360	+540	+660	+820	+1000	+1250	+1600	+2100	+2600

表 C-3 孔的基本偏差

公称尺寸 /mm		基本偏差																
		下极限偏差, EI																
		所有标准公差等级										IT6	IT7	IT8	≤IT8	>IT8	≤IT8	>IT8	≤IT8	>IT8
大于	至	A[①]	B[①]	C	CD	D	E	EF	F	FG	G	H	JS	J			K[③,④]		M[②,③,④]		N[①,③]	
—	3	+270	+140	+60	+34	+20	+14	+10	+6	+4	+2	0		+2	+4	+6	0	0	−2	−2	−4	−4
3	6	+270	+140	+70	+46	+30	+20	+14	+10	+6	+4	0		+5	+6	+10	−1+Δ		−4+Δ	−4	−8+Δ	0
6	10	+280	+150	+80	+56	+40	+25	+18	+13	+8	+5	0		+5	+8	+12	−1+Δ		−6+Δ	−6	−10+Δ	0
10	14	+290	+150	+95	+70	+50	+32	+23	+16	+10	+6	0		+6	+10	+15	−1+Δ		−7+Δ	−7	−12+Δ	0
14	18																					
18	24	+300	+160	+110	+85	+65	+40	+28	+20	+12	+7	0		+8	+12	+20	−2+Δ		−8+Δ	−8	−15+Δ	0
24	30																					
30	40	+310	+170	+120	+100	+80	+50	+35	+25	+15	+9	0	偏差=±ITn/2,式中n为标准公差等级数	+10	+14	+24	−2+Δ		−9+Δ	−9	−17+Δ	0
40	50	+320	+180	+130																		
50	65	+340	+190	+140		+100	+60		+30		+10	0		+13	+18	+28	−2+Δ		−11+Δ	−11	−20+Δ	0
65	80	+360	+200	+150																		
80	100	+380	+220	+170		+120	+72		+36		+12	0		+16	+22	+34	−3+Δ		−13+Δ	−13	−23+Δ	0
100	120	+410	+240	+180																		
120	140	+460	+260	+200		+145	+85		+43		+14	0		+18	+26	+41	−3+Δ		−15+Δ	−15	−27+Δ	0
140	160	+520	+280	+210																		
160	180	+580	+310	+230																		
180	200	+660	+340	+240		+170	+100		+50		+15	0		+22	+30	+47	−4+Δ		−17+Δ	−17	−31+Δ	0
200	225	+740	+380	+260																		
225	250	+820	+420	+280																		
250	280	+920	+480	+300		+190	+110		+56		+17	0		+25	+36	+55	−4+Δ		−20+Δ	−20	−34+Δ	0
280	315	+1050	+540	+330																		
315	355	+1200	+600	+360		+210	+125		+62		+18	0		+29	+39	+60	−4+Δ		−21+Δ	−21	−37+Δ	0
355	400	+1350	+680	+400																		
400	450	+1500	+760	+440		+230	+135		+68		+20	0		+33	+43	+66	−5+Δ		−23+Δ	−23	−40+Δ	0
450	500	+1650	+840	+480																		

① 公称尺寸≤1mm时,不适用基本偏差 A 和 B,不使用标准公差等级大于 IT8 的基本偏差 N。
② 特例:对于公称尺寸大于 250~315mm 的公差带代号 M6,$ES=-9\mu m$(计算结果不是 $-11\mu m$)。
③ 为确定 K、M、N 和 P~ZC 的值,见 GB/T 1800.1—2020 中的 4.3.2.5。
④ 对于 Δ 值,见本表右边的最后六列。

数值（摘自 GB/T 1800.1—2020）

数值/μm												Δ 值/μm					
上极限偏差，ES																	
≤IT7		>IT7 的标准公差等级										标准公差等级					
P 至 ZC③	P	R	S	T	U	V	X	Y	Z	ZA	ZB	ZC	IT3	IT4	IT5	IT6	IT7	IT8
在>IT7 的标准公差等级的基本偏差数值上增加一个Δ值	−6	−10	−14		−18		−20		−26	−32	−40	−60	0	0	0	0	0	0
	−12	−15	−19		−23		−28		−35	−42	−50	−80	1	1.5	1	3	4	6
	−15	−19	−23		−28		−34		−42	−52	−67	−97	1	1.5	2	3	6	7
	−18	−23	−28	−33		−40		−50	−64	−90	−136	1	2	3	3	7	9
					−39	−45		−60	−77	−108	−150						
	−22	−28	−35	−41	−47	−54	−63	−73	−98	−136	−188	1.5	2	3	4	8	12
				−41	−48	−55	−64	−75	−88	−118	−160	−218						
	−26	−34	−43	−48	−60	−68	−80	−94	−112	−148	−200	−274	1.5	3	4	5	9	14
				−54	−70	−81	−97	−114	−136	−180	−242	−325						
	−32	−41	−53	−66	−87	−102	−122	−144	−172	−226	−300	−405	2	3	5	6	11	16
		−43	−59	−75	−102	−120	−146	−174	−210	−274	−360	−480						
	−37	−51	−71	−91	−124	−146	−178	−214	−258	−335	−445	−585	2	4	5	7	13	19
		−54	−79	−104	−144	−172	−210	−254	−310	−400	−525	−690						
	−43	−63	−92	−122	−170	−202	−248	−300	−365	−470	−620	−800	3	4	6	7	15	23
		−65	−100	−134	−190	−228	−280	−340	−415	−535	−700	−900						
		−68	−108	−146	−210	−252	−310	−380	−465	−600	−780	−1000						
	−50	−77	−122	−166	−236	−284	−350	−425	−520	−670	−880	−1150	3	4	6	9	17	26
		−80	−130	−180	−258	−310	−385	−470	−575	−740	−960	−1250						
		−84	−140	−196	−284	−340	−425	−520	−640	−820	−1050	−1350						
	−56	−94	−158	−218	−315	−385	−475	−580	−710	−920	−1200	−1550	4	4	7	9	20	29
		−98	−170	−240	−350	−425	−525	−650	−790	−1000	−1300	−1700						
	−62	−108	−190	−268	−390	−475	−590	−730	−900	−1150	−1500	−1900	4	5	7	11	21	32
		−114	−208	−294	−435	−530	−660	−820	−1000	−1300	−1650	−2100						
	−68	−126	−232	−330	−490	−595	−740	−920	−1100	−1450	−1850	−2400	5	5	7	13	23	34
		−132	−252	−360	−540	−660	−820	−1000	−1250	−1600	−2100	−2600						

表 C-4 优先选用的轴的公差带（摘自 GB/T 1800.2—2020）　（偏差单位：μm）

代号		a	b	c	d	e	f	g	h				js	k	n	p	r	s
公称尺寸 mm								公差等级										
大于	至	11	11	11	9	8	7	6	6	7	9	11	6	6	6	6	6	6
—	3	-270 -330	-140 -200	-60 -120	-20 -45	-14 -28	-6 -16	-2 -8	0 -6	0 -10	0 -25	0 -60	±3	+6 0	+10 +4	+12 +6	+16 +10	+20 +14
3	6	-270 -345	-140 -215	-70 -145	-30 -60	-20 -38	-10 -22	-4 -12	0 -8	0 -12	0 -30	0 -75	±4	+9 +1	+16 +8	+20 +12	+23 +15	+27 +19
6	10	-280 -370	-150 -240	-80 -170	-40 -76	-25 -47	-13 -28	-5 -14	0 -9	0 -15	0 -36	0 -90	±4.5	+10 +1	+19 +10	+24 +15	+28 +19	+32 +23
10	18	-290 -400	-150 -260	-95 -205	-50 -93	-32 -59	-16 -34	-6 -17	0 -11	0 -18	0 -43	0 -110	±5.5	+12 +1	+23 +12	+29 +18	+34 +23	+39 +28
18	30	-300 -430	-160 -290	-110 -240	-65 -117	-40 -73	-20 -41	-7 -20	0 -13	0 -21	0 -52	0 -130	±6.5	+15 +2	+28 +15	+35 +22	+41 +28	+48 +35
30	40	-310 -470	-170 -330	-120 -280	-80 -142	-50 -89	-25 -50	-9 -25	0 -16	0 -25	0 -62	0 -160	±8	+18 +2	+33 +17	+42 +26	+50 +34	+59 +43
40	50	-320 -480	-180 -340	-130 -290														
50	65	-340 -530	-190 -380	-140 -330	-100 -174	-60 -106	-30 -60	-10 -29	0 -19	0 -30	0 -74	0 -190	±9.5	+21 +2	+39 +20	+51 +32	+60 +41	+72 +53
65	80	-360 -550	-200 -390	-150 -340													+62 +43	+78 +59
80	100	-380 -600	-220 -440	-170 -390	-120 -207	-72 -126	-36 -71	-12 -34	0 -22	0 -35	0 -87	0 -220	±11	+25 +3	+45 +23	+59 +37	+73 +51	+93 +71
100	120	-410 -630	-240 -460	-180 -400													+76 +54	+101 +79
120	140	-460 -710	-260 -510	-200 -450	-145 -245	-85 -148	-43 -83	-14 -39	0 -25	0 -40	0 -100	0 -250	±12.5	+28 +3	+52 +27	+68 +43	+88 +63	+117 +92
140	160	-520 -770	-280 -530	-210 -460													+90 +65	+125 +100
160	180	-580 -830	-310 -560	-230 -480													+93 +68	+133 +108
180	200	-660 -950	-340 -630	-240 -530	-170 -285	-100 -172	-50 -96	-15 -44	0 -29	0 -46	0 -115	0 -290	±14.5	+33 +4	+60 +31	+79 +50	+106 +77	+151 +122
200	225	-740 -1030	-380 -670	-260 -550													+109 +80	+159 +130
225	250	-820 -1110	-420 -710	-280 -570													+113 +84	+169 +140
250	280	-920 -1240	-480 -800	-300 -620	-190 -320	-110 -191	-56 -108	-17 -49	0 -32	0 -52	0 -130	0 -320	±16	+36 +4	+66 +34	+88 +56	+126 +94	+190 +158
280	315	-1050 -1370	-540 -860	-330 -650													+130 +98	+202 +170
315	355	-1200 -1560	-600 -960	-360 -720	-210 -350	-125 -214	-62 -119	-18 -54	0 -36	0 -57	0 -140	0 -360	±18	+40 +4	+73 +37	+98 +62	+144 +108	+226 +190
355	400	-1350 -1710	-680 -1040	-400 -760													+150 +114	+244 +208
400	450	-1500 -1900	-760 -1160	-440 -840	-230 -385	-135 -232	-68 -131	-20 -60	0 -40	0 -63	0 -155	0 -400	±20	+45 +5	+80 +40	+108 +68	+166 +126	+272 +232
450	500	-1650 -2050	-840 -1240	-480 -880													+172 +132	+292 +252

表 C-5 优先选用的孔的公差带（摘自 GB/T 1800.2—2020）（偏差单位：μm）

代号		A	B	C	D	E	F	G	H				JS	K	N	P	R	S
公称尺寸 mm									公差等级									
大于	至	11	11	11	10	9	8	7	7	8	9	11	7	7	7	7	7	7
—	3	+330 +270	+200 +140	+120 +60	+60 +20	+39 +14	+20 +6	+12 +2	+10 0	+14 0	+25 0	+60 0	±5	0 −10	−4 −14	−6 −16	−10 −20	−14 −24
3	6	+345 +270	+215 +140	+145 +70	+78 +30	+50 +20	+28 +10	+16 +4	+12 0	+18 0	+30 0	+75 0	±6	+3 −9	−4 −16	−8 −20	−11 −23	−15 −27
6	10	+370 +280	+240 +150	+170 +80	+98 +40	+61 +25	+35 +13	+20 +5	+15 0	+22 0	+36 0	+90 0	±7.5	+5 −10	−4 −19	−9 −24	−13 −28	−17 −32
10	18	+400 +290	+260 +150	+205 +95	+120 +50	+75 +32	+43 +16	+24 +6	+18 0	+27 0	+43 0	+110 0	±9	+6 −12	−5 −23	−11 −29	−16 −34	−21 −39
18	30	+430 +300	+290 +160	+240 +110	+149 +65	+92 +40	+53 +20	+28 +7	+21 0	+33 0	+52 0	+130 0	±10.5	+6 −15	−7 −28	−14 −35	−20 −41	−27 −48
30	40	+470 +310	+330 +170	+280 +120	+180 +80	+112 +50	+64 +25	+34 +9	+25 0	+39 0	+62 0	+160 0	±12.5	+7 −18	−8 −33	−17 −42	−25 −50	−34 −59
40	50	+480 +320	+340 +180	+290 +130														
50	65	+530 +340	+380 +190	+330 +140	+220 +100	+134 +60	+75 +30	+40 +10	+30 0	+46 0	+74 0	+190 0	±15	+9 −21	−9 −39	−21 −51	−30 −60 −32 −62	−42 −72 −48 −78
65	80	+550 +360	+390 +200	+340 +150														
80	100	+600 +380	+440 +220	+390 +170	+260 +120	+159 +72	+90 +36	+47 +12	+35 0	+54 0	+87 0	+220 0	±17.5	+10 −25	−10 −45	−24 −59	−38 −73 −41 −76	−58 −93 −66 −101
100	120	+630 +410	+460 +240	+400 +180														
120	140	+710 +460	+510 +260	+450 +200	+305 +145	+185 +85	+106 +43	+54 +14	+40 0	+63 0	+100 0	+250 0	±20	+12 −28	−12 −52	−28 −68	−48 −88 −50 −90 −53 −93	−77 −117 −85 −125 −93 −133
140	160	+770 +520	+530 +280	+460 +210														
160	180	+830 +580	+560 +310	+480 +230														
180	200	+950 +660	+630 +340	+530 +240	+355 +170	+215 +100	+122 +50	+61 +15	+46 0	+72 0	+115 0	+290 0	±23	+13 −33	−14 −60	−33 −79	−60 −106 −63 −109 −67 −113	−105 −151 −113 −159 −123 −169
200	225	+1030 +740	+670 +380	+550 +260														
225	250	+1110 +820	+710 +420	+570 +280														
250	280	+1240 +920	+800 +480	+620 +300	+400 +190	+240 +110	+137 +56	+69 +17	+52 0	+81 0	+130 0	+320 0	±26	+16 −36	−14 −66	−36 −88	−74 −126 −78 −130	−138 −190 −150 −202
280	315	+1370 +1050	+860 +540	+650 +330														
315	355	+1560 +1200	+960 +600	+720 +360	+440 +210	+265 +125	+151 +62	+75 +18	+57 0	+89 0	+140 0	+360 0	±28.5	+17 −40	−16 −73	−41 −98	−87 −144 −93 −150	−169 −226 −187 −244
355	400	+1710 +1350	+1040 +680	+760 +400														
400	450	+1900 +1500	+1160 +760	+840 +440	+480 +230	+290 +135	+165 +68	+83 +20	+63 0	+97 0	+155 0	+400 0	±31.5	+18 −45	−17 −80	−45 −108	−103 −166 −109 −172	−209 −272 −229 −292
450	500	+2050 +1650	+1240 +840	+880 +480														

附录 D　机构运动示意图中的符号

表 D-1　机构运动简图符号

名称	例图	基本符号	可用符号
轴、杆			
螺杆			
螺杆与螺母		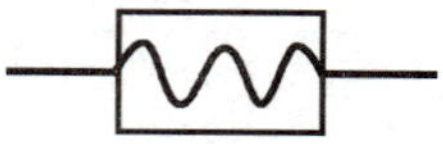	
深沟球轴承		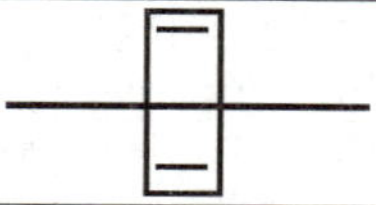	
推力球轴承		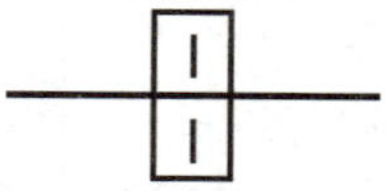	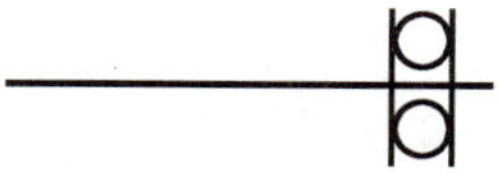
角接触球轴承		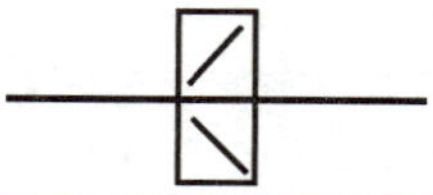	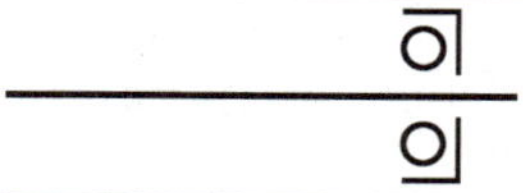
圆柱齿轮啮合		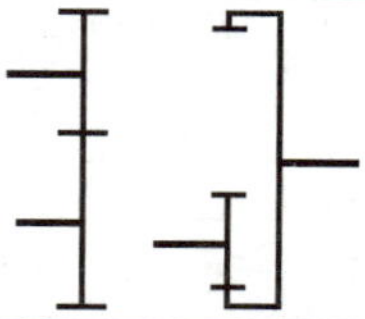	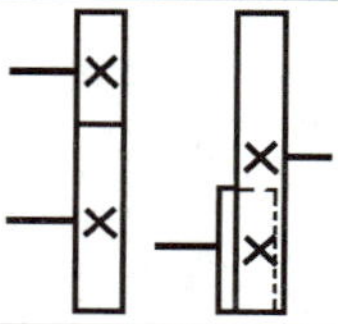
锥齿轮啮合		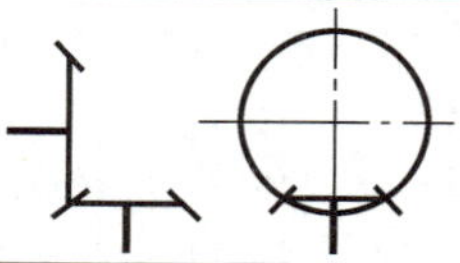	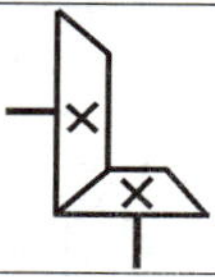
蜗轮蜗杆啮合		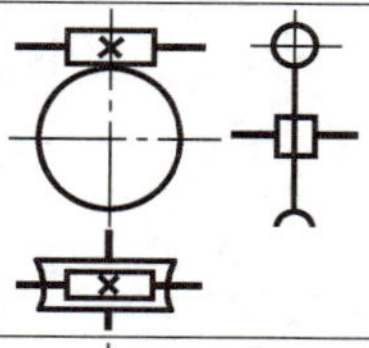	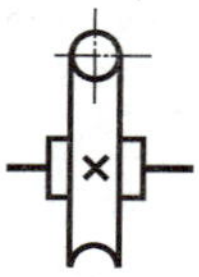
带传动		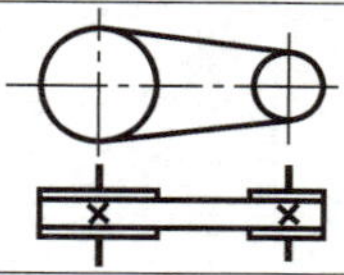	
滑动轴承与轴			
平带传动		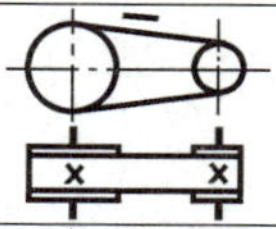	
圆带传动		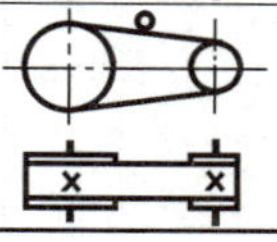	

附录 E 常用材料及热处理方法

表 E-1 热处理方法及应用

名称	处理方法	应用
退火	将钢件加热到临界温度以上，保温一段时间，然后缓慢地冷却下来（例如在炉中冷却）	用来消除铸、锻、焊零件的内应力，降低硬度，改善加工性能，增加塑性和韧性，细化金属晶粒，使组织均匀。适用于 w_C 在 0.85% 以下的铸、锻、焊零件
正火	将钢件加热到临界温度以上，保温一段时间，然后在空气中冷却下来，冷却速度比退火快	用来处理低碳和中碳结构钢件及渗碳零件，使其晶粒细化，增加强度与韧性，改善切削加工性能
淬火	将钢件加热到临界温度以上，保温一段时间，然后在水、盐水或油中急速冷却下来，使其硬度、耐磨性增加	用来提高钢的硬度、强度和耐磨性。但淬火后会引起内应力及脆性，因此淬火后的钢件必须回火
回火	将淬火后的钢件，加热到临界温度以下的某一温度，保温一段时间，然后在空气或油中冷却下来	用来消除淬火时产生的脆性和内应力，以提高钢件的韧性和强度
调质	淬火后进行高温回火（450~650℃）称为调质	可以完全消除内应力，并获得较高的综合力学性能。一些重要零件淬火后要经过调质处理
表面淬火	用火焰或高频电流将零件表面迅速加热至临界温度以上，急速冷却	使零件表层有较高的硬度和耐磨性，而内部保持一定的韧性，使零件既耐磨又能承受冲击，如重要的齿轮、曲轴、活塞销等
渗碳	将低、中碳（w_C<0.4%）钢件在渗碳剂中加热到 900~950℃，停留一段时间，使零件表面增碳 0.4~0.6mm，然后淬火	增加零件表面硬度、耐磨性、抗拉强度及疲劳极限。适用于低碳、中碳结构钢的中小型零件及大型重负荷、受冲击、耐磨的零件
液体碳氮共渗	使零件表面增加碳与氮，其扩散层深度较浅（0.2~0.5mm）。在 0.2~0.4mm 层具有高硬度 60~70HRC	增加结构钢、工具钢零件的表面硬度、耐磨性及疲劳极限，提高刀具切削性能和使用寿命。适用于要求硬度高、耐磨的中、小型及薄片的零件和刀具
渗氮	使零件表面增氮，氮化层为 0.025~0.8mm。氮化层硬度极高	增加零件的表面硬度、耐磨性、疲劳极限及耐蚀能力。适用于含铝、铬、钼、锰等合金钢，如要求耐磨的主轴、量规、样板、水泵轴、排气门等零件
冰冷处理	将淬火钢件继续冷却至室温以下的处理方法	进一步提高零件的硬度、耐磨性，使零件尺寸趋于稳定，如用于滚动轴承的钢球
发蓝发黑	用加热办法使零件工作表面形成一层氧化铁组成的保护性薄膜	防腐蚀、美观，用于一般紧固件
时效处理	天然时效：在空气中存放半年到一年以上 人工时效：加热到 200℃ 左右，保温 10~20h 或更长时间	使铸件或淬火后的钢件慢慢消除其内应力，而达到稳定其形状和尺寸

注：w_C 为 C 的质量分数。

表 E-2 常用的金属材料与非金属材料

名称		牌号	说明	应用举例
黑色金属	灰铸铁 GB/T 9439—2023	HT100	HT——"灰铸铁"代号 150——抗拉强度（MPa）	属低强度铸铁。用于盖、手把、手轮等不重要零件
		HT150		属中等强度铸铁。用于一般铸铁，如机床座、端盖、带轮、工作台等
		HT200		属高强度铸铁。用于较重要零件，如气缸、齿轮、凸轮、机座、床身、飞轮、带轮、齿轮箱、阀壳、轴承、衬筒、轴承座等

(续)

名称		牌号	说明	应用举例
黑色金属	球墨铸铁 GB/T 1348—2019	QT450-10	QT——"球墨铸铁"代号 450——抗拉强度（MPa） 10——伸长率（%）	具有较高的强度和塑性。广泛用于机械制造业中受磨损和受冲击的零件，如曲轴、气缸套、活塞环、摩擦片、中低压阀门、千斤顶座等
		QT500-7		
		QT600-3		
	铸钢 GB/T 11352—2009	ZG200-400	ZG——"铸钢"代号 200——屈服强度（MPa） 400——抗拉强度（MPa）	用于各种形状的零件，如机座、变速器壳等
		ZG270-500		用于各种形状的零件，如飞轮、机架、水压机工作缸、横梁等
		ZG310-570		用于各种形状的零件，如联轴器、气缸、齿轮及重负荷的机架等
	普通碳素结构钢 GB/T 700—2006	Q215	Q——"屈"字代号 215——屈服强度（MPa） A——质量等级	塑性大、抗拉强度低、易焊接。用于炉撑、铆钉、垫圈、开口销等
		Q235A		有较高的强度和硬度，伸长率也相当大，可以焊接，用途很广，是一般机械上的主要材料，用于低速轻载齿轮、键、拉杆、钩子、螺栓、套圈等
		Q275		
	优质碳素结构钢 GB/T 699—2015	15、15F	15——以平均万分数表示的碳的质量分数 F——沸腾钢	塑性、韧性、焊接性能和冷冲性能均极好，但强度低。用于螺钉、螺母、法兰盘、渗碳零件等
		35		不经热处理可用于中等载荷的零件，如拉杆、轴、套筒、钩子等；调质处理后适用于强度及韧性要求较高的零件，如传动轴等
		45		用于强度要求较高的零件，如齿轮、机床主轴、花键轴等
		15Mn	15——以平均万分数表示的碳的质量分数 Mn——含锰量较高（0.7%~1.2%）	其性能与15钢相似，渗碳后淬透性、强度比15钢高
		45Mn		用于受磨损的零件，如转轴、心轴、齿轮、花键轴等
有色金属	普通黄铜 GB/T 5231—2022	H59	H——"黄"铜的代号 96——基体元素铜的含量（质量分数）	用于热轧、热压零件，如套管、螺母等
		H68		用于复杂的冷冲零件和深拉伸零件，如弹壳、垫座等
		H96		用于散热器和冷凝器管子等
	铸造锡青铜 GB/T 1176—2013	ZCuSn5Pb5Zn5	Z——"铸造"代号 Cu——基体金属铜元素符号 Sn10——锡元素符号及名义含量（质量分数）（%）	用于轴瓦、衬套、缸套、油塞、离合器、蜗轮等中等滑动速度下工作的耐磨、耐蚀零件
		ZCuSn10Zn2		用于中等及较高负荷和小滑动速度下工作的重要管配件，以及阀、旋塞、泵体、齿轮、叶轮、蜗轮等
		ZCuAl9Fe4Ni4Mn2		用于船舶螺旋桨、耐磨和400℃以下工作的零件，如轴承、齿轮、蜗轮、螺母、阀体、法兰等
		ZCuAl10Fe3		用于强度高、耐磨、耐蚀的零件，如蜗轮、轴承、衬套、耐热管配件等

（续）

名　　称		牌号	说　　明	应用举例
有色金属	铸造铝合金 GB/T 1173—2013	ZAlSi5Cu1Mg	Z——"铸造"代号 Al——基体元素铝元素符号 Si5——硅元素符号及名义含量（质量分数）(%)	用于风冷发动机的气缸头、机闸、油泵体等225℃以下工作的零件
		ZAlCu4		用于中等载荷、形状较简单的200℃以下工作的小零件
非金属	尼龙	尼龙6	6、66为顺序号，66比6的力学性能和线膨胀系数高	力学性能高、韧性好、耐磨、耐水、耐油，用于一般机械零件、传动件及减摩耐磨件，如齿轮、蜗轮、轴承、丝杠、螺母、凸轮、风扇叶轮、螺钉、垫圈等。其特点是运转时噪声小
		尼龙66		
	软钢纸板 QB/T 2200—1996		规格： 920mm×650mm　650mm×490mm 650mm×400mm　400mm×300mm	用于密封连接处垫片
	工业用平面毛毡 FJ 314—1981	T112-32~44 T122-30~38 T132-32-36	T112——细毛 T122——半粗毛 T132——粗毛 后两位数是密度（g/cm³）值乘100（如T112-32~44是指密度为0.32~0.44g/cm³）	用作密封、防振缓冲衬垫

参 考 文 献

［1］ 李茗. 汽车机械制图及识图［M］. 北京：化学工业出版社，2015.
［2］ 金大鹰. 机械制图：机械类专业［M］. 5版. 北京：机械工业出版社，2020.
［3］ 李明雄，胡浩然. 机械制图［M］. 长沙：中南大学出版社，2020.